SAISON 4

B2

MÉTHODE DE FRANÇAIS

Marie-Noëlle Cocton
Coordination pédagogique

Sébastien Durietz
Pauline Martin
Céline Mézange
Caroline Mraz

Dorothée Dupleix (DELF)
Delphine Ripaud (phonétique)

didier

Principe de couverture et direction artistique : Vivan Mai

Conception graphique intérieure : Marie-Astrid Bailly-Maître

Adaptation maquette : Joëlle Parreau

Édition : Carole San-Galli

Mise en page : Gudrun Challe

Iconographie : Aurélia Galicher

Infographies : Dany Mourain

Carte : Jean-Louis Liennard

Enregistrements, montage et mixage : Olivier Ledoux (Studio EURODVD)

DVD : INIT Productions

Photogravure : RVB

éditions **didier** s'engagent pour
l'environnement en réduisant
l'empreinte carbone de leurs livres.
Celle de cet exemplaire est de :
1,4 kg éq. CO_2
Rendez-vous sur
www.editionsdidier-durable.fr

PAPIER À BASE DE
FIBRES CERTIFIÉES

© Les Éditions Didier, Paris 2015 - ISBN : 978-2-278-08110-3 - Dépôt légal : 8110/05
Achevé d'imprimer en Italie en septembre 2017 par L.E.G.O. (Lavis)

Un avant-goût de *Saison*...

Au cœur des cultures francophones, **Saison** est une méthode de français sur **quatre niveaux** qui s'adresse à des apprenants ou grands adolescents. Ce quatrième *Saison* couvre l'ensemble du niveau **B2** avec **9 unités**, soit 180 à 200 heures d'enseignement. Ce manuel permet aux apprenants de se présenter au DELF B2.

Saison s'aligne sur les principes pédagogiques décrits par le Cadre européen commun de référence pour les langues (CECRL) et s'inscrit pleinement dans la lignée des approches communicative et actionnelle pour allier apprentissage et plaisir avant tout !

Pour faciliter l'apprentissage, **quatre dynamiques** guident **Saison 4** :

■ Une dynamique culturelle riche

L'apprenant enrichit sa **culture générale francophone** grâce à des genres de discours variés et à un large panel de documents, des plus courts aux plus longs (de 30 secondes à 6 minutes) à découvrir au hasard de son exploration. Des quiz et des jeux culturels viennent renforcer son plaisir d'apprendre !

■ Une dynamique argumentative solide

Pour l'aider à se préparer aux épreuves de production orale et écrite du DELF B2, le travail amorcé autour de l'**argumentation** dans *Saison 3* se poursuit : la structure de l'unité en **deux temps** permet, à l'apprenant, dans le thème 1, de nourrir ses idées par des faits et d'analyser des **prises de positions** ; dans le thème 2, d'apprendre à lire entre les lignes et à **décrypter** des documents. Les situations de la **vie courante** présentées dans les ateliers d'expression orale et écrite invitent l'apprenant à s'initier à un langage familier et à réagir, comme s'il était lui-même plongé dans un contexte d'immersion *(C'est du vécu ! ; En situation !).*

■ Une dynamique méthodologique et stratégique en trois unités

Les auteurs ont souhaité proposer des **outils** méthodologiques pour aider l'apprenant à développer ses réflexes d'apprentissage, ses capacités d'induction et de catégorisation tout en se préparant à des prises de parole longues et à des écrits développés, argumentés et variés (essai argumentatif, compte-rendu, synthèse, résumé, critique, etc.). Parce que ces productions ne se maîtrisent pas en une unité, **Saison 4** propose une approche en douceur en **3 étapes** (cf. pages 6-7).

■ Une dynamique constante

Saison 4 maintient ses axes forts au travers du **lexique**, de la **grammaire** et de la **phonétique en contexte** avec, pour cette nouvelle saison, une très belle place accordée aux **jeux de langue, jeux de mots** et **jeux de sons** ! Le bagage langagier de l'apprenant se perfectionne grâce aux subtilités d'intonation et de sens. Subtilité instaurée dès la page d'ouverture avec un lien entre le titre de l'unité, à savoir une expression idiomatique, et une vidéo authentique.

Trois types d'**évaluation** sont proposés :
- 2 préparations au DELF (unités 3 et 6) dans le manuel et une épreuve blanche finale en unité 9 ;
- des bilans après chaque unité dans le cahier et un renfort méthodologique des productions complexes ;
- des évaluations portant sur les 4 compétences dans le guide pédagogique.

Très belle découverte !

1 unité = 2 thèmes au choix

Thème 1

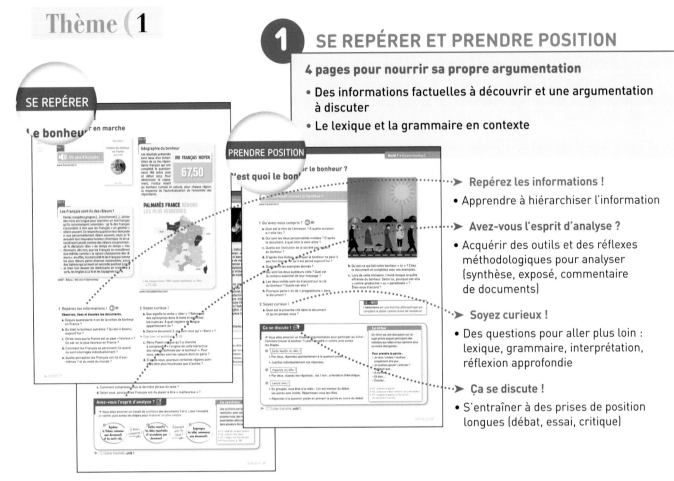

1 SE REPÉRER ET PRENDRE POSITION

4 pages pour nourrir sa propre argumentation

- Des informations factuelles à découvrir et une argumentation à discuter
- Le lexique et la grammaire en contexte

➤ **Repérez les informations !**
- Apprendre à hiérarchiser l'information

➤ **Avez-vous l'esprit d'analyse ?**
- Acquérir des outils et des réflexes méthodologiques pour analyser (synthèse, exposé, commentaire de documents)

➤ **Soyez curieux !**
- Des questions pour aller plus loin : lexique, grammaire, interprétation, réflexion approfondie

➤ **Ça se discute !**
- S'entraîner à des prises de position longues (débat, essai, critique)

2 S'EXPRIMER AU QUOTIDIEN

Une double page d'oral et d'écrit du quotidien

- De la vie, du rythme, des situations quotidiennes, du langage familier au standard, à l'oral et à l'écrit

➤ **Vous en pensez quoi ?**
- Une illustration pour briser la glace

➤ **Question de son, question de style !**
- De la phonétique pour affiner son style en B2

➤ **En situation !**
- Une liberté dans le choix des situations à jouer

➤ **Le + Expression**
- Des expressions en registre ● standard et ✗ familier

4

Thème (2

1 DÉCRYPTER ET INTERPRÉTER

4 pages pour apprendre à lire entre les lignes

- Des infographies, des textes et des audio longs pour apprendre à décoder les implicites culturels et langagiers
- Le lexique et la grammaire en contexte

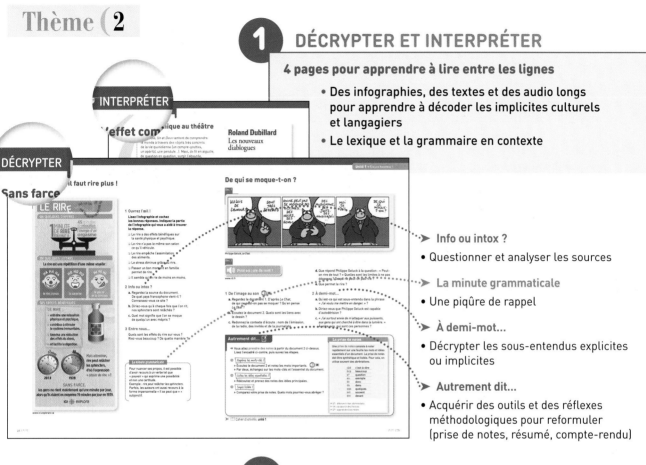

➤ **Info ou intox ?**
- Questionner et analyser les sources

➤ **La minute grammaticale**
- Une piqûre de rappel

➤ **À demi-mot...**
- Décrypter les sous-entendus explicites ou implicites

➤ **Autrement dit...**
- Acquérir des outils et des réflexes méthodologiques pour reformuler (prise de notes, résumé, compte-rendu)

2 S'EXPRIMER ET JOUER AVEC LA LANGUE

Une double page de jeux culturels

- Jouer et enrichir sa culture générale francophone

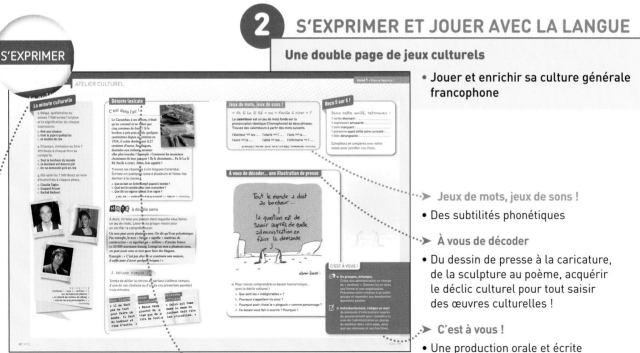

➤ **Jeux de mots, jeux de sons !**
- Des subtilités phonétiques

➤ **À vous de décoder**
- Du dessin de presse à la caricature, de la sculpture au poème, acquérir le déclic culturel pour tout saisir des œuvres culturelles !

➤ **C'est à vous !**
- Une production orale et écrite

➤ **La minute culturelle**
- Tester sa culture par un quiz

➤ **Détente lexicale**
- Mots à double sens, mots à l'envers, à chacun sa citation, etc. : un large éventail de jeux de langue

➔ Acquérir une méthodologie de travail pas à pas

Avez-vous l'esprit d'analyse ?

La synthèse

▶ **Unité 1**
Élaborer un plan simple, p. 17

▶ **Unité 4**
Articuler des idées, p. 73

▶ **Unité 7**
Rédiger une introduction, p. 129

L'exposé

▶ **Unité 2**
Mettre en évidence, p. 35

▶ **Unité 5**
Se corriger / Se rectifier, p. 91

▶ **Unité 8**
Ouvrir / Fermer une digression, p. 147

Le commentaire

▶ **Unité 3**
Formuler des hypothèses, p. 53

▶ **Unité 6**
Comparer des données, p. 109

▶ **Unité 9**
Organiser un plan détaillé, p. 165

➤ FICHES PRATIQUES, P. 188 À 195

Ça se discute !

Le débat

▶ **Unité 1**
Prendre la parole, p. 19

▶ **Unité 4**
S'assurer d'être compris / de comprendre, p. 75

▶ **Unité 7**
Empêcher quelqu'un de parler / de reprendre la parole, p. 131

L'essai argumentatif

▶ **Unité 2**
Différencier arguments et exemples, p. 37

▶ **Unité 5**
Rédiger une introduction, p. 93

▶ **Unité 8**
Rédiger une conclusion, p. 149

La critique

▶ **Unité 3**
Comparer des éléménts, p. 55

▶ **Unité 6**
Utiliser des adjectifs, p. 111

▶ **Unité 9**
Opposer des termes, p. 167

➤ FICHES PRATIQUES, P. 188 À 195

Autrement dit...

La prise de notes

▶ **Unité 1**
Découvrir des abréviations, p. 25

▶ **Unité 4**
Découvrir des formes, p. 81

▶ **Unité 7**
Apprendre à se relire, p. 137

Le résumé

▶ **Unité 2**
Isoler des parties, p. 43

▶ **Unité 5**
Reformuler des idées, p. 99

▶ **Unité 8**
Rédiger un plan détaillé, p. 157

Le compte-rendu

▶ **Unité 3**
Rédiger une introduction, p. 61

▶ **Unité 6**
Construire un plan détaillé, p. 117

▶ **Unité 9**
Rédiger une des deux parties, p. 173

➤ FICHES PRATIQUES, P. 188 À 195

Exemple

L'essai argumentatif

Unité 2 → **Unité 5** → **Unité 8** → **Fiche pratique,** p. 192

1 J'amorce le travail

Ça se discute !

→ Vous allez amorcer un travail d'argumentation pour construire un essai. Lisez l'encadré ci-contre, puis suivez les étapes pour répondre à la question : *La solidarité a-t-elle sa place au travail ?*

ᐅ *Faites bouillir vos idées !*
- En groupes, notez toutes les idées qui vous viennent à l'esprit. Ce sont des arguments.

ᐅ *Organisez vos arguments et vos exemples !*
- Individuellement, faites deux colonnes : oui / non et classez vos arguments.
- Pour chaque argument, faites correspondre un exemple adapté.

ᐅ *Écrivez le plan détaillé de votre développement !*
- Ordonnez vos arguments et vos exemples.
- Mettez en seconde position l'opinion que vous souhaitez défendre. Comparez en groupes.

L'essai argumentatif

À partir d'un sujet, l'essai permet de donner votre opinion dans un texte organisé, logique et cohérent : introduction, développement, conclusion.

Pour différencier un argument d'un exemple :
- argument = idée générale / élément pour justifier un point de vue
- exemple = cas concret (expérience, lecture, etc.) qui renforce l'argument

▶ U2 : différencier arguments et exemples
▶ U5 : rédiger une introduction
▶ U8 : rédiger une conclusion
▶ Fiche pratique, p. 192

- Un objectif modeste par unité
- Des stratégies synthétiques dans une fiche méthodologique

▶ 📖 Cahier d'activités, **unité 2**

2 Je poursuis le travail

Ça se discute !

→ Vous allez poursuivre un travail d'argumentation pour construire un essai. Lisez l'encadré ci-contre, puis suivez les étapes pour rédiger une introduction sur le sujet : *Pensez-vous que le mécénat soit un dispositif approprié pour financer la culture aujourd'hui ?*

ᐅ *Planifiez votre démonstration !*
- Posez-vous la question suivante : est-ce que je réponds oui ou non ?
- Pensez à des arguments et exemples selon un plan en causes / conséquences.
  a) Pourquoi le mécénat ? b) Quelles conséquences sur la culture ? Comparez avec votre voisin.

ᐅ *Rédigez votre introduction !*
- Amenez la question posée avec une phrase introductive.
- Proposez une réponse.
- Précisez l'organisation : un plan en deux parties (causes / conséquences)

L'essai argumentatif

✓ Noter ses idées
✓ Différencier arguments et exemples
✓ Définir un plan

Pour annoncer :
- **une idée.** Reprenez avec vos propres mots le sujet ou dégagez une problématique. Pour cela, spécifiez le contexte (espace, temps) dans lequel traiter cette question.
- **une organisation.** Utilisez une formulation du style : *Nous débuterons cette argumentation par... / Pour démontrer que... Enfin, nous nous pencherons sur...*

▶ U2 : différencier arguments et exemples
▶ U5 : rédiger une introduction
▶ U8 : rédiger une conclusion
▶ Fiche pratique, p. 192

- Rappel synthétique de la méthodologie de l'unité 2
- Des aides pour communiquer

▶ 📖 Cahier d'activités, **unité 5**

3 Je développe des réflexes méthodologiques

Ça se discute !

→ Vous allez poursuivre un travail d'argumentation pour construire un essai. Lisez l'encadré ci-contre, puis suivez les étapes pour rédiger une conclusion sur le sujet : *Qu'attendre de l'Union européenne ?*

ᐅ *Rédigez votre introduction !*
- Amenez le sujet posé avec une phrase introductive.
- Précisez l'organisation : un plan thématique en trois parties.

ᐅ *Définissez vos trois parties !*
- Par deux, réfléchissez aux trois parties possibles (exemples : d'un point de vue économique, politique, etc.) et à leur articulation chronologique.
- Ensemble, suggérez des pistes de réflexion et articulez vos idées à l'intérieur de chaque partie.

ᐅ *Rédigez votre conclusion !*
- Commencez par une synthèse en 4-5 lignes. Apportez-y une nuance.
- Proposez une ouverture au sujet de départ. Exemple : *Il serait intéressant d'approfondir en...*

L'essai argumentatif

✓ Noter ses idées
✓ Différencier arguments et exemples
✓ Définir un plan

Pour rédiger une conclusion :
- Faites une brève synthèse des éléments évoqués : *Ainsi, nous avons vu que... / nous avons appris que... ; Mais nous savons aujourd'hui que si..., cela ne signifie pas pour autant que...*
- Répondez directement à la question posée : *Au terme de cette réflexion, nous pouvons conclure que...*
- Élargissez et proposez une ouverture : *Il serait intéressant d'approfondir en... ; Et si... ? ; Finalement, l'on pourrait se poser la question suivante... ?*

▶ U2 : différencier arguments et exemples
▶ U5 : rédiger une introduction
▶ U8 : rédiger une conclusion
▶ Fiche pratique, p. 192

- Rappel synthétique de la méthodologie de l'unité 2
- Un renvoi aux **Fiches pratiques** avec une activité en annexes pour aller plus loin

▶ 📖 Cahier d'activités, **unité 8**

		Thème 1	Thème 2
UNITÉ 1 Encore heureux ! P. 14		**Bonheur** p. 14 • Le bonheur en marche • Faut-il chercher le bonheur ?	**Rire** p. 24 • Peut-on rire de tout ? • L'effet comique au théâtre
	Grammaire	• Exprimer un sentiment (indicatif/subjonctif)	• Exprimer une mise en relief • *La minute grammaticale* Modaliser avec « pouvoir »
	Lexique	• Humeur et sentiments	• Humour et spectacles • Un néologisme
	Phonétique	• « e muet »	• « y'a » = il y a • Le calembour
UNITÉ 2 De la suite dans les idées ! P. 32		**Initiatives** p. 34 • Mettre des idées en marche • La solidarité a-t-elle sa place au travail ?	**Évolutions** p. 42 • Le monde de demain • La critique dans un texte descriptif
	Grammaire	• Exprimer l'opposition et la concession	• Utiliser les procédés de reprise • *La minute grammaticale :* le présent (futur)
	Lexique	• Entreprenariat et système	• Inventions et créations • Une hyperbole
	Phonétique	• Le « tu »	• Le langage SMS • L'abréviation
UNITÉ 3 À première vue ! P. 50		**Perceptions** p. 52 • Une question d'image • Miroir, dis-moi qui est la plus belle ?	**Explorations** p. 60 • Touche pas à mon accent • La chronologie dans un texte narratif
	Grammaire	• Exprimer la conséquence	• Raconter un récit au passé • *La minute grammaticale :* la négation
	Lexique	• Images et publicité	• Langues et francophonie • Une énumération
	Phonétique	• Le « je »	• L'onomatopée • Les rimes

PRÉPARATION AU DELF B2 p. 68

Communication	Méthodologie	Ateliers	Mots-clés
• Chercher une réponse à une question • Dialoguer à partir d'une expression • Écrire un résumé • Lire à voix haute • Jouer un diablogue • Critiquer un spectacle d'un humoriste	➤ La synthèse p. 17 élaborer un plan simple ➤ Le débat p. 19 prendre la parole ➤ La prise de notes p. 25 découvrir des abréviations	• Manifester son mécontentement, son exaspération 💬 • Rédiger un billet d'humeur sur un blog ✍ • Décoder une illustration de presse 💬 • Créer et présenter une administration du bonheur 💬 • Rédiger un mail de demande d'informations ✍	ras le bol ! râleurs spleen déprimés bien-être dérision bouffon farce Geluck calembour la patate hédonisme quête Diablogues ironie
• Confirmer un dire à la radio • Présenter un entrepreneur « barbare » • Négocier en s'opposant • Écrire un texte descriptif sur un objet énervant • Décrire un objet révolutionnaire • Faire la promotion d'un objet	➤ L'exposé p. 35 mettre en évidence ➤ L'essai argumentatif p. 37 différencier arguments et exemples ➤ Le résumé p. 43 isoler des parties	• Exprimer sa désapprobation 💬 • Dénoncer une situation par mail ✍ • Décoder une chanson 💬 • Exposer des difficultés et proposer des situations 💬 • Créer un texte de chanson ✍	énervant visionnaire résignation poudre déclic Inadmissible ! casserole procès ébullition innovateur barbares Lumière Capitalisme paresse émergence
• Rédiger un guide de bonnes pratiques • Introduire une information dans un dialogue • Imaginer une publicité mensongère • Avertir une association de consommateurs • Écrire le récit de son arrivée dans une ville inconnue • Raconter un voyage à la manière d'un conte	➤ Le commentaire p. 53 formuler des hypothèses ➤ La critique p. 55 comparer des éléments ➤ Le compte-rendu p. 61 rédiger une introduction	• Faire et recevoir une confidence 💬 • Rédiger un message efficace ✍ • Jouer une expression imagée 💬 • Décoder une expression imagée 💬 • Écrire une lettre au courrier des lecteurs ✍	Transparence Selfies Accents Perruque Surexposition Tyrannie Yopougon Promis OFF Matraquage Stéréotypes Camembérer Paraître Guenassia Retenue exhiber

Communication	Méthodologie	Ateliers	Mots-clés
• Discuter des mesures de parité • Passer la parole à quelqu'un • Soumettre des idées lors d'un Conseil d'administration • Écrire un article de style biographique • Jouer un procès • Nuancer ses propos	➤ La synthèse p. 73 articuler des idées ➤ Le débat p. 75 s'assurer d'être compris / de comprendre ➤ La prise de notes p. 81 découvrir des formes pour aider à la prise de notes	• Exprimer un étonnement 💬 • Écrire un mail de réclamation 📝 • Échanger sur la Déclaration des droits de l'homme et du citoyen 💬 • Décoder une caricature 💬 • Réagir et prendre position sur un forum 📝	Anonymat T'es ouf ! Willem rémunération Normes Québec Quotas marche Féminisation Fougue Caricatures Carrière Révolution
• Créer une affiche polémique • Illustrer ses propos • Proposer une sortie culturelle • Écrire un article à plusieurs mains • Caractériser une société imaginaire • Faire une interview	➤ L'exposé p. 91 se corriger / rectifier ➤ L'essai argumentatif p. 93 rédiger une introduction ➤ Le résumé p. 99 reformuler des idées	• Faire l'éloge de... 💬 • Exprimer son indignation au courrier des lecteurs 📝 • Décoder une sculpture 💬 • Débattre sur l'art 💬 • Rédiger la description d'une sculpture sur un réseau social 📝	Frein Accessibilité Top ! Haïti Mécénat Maternante Cellule Dézinguer FESPACO Grand Palais Famille Médiation inspiration Aïeux Fratrie
• Faire un reportage sur le Comité Colbert • Rapporter des propos • Commenter un événement mondain • Comparer une expérience • Décrire un environnement • Écrire le dialogue d'une rencontre improbable	➤ Le commentaire p. 109 comparer des données et noter des évolutions ➤ La critique p. 111 utiliser des adjectifs ➤ Le compte-rendu p. 117 construire un plan détaillé	• Exprimer le dégout, l'écœurement 💬 • Évaluer un produit, un service sur Internet 📝 • Raconter une histoire 💬 • Décoder un poème 💬 • Créer un poème 📝	Etiquette Epingler Marques Tesson Vuitton Vert Tressaillement Écocitoyen Taïga Répugnant Tendance Planétaire Invendus

Communication	Méthodologie	Ateliers	Mots-clés
• Créer une « auberge espagnole » • Préciser ses propos • Effectuer des démarches administratives à la préfecture • Rapporter des propos • Écrire le résumé décalé d'une œuvre littéraire • Écrire un article décrivant un projet intergénérationnel	➤ La synthèse p. 129 rédiger une introduction ➤ Le débat p. 131 empêcher quelqu'un de parler / de reprendre la parole ➤ La prise de notes p. 137 apprendre à se relire	• Proférer des insultes 💬 • Écrire une lettre de présentation / motivation au Québec ✏️ • Décoder une campagne publicitaire 💬 • Créer et présenter une campagne publicitaire 💬 • Rapporter des faits sur un blog ✏️	
• Faire un inventaire des lieux de mémoire • S'excuser de ses propos incertains • Réaliser un questionnaire autour d'un programme présidentiel • Inventer et décrire un super-héros • Créer une planche de bande-dessinée • Écrire un texte de présentation pour réaliser un spot-vidéo	➤ L'exposé p. 147 ouvrir / fermer une digression ➤ L'essai argumentatif p. 149 rédiger une conclusion ➤ Le résumé p. 157 rédiger un plan détaillé	• Éviter de répondre 💬 • Écrire un discours pour convaincre ✏️ • Décoder une lettre 💬 • Convaincre pour participer au programme « Mars One » 💬 • Réaliser une fiche de lecture ✏️	
• Rédiger un article pour une revue de vulgarisation scientifique • Conclure ses propos • Défendre un projet à un consortium éthique • Rédiger une quatrième de couverture absurde • Dessiner un projet urbain absurde • Convaincre son public	➤ Le commentaire p. 165 organiser un plan détaillé ➤ La critique p. 167 opposer des termes ➤ Le compte-rendu p. 173 rédiger une des deux parties	• Accuser et rejeter une accusation 💬 • Rédiger un droit de réponse ✏️ • Décoder une illustration et un poème absurdes 💬 • Jouer un récit absurde 💬 • Créer un texte absurde 💬	

▶❙❙ Drôle d'histoire !

Adoptez de bons réflexes !

▶ Regardez la photo. Pour vous, quelle émotion se lit sur chaque visage ?

▶ Écoutez la vidéo. Racontez l'essentiel : qui ? quoi ? où ?

Drôle d'expression !

▶ De quelle humeur est la grenouille ? Comment le savez-vous ?

▶ À la fin de l'histoire, on pourrait dire : « Encore heureux ! » Pourquoi ? Que signifie cette expression ?

Entre nous...

▶ Qu'est-ce qui rend cette histoire amusante telle qu'elle est racontée ?

▶ Est-ce que vous aimez raconter des histoires drôles ? Racontez celles que vous connaissez en français.

Encore heureux !

1 (Bonheur

Se repérer

- Le bonheur en marche

Prendre position

- C'est quoi le bonheur ?
- Faut-il chercher le bonheur ?

S'exprimer

- Manifester son mécontentement, son exaspération
- Rédiger un billet d'humeur sur un blog

2 (Rire

Décrypter

- Sans farce, il faut rire plus !
- De qui se moque-t-on ?

Interpréter

- L'effet comique au théâtre

S'exprimer

- Atelier culturel
  Décoder une illustration de presse

1(Bonheur

Le bonheur en marche

Un peu d'histoire

www.franceinter.fr

Rémy Pawin

Histoire du bonheur
en France
depuis 1945

Robert Laffont

Doc. 3

Les Français sont-ils des râleurs ?

Pester, rouspéter, grogner, […] ronchonner […]… la liste des mots est longue pour exprimer un mal français qu'ils reconnaissent volontiers : 93 % des Français s'accordent à dire que les Français « en général »
5 râlent souvent. En revanche quand on leur demande si eux personnellement râlent souvent, seuls 37 % avouent leur mauvaise humeur chronique. Ils se caractérisent plutôt comme des râleurs occasionnels : 48 % déclarant râler « de temps en temps ». Peu
10 étonnant, dès lors, que les Français se considèrent eux-mêmes comme « la nation championne des râleurs » : en effet, ils citent à 86 % les Français comme les plus râleurs parmi diverses nationalités, suivis des Italiens qui arrivent en seconde position à 50 %
15 et bien loin devant les Américains en troisième à 19 %, les Anglais à 12 % et les Espagnols à 11 %.

MAAF – BJ6504 – Mai 2010 © Opinionway

Doc. 2

Géographie du bonheur

Les résultats présentés sont issus d'un échantillon de 21 701 répondants français qui ont complété le questionnaire IRB entre 2010 et début 2013. Pour déterminer le classement, l'indice relatif au bonheur cumule et calcule, pour chaque région, la moyenne de l'auto-évaluation de l'ensemble des répondants.

IRB FRANÇAIS MOYEN

67,50

PALMARÈS FRANCE RÉGIONS
LES PLUS HEUREUSES

→ En comparaison, l'IRB moyen québécois se situe à **77,20**.

www.indicedebonheur.com

1 Repérez les informations ! 01

Observez, lisez et écoutez les documents.

a. Depuis quand parle-t-on de la notion de bonheur en France ?

b. Qu'était le bonheur autrefois ? Qu'est-il devenu aujourd'hui ?

c. Diriez-vous que la France est un pays « heureux » ? Où est-on le plus heureux en France ?

d. Comment les Français se perçoivent-ils quand ils sont interrogés individuellement ?

e. Quelle perception les Français ont-ils d'eux-mêmes ? et du reste du monde ?

2 Soyez curieux !

a. Que signifie le verbe « râler » ? Retrouvez des synonymes dans le texte et explicitez les nuances. À quel registre de langue appartiennent-ils ?

b. Dans le document 3, qui sont ceux qui « râlent » ?

➤ Exprimer un sentiment, p. 20

c. Rémy Pawin indique qu'il a cherché à comprendre « l'origine de cette hiérarchie des valeurs dominée par le bonheur ». Pour vous, quelles sont les valeurs dont on parle ?

d. D'après vous, pourquoi certaines régions sont-elles plus heureuses que d'autres ?

Doc. 4

Les Français déprimés par leur littérature

Si les Français ont le cafard, c'est la faute à Voltaire. S'ils sont moroses, c'est la faute à Rousseau. De l'autre côté de la Manche et de l'Atlantique, les Français sont catalogués comme des personnes portant sur leurs épaules toute la
5 misère du monde. [...]

La tradition du misérabilisme
Pour *The Economist,* si le concept de la tristesse est culturel, on devrait forcément en trouver des traces dans la littérature. Le champ lexical autour de cette notion est
10 d'ailleurs prolifique : désolation, bourdon, désenchantement, morosité, spleen, etc. Mais surtout, les étagères de nos bibliothèques sont remplies d'œuvres qui permettent de dérouler ces « cinquante nuances de noir ». Nos auteurs les plus illustres broient du noir, ce qui instaurerait une
15 certaine tradition du pessimisme. Une coutume qui remonte au XVIIᵉ siècle, avec René Descartes qui institue le doute comme premier réflexe de tout bon philosophe. Et il n'est pas le seul responsable. Chez les Lumières[1], Voltaire se moque allègrement de l'optimisme de son personnage
20 Candide. Chateaubriand dans *René* caractérise « *le mal du siècle* » vécu par cette jeunesse « *misérable, stérile et désenchantée* ». Le poème « Melancholia », où Victor Hugo évoque le « *bonheur d'être triste* », en étant intégré aux

programmes scolaires, habitue-
25 rait les élèves français à trouver une beauté artistique dans ces mornes sentiments.

La Pléiade[2] du noir
Les exemples de ce type ne manquent pas. Difficile de parler
30 de Charles Baudelaire sans évoquer son spleen[3], sujet central de plusieurs de ses poèmes. Albert Camus et Jean-Paul Sartre auraient « *adopté l'ennui comme un mode de vie et philosophique* ». Françoise Sagan a intitulé son premier roman *Bonjour tristesse* qu'elle ouvre avec cette complainte : « *Sur ce*
35 *sentiment inconnu dont l'ennui, la douceur m'obsèdent, j'hésite à apposer le nom, le beau nom grave de tristesse* ». [...]

La déprime comme force créative
Pourtant, derrière ce lourd diagnostic, on pourrait trouver des vertus à ce pessimisme ambiant. Pour *The Econo-*
40 *mist,* « *cette négativité a stimulé la créativité française* ». Le scepticisme et le refus de l'autosatisfaction auraient permis l'innovation culturelle. « *Ce pays trouverait un certain plaisir à être malheureux* », résume l'économiste française Claudia Senik. Ce qui fait dire à l'hebdomadaire
45 anglo-saxon : « *La France aurait-elle offert l'existentialisme au monde si Sartre avait été un joyeux luron ?* »

1. *Mouvement littéraire, philosophique, culturel et intellectuel du XVIIIᵉ siècle.*
2. *Groupe de poètes français du XVIᵉ siècle rassemblés autour de Pierre de Ronsard.*
3. *Expression synonyme d'ennui, de dépression, créée suite aux quatre poèmes « Spleen » du recueil* Les Fleurs du Mal *de Charles Baudelaire.*

Mathieu Rollinger, www.lefigaro.fr, 27 décembre 2013.

1 Posez-vous les bonnes questions !

a. Quelle double image les Britanniques ont-ils des Français ?

b. Quelles sont les « cinquante nuances de noir » évoquées dans le texte ?

c. Quel est le point positif de ce « cafard » ?

2 Soyez curieux !

a. Trouvez tous les mots qui se rapportent au « pessimisme ».

b. Dans *Bonjour tristesse*, quelles sont les causes de l'obsession ?

➤ Exprimer un sentiment, p. 20

c. Comment comprenez-vous la dernière phrase du texte ?

d. Selon vous, pourquoi les Français ont-ils plaisir à être « malheureux » ?

LE + INFO
Connaissez-vous cette **chanson** ?

« Je suis tombé par terre,
C'est la faute à Voltaire,
Le nez dans le ruisseau,
C'est la faute à Rousseau. »

Avez-vous l'esprit d'analyse ?

→ Vous allez amorcer un travail de **synthèse** des documents 3 et 4. Lisez l'encadré ci-contre, puis suivez les étapes pour **élaborer un plan simple**.

1 Repérez le thème commun aux documents et les mots-clés.

À deux, comparez !

2 Faites ressortir les idées essentielles et secondaires par document.

Échangez avec la classe !

3 Regroupez les idées communes aux documents.

La synthèse
Une **synthèse** est la restitution, avec vos propres mots, des idées essentielles véhiculées dans plusieurs documents.

▸ U1 : élaborer un plan simple
▸ U4 : articuler des idées
▸ U7 : rédiger une introduction
▸ Fiche pratique, p. 189

➤ Cahier d'activités, **unité 1**

C'est quoi le bonheur ?

Doc. 1

Quand la santé va, tout va...

Cette vérité est si banale que l'on ose à peine l'énoncer. Elle n'est pas digne d'être prise en compte par la philosophie. Nous vivons dans une société qui cherche à bannir la douleur
5 physique de son horizon. Il est très rare aujourd'hui de souffrir en continu (des dents, de maux de tête ou de ventre). On en vient donc à oublier combien la santé est un ingrédient déterminant du bien-être. Voilà pourquoi,
10 pour être heureux, il faut veiller à maintenir son corps en forme. Et la recette du bonheur passe d'abord par l'entretien de la machine ; douleur rime avec malheur et il n'y a pas de bien-être psychologique sans bien-être phy-
15 sique.

Jean-François Dortier, Les leçons de la « science du bonheur »,
Sciences Humaines, Grands Dossiers n°35, juin – juillet – août 2014.

Doc. 2

 L'argent fait-il le bonheur ?

www.rts.ch

* 60 000 francs suisses = environ 50 000 euros

Doc. 3

Hubert Reeves : ces petits bonheurs qui font une grande vie

La musique est un autre domaine privilégié pour l'apprentissage des bonheurs de la vie. Une de mes grandes frustrations est de ne pas avoir appris à jouer d'un instrument de musique, le violoncelle,
5 par exemple. Je me sens pris d'un grand sentiment d'envie quand je vois les doigts de mes petits-enfants courir avec agilité sur le clavier du piano de leur salon familial. Si j'ai une autre vie – qui sait ? –, j'irai rapidement m'inscrire au conservatoire... Heu-
10 reusement, il me reste l'option d'écouter la musique et de reconnaître mes pièces favorites quand je les entends ici ou là. Au fil des auditions répétées des œuvres d'un auteur, Mozart ou Wagner, ou tout autre, selon les goûts de chacun, on arrive à compo-
15 ser intérieurement une représentation intime de la personne du compositeur. Ainsi se crée un lien affectif qui va en s'enrichissant au cours des années. Ainsi, Beethoven, bien que mort depuis longtemps, m'est un ami familier que je retrouve toujours avec
20 plaisir quand mon oreille perçoit les mesures chéries de ses œuvres. Mon cœur est en alerte. Je suis sous le charme.

« *Si jeunesse savait, si vieillesse pouvait* »... C'est dans le but de contrer ces mots mélancoliques que
25 j'ai rédigé ce texte et pour faire en sorte que ce vieux dicton soit périmé !

www.lepoint.fr, 28 mai 2014.

1 Posez-vous les bonnes questions ! 02

Observez, lisez et écoutez les documents.

a. Quels sont les critères de bonheur énoncés dans les documents ?

b. Quels sont les dictons évoqués ?

c. D'après les documents, à quoi faut-il veiller pour être heureux ?

d. De quelle manière, dans le document 2, l'homme cherche-t-il ce qu'il va dire ?

2 Cap ou pas cap ?

○ En groupes, cherchez une réponse à la question : « C'est quoi le bonheur ? »

○ Établissez une liste de critères et de dictons liés au bonheur et proposez une définition commune.

> **Chercher une réponse**
> ... euh...
> ... (eh bien) disons...
> ... je l'ai sur le bout de la langue...
> ... comment on dit déjà...
> ... attends, ça va me revenir...
> Ben... tu sais...

Faut-il chercher le bonheur ?

Doc. 1

Doc. 1

 Comment trouver le bonheur ?

www.franceinter.fr

1 Qu'avez-vous compris ? 03

a. Quel est le titre de l'émission ? À quelle occasion a-t-elle lieu ?

b. Qui sont les deux personnalités invitées ? D'après le document, à quel titre le sont-elles ?

c. Quelle est l'évolution de la société par rapport au bonheur ?

d. D'après Ilios Kotsou, pourquoi le bonheur ne peut-il pas fonctionner tel qu'il est pensé aujourd'hui ?

e. Quels sont les exemples donnés ?

f. Qui sont les deux auditeurs cités ? Quel est le contenu essentiel de leur message ?

g. Les deux invités sont-ils d'accord sur la clé du bonheur ? Quelle est-elle ?

h. Pourquoi parle-t-on de « progestérone » dans le document ?

b. Qu'est-ce qui fait notre bonheur « ici » ? Citez le document et complétez avec vos exemples.

c. Lors de cette émission, l'invité évoque la quête effrénée du bonheur. Selon lui, pourquoi est-elle « contre-productive » ou « paradoxale » ? Êtes-vous d'accord ?

2 Soyez curieux !

a. Quel est le proverbe cité dans le document et qu'en pensez-vous ?

> **LE + INFO**
> L'**hédonisme** est une doctrine philosophique qui considère le plaisir comme le but de l'existence.

Ça se discute !

→ Vous allez amorcer un travail d'argumentation pour participer au **débat** : *Comment trouver le bonheur ?* Lisez l'encadré ci-contre, puis suivez les étapes.

Faites bouillir vos idées !

▶ Par deux, répondez spontanément à la question posée.

▶ Justifiez individuellement vos réponses.

Organisez vos idées !

▶ Par deux, classez vos réponses : oui / non ; orientation thématique.

Lancez-vous !

▶ En groupes, vous êtes à la radio : l'un est meneur du débat, les autres sont invités. Répartissez-vous les rôles.

▶ Répondez à la question posée en prenant la parole au cours du débat.

Le débat

Un **débat** est une discussion sur un sujet précis auquel participent des individus aux idées et aux opinions plus ou moins divergentes.

Pour prendre la parole :
- *Je veux / voulais / voudrais simplement dire que...*
- *Je voudrais ajouter / préciser / expliquer que...*
- *À mon avis,...*
- *Eh bien,...*
- *Écoutez...*

▶ U1 : prendre la parole
▶ U4 : s'assurer d'être compris / de comprendre
▶ U7 : empêcher quelqu'un de parler / de reprendre la parole

➤ 📖 Cahier d'activités, **unité 1**

Grammaire

Exprimer un sentiment

→ Observez et relevez les éléments.

> Beaucoup disent que les Français sont pessimistes, qu'ils broient du noir et qu'ils ont le cafard. Ce qui les rendrait tristes serait la littérature. Franchement, cette idée me surprend. Et eux, que ressentent-ils vraiment ?

a. Lisez les phrases et entourez les sentiments.

b. Puis, soulignez les sujets et les causes des sentiments.

1 Écoutez le document. Pour chaque sentiment, complétez le tableau, comme dans l'exemple. 04

Qui éprouve le sentiment ?	Pourquoi ce sentiment ?
Les Français broient du noir. (verbe) _Les Français_ sont pessimistes. (adj.) ...	_La littérature_ les rend tristes. (rendre + adj.) _Cette idée_ me surprend. ...

2 Reformulez les phrases suivantes en utilisant une autre construction. Attention à utiliser le subjonctif (présent / passé) si nécessaire.

EXEMPLE : _Ce dîner m'a fait plaisir._ → _J'ai éprouvé beaucoup de plaisir à aller à ce dîner._

a. Recevoir autant de compliments m'a donné du courage.

b. Les enfants ressentent beaucoup de fatigue avec ces nouveaux rythmes scolaires.

c. Toutes tes insinuations me laissent complètement indifférent.

d. Marguerite est triste de devoir déménager : elle s'était bien habituée à vivre ici.

e. Savoir que tu seras sur la route en pleine nuit me fait peur. Tu veux que je t'accompagne ?

f. Je suis déçue que David Foenkinos n'ait pas remporté le prix Goncourt.

g. Cécile est surprise que ses parents ne soient pas venus au vernissage.

➤ Précis de grammaire, p. 209

3 En groupes, vous échangez autour d'un livre que vous avez lu. 💬
Vous racontez de quoi parle le livre et évoquez les sentiments que vous avez ressentis. Soyez précis !

Pour exprimer des sentiments et des émotions, on peut :

• avoir un sujet qui exprime un sentiment :

– avec un **verbe** : _Je regrette de_ + infinitif / _que_ + subjonctif

– avec « **être** » **+ adjectif** : _Je suis triste de_ + infinitif / _que_ + subjonctif

– avec « **avoir** » : _J'ai honte de... / J'ai honte que..._

– avec un **verbe + un sentiment** : _J'éprouve de... / Je ressens du..._

• avoir un sujet qui est cause du sentiment :

– avec un **verbe**. EXEMPLE : _Cette idée me surprend..._

– avec « **donner** » **+ un nom**. EXEMPLE : _Cela m'a donné du courage._

– avec « **faire** » **+ nom**. EXEMPLE : _Cette idée me fait peur._

• utiliser d'autres outils :

– un **adverbe**. EXEMPLE : _Elle a aimé cet homme passionnément._

– un **adjectif**. EXEMPLE : _vivre une existence sordide_

Lexique

Être de mauvaise humeur

• pester, rouspéter, râler, bougonner

• grogner, ronchonner

• être un râleur, être ronchon

• être d'une humeur noire

• se lever du pied gauche / du mauvais pied

• être de bon poil

• être mal luné

4

Standard ou familier ?

a. À l'aide du dictionnaire, retrouvez les mots ou expressions familiers.

b. Puis, utilisez-les pour critiquer votre voisin : expliquez-lui que vous en avez assez qu'il soit de mauvaise humeur. Justifiez vos propos.

Un état, un sentiment

- être heureux, gai, joyeux, satisfait, content, ravi, épanoui, enthousiaste
- la gaieté, la joie, la satisfaction, l'enthousiasme, l'épanouissement, le plaisir
- la félicité, la béatitude, l'extase, l'euphorie
- le nirvana, le septième ciel
- la chance, la bonne fortune, la veine, l'aubaine, le pot
- la prospérité, la réussite, le succès, la fortune
- le bien-être, la relaxation, la sérénité, la paix
- l'optimisme, l'euphorie, l'insouciance, le rêve bleu
- Quelle joie ! Quel bonheur ! Quel plaisir !

La tristesse (antonyme)

- être malheureux, triste, morose, déprimé
- le malheur, la tristesse, la morosité, la déprime
- la désolation, le bourdon
- le cafard, le blues, le désenchantement
- le spleen, le pessimisme
- avoir de la peine, du chagrin
- Quel malheur ! Quelle misère !

1

Le bonheur de A à Z

Par deux, remuez vos méninges et écrivez un abécédaire du bonheur avec tous les mots qui s'y rapportent.
A : allégresse
B : béatitude
...

2

Quel mot vous semble le plus approprié ?

a. Cela fait 10 jours que je mange des tonnes de chocolat ! Je crois que je suis en pleine ....

b. Cette musique me donne le ....

c. Sa grand-mère est morte. Il a beaucoup de ....

d. Le .... de Claudine me fatigue. Pourquoi voit-elle toujours tout en noir ?

e. Victor était plongé dans une telle .... que personne n'eût assez de courage pour l'aider.

Les sentiments en expression

- être un joyeux luron
- être rayonnant de bonheur
- heureux comme un poisson dans l'eau
- être bien dans sa peau
- être fou de joie
- être aux anges
- donner du baume au cœur
- avoir le cafard
- avoir le blues
- avoir le moral dans les chaussettes
- broyer du noir
- en avoir gros sur la patate

Le bonheur et son contraire

3

Mimez !

a. À quels sentiments correspondent ces expressions : la joie ou la tristesse ?

b. En groupes, choisissez chacun une expression et mimez-la !
Le premier qui trouve a gagné.

ACTIVITÉ RÉCAP'

Les deux chaises

- Par deux, vous allez dialoguer à partir de l'expression : « Quand la santé va, tout va. » Vos sentiments et votre narration dépendent de la chaise sur laquelle vous êtes assis. Il y a une chaise « tristesse » et une autre « bonheur ». Le changement de chaise s'effectue au « clap » du professeur.

- À la fin de l'activité, écrivez un résumé de ce qui s'est passé à partir du titre : *Quand la santé va, tout va...* mais tout dépend de l'humeur ! Exprimez vos sentiments.

Manifester son mécontentement, son exaspération 💬

1 Vous en pensez quoi ?

a. Regardez et décrivez l'illustration.

b. Qui est mécontent ? Comment le voyez-vous ? Qui en rajoute ? Comment le savez-vous ?

c. Avez-vous rencontré une situation similaire ? Racontez-la à votre voisin.

2 C'est du vécu !

a. Écoutez ces différentes 🔊 05 situations. Pour chacune d'entre elles, identifiez le contexte, retrouvez la cause du mécontentement et relevez l'expression utilisée pour manifester ce mécontentement.

b. Question de son, question de style !

Écoutez et concentrez-vous 🔊 06 sur la prononciation du « e ». Qu'en déduisez-vous à propos des styles soutenu, courant et familier ?

c. Écoutez ces expressions. 🔊 07 Puis, répétez-les avec le style qui convient.

3 En situation ! 💬

→ Sélectionnez l'une des situations suivantes et imaginez ce que vous diriez.

○ Dans votre voiture : c'est dimanche soir, vous rentrez chez vous, à Paris. Vous êtes sur le périphérique. On annonce un embouteillage de deux heures. Vous êtes très fatigué.

○ À l'agence de location de voiture : vous avez réservé une voiture pour six personnes dans la gamme prestige. Vous vous retrouvez avec un véhicule utilitaire à trois places.

○ En famille : vos enfants courent dans tous les sens, en criant, alors que vous essayez de vous reposer.

○ À la maison : vous êtes en train de monter un meuble en kit. Rien ne va comme vous voulez. Votre ami / colocataire / conjoint vous propose de vous aider.

Gagné ! La salle est vide, mais c'est juste devant nous que Jumbo s'assoit !

Et ça va être le genre à bouger la tête toutes les 2 minutes, tu vas voir !

Le « e » muet

Dans le style soutenu, on prononce tous les « e ». Plus le style est familier, moins on les prononce.

LE + EXPRESSION

● Ça m'agace. Ça m'ennuie.

● Ça pourrait être mieux.

● Je n'en peux plus ! J'en ai assez !

● Je ne suis pas content de...
Je suis mécontent de...

● Ce n'est pas satisfaisant.
Je ne suis pas satisfait de votre travail.

✖ Zut ! Merde* !

✖ C'est nul !

✖ Je suis crevé / nase !

✖ Je suis mort (de fatigue).

✖ J'en ai ras-le-bol ! J'en ai par-dessus la tête !
J'en ai plein les bottes ! J'en ai marre !

✖ Je suis au bout du rouleau !

* grossier

Rédiger un billet d'humeur sur un blog ✑

Petite série de » j'aime pas «

Il paraît que **le Français est râleur**, alors on va râler un bon coup ! Si vous me suivez dans ce qui va suivre bien sûr... J'aime pas...

Les coureurs qui ne disent pas bonjour.

5 Comme si on se snobait... Alors ça, ça m'énerve. Je conçois qu'on ne se salue pas quand l'un et l'autre sommes de l'autre côté de la rue. Mais se croiser à 2 mètres
10 et ne pas se saluer... L'autre jour encore dans les bois, alors que j'étais en pleine séance, j'ai croisé un groupe éclaté de 8 coureurs (en footing, eux). Pas un n'a ré-
15 pondu à mon bonjour, pas un ! Au pire, si on est en train de foncer ou de parler avec son copain, on peut se faire un signe de la main, non ? Alors, ils sont polis et soli-
20 daires les coureurs ou pas ? [...]

La pluie

Non, la pluie c'est pas chouette. La pluie ça crée des flaques par-tout, ça pourrit les chemins. On
25 ne peut pas s'entraîner correcte-ment sans faire attention à tout,

au revoir la qualité. Y'a plus qu'à mettre les pompes de trail et foncer à travers... C'est vrai ! Mais quand c'est trop, c'est trop ! Vous êtes allés dans les bois
30 en ce moment ? Il y a des marécages, des endroits sont inaccessibles, les chemins sont défoncés, on ne peut plus courir ! Correctement j'entends. Et puis comme il fait froid, la
35 pluie imprègne les vêtements et gèle les muscles. Dès qu'on force, on risque la blessure. Ou un bon rhume ! La pluie, non merci. Sortir en chantant « I'm singing
40 in the raiiiin » ... ça va deux mi-nutes !

Bon, ça y est, un petit coup de râlage, ça fait du bien ! Le ton était parfois grave et parfois
45 léger, et des exemples à rajouter ne doivent pas manquer mais... Je ne veux pas trop plomber l'ambiance ! Allez, une petite sortie sous la pluie pour se rafraî-
50 chir les idées et... Noooon pas la pluie !! 😶

Mathieu Bertos

www.u-run.fr, 8 février 2014.

1 Vous en pensez quoi ?

a. Lisez ce texte. Quelle est l'humeur de ce billet ? Quelles expressions l'indiquent ?

b. Relisez le texte et retrouvez le fait énoncé, l'opinion de l'auteur, l'humour, et la réflexion proposée. Regardez la ponctuation : quelle est celle qui suscite un suspense ? une réaction ?

c. Que pensez-vous de ce billet ? Êtes-vous d'accord avec les questions posées ?

2 C'est écrit noir sur blanc ! ✑

→ Vous venez de lire un article issu de ce magazine et vous rédigez un billet d'humeur.

○ Choisissez un fait (ici, un défaut sur les Français). Sélectionnez les informations à donner.

○ Choisissez l'humeur à donner à votre billet.

○ Pensez à quelques questions à poser aux lecteurs !

> **LE + EXPRESSION**
>
> Pour vous aider à mettre le ton, n'oubliez pas les formules pour commencer votre billet comme « Aaaah », « Trop, c'est trop », « Ras-le-bol de... », « Eh non ! », « Je hais les... », etc.

Sans farce, il faut rire plus !

Doc. 1

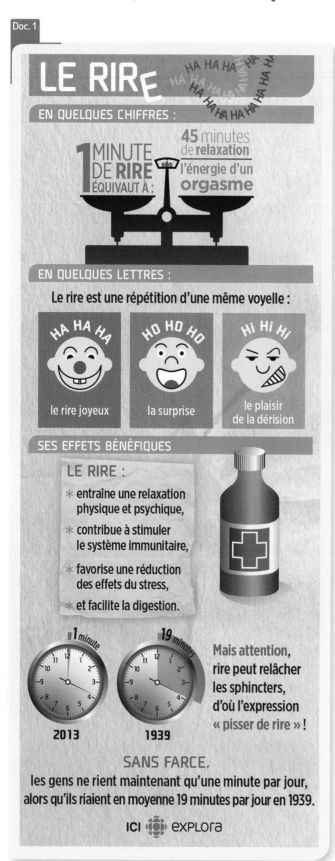

www.ici.exploratv.ca

1 Ouvrez l'œil !

Lisez l'infographie et cochez les bonnes réponses. Indiquez la partie de l'infographie qui vous a aidé à trouver la réponse.

❑ Le rire a des effets bénéfiques sur la santé physique et psychique.

❑ Le rire n'a pas le même son selon ce qu'il véhicule.

❑ Le rire empêche l'assimilation des aliments.

❑ Le stress diminue grâce au rire.

❑ Passer un bon moment en famille permet de rire.

❑ Il semble qu'on rie de moins en moins.

2 Info ou intox ?

a. Regardez la source du document. De quel pays francophone vient-il ? Connaissez-vous ce site ?

b. Diriez-vous qu'à chaque fois que l'on rit, nos sphincters sont relâchés ?

c. Quel mot signifie que l'on se moque de quelqu'un avec mépris ?

3 Entre nous...

Quels sont les effets du rire sur vous ? Riez-vous beaucoup ? De quelle manière ?

La minute grammaticale

Pour nuancer ses propos, il est possible d'avoir recours à un verbe tel que « pouvoir » qui exprime une possibilité et non une certitude.
Exemple : *rire peut relâcher les sphincters*.
Parfois, les auteurs ont aussi recours à la forme impersonnelle « Il se peut que » + subjonctif.

De qui se moque-t-on ?

Doc. 1

Philippe Geluck, *Le Chat*.

Doc. 2

 Peut-on rire de tout ?

www.rtl.fr

d. Que répond Philippe Geluck à la question : « Peut-on rire de tout ? » Quelles sont les limites à ne pas dépasser ? De qui ne peut-on pas rire ?

e. Que permet le rire ?

1 De l'image au son 🔊 08

a. Regardez le document 1. D'après *Le Chat*, de qui ne peut-on pas se moquer ? Qu'en pense *Le Chat* ?

b. Écoutez le document 2. Quels sont les liens avec le dessin ?

c. Redonnez le contexte d'écoute : nom de l'émission, de la radio, des invités et de la journaliste.

2 À demi-mot...

a. Qu'est-ce qui est sous-entendu dans la phrase « *J'ai voulu me mettre en danger.* » ?

b. Diriez-vous que Philippe Geluck est capable d'autodérision ?

c. « *J'ai surtout envie de m'attaquer aux puissants, aux gens qui ont cherché à être dans la lumière.* » À votre avis, qui sont ces personnes ?

Autrement dit... 📝

→ Vous allez **prendre des notes** à partir du document 2 ci-dessus. Lisez l'encadré ci-contre, puis suivez les étapes.

➡ | Repérez les mots-clés ! |
  ▶ Écoutez le document 2 et notez les mots importants. 🔊 08
  ▶ Par deux, échangez sur les mots-clés et l'essentiel du document.

➡ | Listez les idées essentielles ! |
  ▶ Réécoutez et prenez des notes des idées principales.

➡ | Soyez lisible ! |
  ▶ Comparez votre prise de notes. Quels mots pourriez-vous abréger ?

La prise de notes

Une **prise de notes** consiste à noter rapidement sur une feuille les mots et idées essentiels d'un document. La prise de notes doit être synthétique et lisible. Pour cela, on utilise souvent des abréviations.

càd	c'est-à-dire
bcp	beaucoup
q°	question
ex.	exemple
dc	donc
ds	dans
qqs	quelques
svt	souvent
dvt	devant

▶ U1 : découvrir des abréviations
▶ U4 : découvrir des formes
▶ U7 : apprendre à se relire

➤ 📖 Cahier d'activités, **unité 1**

L'effet comique au théâtre

Ensemble, *Un* et *Deux* tentent de comprendre le monde à travers des objets très concrets de la vie quotidienne (un compte-gouttes, un apéritif, une pendule...). Mais, de fil en aiguille, de question en question, surgit l'absurde, le non-sens et la naïveté à tel point qu'*Un* et *Deux* finissent par s'enliser. Et plus ils s'enlisent, et plus nous rions !

Roland Dubillard
Les nouveaux diablogues

folio

Un et Deux sont en maillot de bain. Ils s'ap-prêtent à plonger dans une rivière qu'on ne voit pas.

UN. – Un, deux, trois, hop !

5 DEUX. – Voilà, ça, c'est bien vous ! Vous dites hop ! et puis vous ne sautez pas.

UN. – Mais comment donc ! Je n'ai pas sauté parce que vous, vous n'avez pas sauté !

DEUX. – Comment je n'ai pas sauté ! Bien
10 entendu, que je n'ai pas sauté ! Je n'allais pas sauter tout seul !

UN. – Comment, tout seul ? Nous avons dit qu'à : hop, nous plongerions tous les deux ensemble. Si vous ne plongez pas, moi, je
15 ne plonge pas non plus, voilà tout. [...]

DEUX. – Si vous attendez que je plonge pour plonger, moi, je n'appelle pas ça plonger ensemble.

UN. – Si vous cherchez la petite bête, bien
20 sûr qu'au millième de seconde, il y en aura toujours un qui plongera avant l'autre. D'après vous, faudrait peut-être aussi dé-cider à quelle lettre du mot « hop » il faut qu'on plonge. Parce que si vous plongez
25 sur l'H et que moi, je plonge sur le P, moi je serai en retard.

DEUX. – Y a qu'à plonger sur l'O, voilà tout.

UN. – Vous feriez mieux de plonger dedans.

DEUX. – Quoi, dedans ?

30 UN. – Dans l'eau.

DEUX. – C'est ça que vous appelez avoir le sens de l'humour, hein ?

UN. – Oui. [...]

DEUX. – Bon. Alors vous êtes prêt ?

35 UN. – Je suis prêt. Ça fait une demi-heure que je suis prêt.

DEUX. – Alors, on plonge ensemble, hein ? À « hop » !

UN. – D'accord. [...]

40 DEUX. – Allons-y. Un, deux, trois, hop ! Eh bien, alors quoi, vous restez là !

UN. – Et vous ?

DEUX. – Mais moi, je vous attends !

UN. – Vous êtes navrant. Allez, on va dire
45 « hop » ensemble. Vous y êtes ?

DEUX. – J'y suis.

UN *et* DEUX. – Un, deux, trois...

UN. – Attendez, y a une péniche.

DEUX. – Voilà ce que c'est de remettre tou-
50 jours à plus tard.

UN. – Un peu plus, on plongeait dans le charbon.

DEUX. – Il aurait été propre, le caleçon de votre grand-père.

Roland Dubillard, « Le Plongeon », *Les Nouveaux Diablogues*, collection « Folio », Gallimard, 1987.

1 À première vue !

a. Regardez la première de couverture. Quels sont les deux mots qui forment le titre ? À votre avis, en quoi consiste un « diablogue » ?

b. Qui est l'auteur du texte ? À quelle discipline est-il rattaché ? Comment le savez-vous ?

2 Posez-vous les bonnes questions !

a. Lisez le texte d'introduction et l'extrait. Comment s'appellent les deux personnages ? Que sait-on sur eux ?

b. D'après ce texte, où peuvent-ils être et quelle est leur posture ?

c. Qu'ont-ils décidé de faire ? Quel est le problème ?

d. Qui, dans le texte, a le « sens de l'humour » ? Pourquoi ?

e. À relire le texte, quels mots sont souvent répétés ? Quel effet cela apporte-t-il dans ce type de texte à oraliser ?

➤ Exprimer une mise en relief, p. 28

3 Entre les lignes...

a. Que pensez-vous de la situation générale ? Quel est l'effet comique souhaité ?

b. Quel jeu de mot donne un effet comique ? Pourquoi ?

c. Pourquoi les personnages eux-mêmes font-ils rire ?

La minute lexicale

Un néologisme

C'est un mot nouveau ou apparu récemment dans une langue. Exemple : un diablogue.

➤ Fiche pratique, p. 195

LE + INFO

Les Diablogues se composent de 14 dialogues, qui ont été joués tels quels par Claude Piéplu et Roland Dubillard en 1975 ; ils sont suivis des *Nouvelles inventions à deux voix* (37 autres dialogues), puis par *Les Nouveaux Diablogues*.

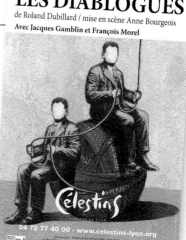

Du 7 au 18 janvier 2009
LES DIABLOGUES
de Roland Dubillard / mise en scène Anne Bourgeois
Avec Jacques Gamblin et François Morel

Célestins
THÉÂTRE DE LYON
04 72 77 40 00 - www.celestins-lyon.org

La minute phonétique

« Attendez, y'a une péniche ! »

De temps à autre, l'oral s'immisce dans l'écrit. Quelle serait ici la formulation correcte ?

C'EST À VOUS !

○ Par deux, lisez la scène à voix haute. N'oubliez pas d'accentuer les pronoms toniques.

○ Puis, choisissez un objet du quotidien et créez un dialogue qui, de fil en aiguille, aboutira à un « non-sens ». N'oubliez pas d'y inclure un ou deux jeux de mots. Pensez à la manière dont vous allez dire et jouer ce texte.

○ Présentez votre diablogue à un autre groupe.

Grammaire

Exprimer une mise en relief

Lexique

→ Observez, écoutez et relevez les éléments. 🔊 **09**

– Moi, à ta place, j'aurais dit ça !

– Oui, mais, tu n'es pas à ma place ! C'est moi qui y suis. Moi seul ! Toi, tu ne vis pas ce que je vis. Ce que je vis ne te concerne même pas. C'est moi qui ai dit ça. Que tu ne l'acceptes pas, c'est ton problème, pas le mien !

a. Lisez les phrases, soulignez les mots sur lesquels on peut insister.

b. Écoutez et vérifiez.

1 **Écoutez à nouveau et retrouvez l'élément mis en valeur. Classez les éléments selon leur nature grammaticale.** 🔊 **09**

Pronom tonique	Pronom relatif	Pronom neutre
...	...	...

2 **Reliez les titres du sommaire des *Diablogues* avec les autres éléments en plaçant en tête de phrase ce que vous voulez valoriser :** *c'est… que ; ce qui…, ce que… c'est ; ça.*

EXEMPLE : *le ping-pong – être amusant – la balle*
Ce qui est amusant dans le ping-pong, c'est que l'on finit toujours par perdre la balle de vue. La balle, ça, c'est un élément essentiel du ping-pong !

a. *le plongeon* – ne pas faire un plat – difficile

b. *le compte-gouttes* – ne pas se tromper – dangereux

c. *l'arbre de Noël* – depuis 20 ans – un gâchis environnemental

d. *les mariages* – agaçant – déplaire

e. *l'ascenseur* – drôle – le miroir

f. *l'apéritif* – les kilos – convivial

g. *l'écrivain souterrain* – avoir la tête dans son livre – ennuyant

3 **Cherchez des titres dans l'actualité francophone. Préparez un petit journal télévisé auquel chacun d'entre vous va participer soit en tant que présentateur** (qui met en valeur un élément fort de l'actualité) **soit en tant que personnalité liée à cet événement** (qui exprime sa conviction personnelle) **et qui répond aux insistances du présentateur. Utilisez un maximum de tournures grammaticales.**

Pour mettre en relief un élément dans une phrase, on peut :

• **avoir recours à une reprise pronominale :**

– avec un **pronom tonique** : *moi, toi, lui, elle, nous, vous, ils, elles, eux.*

→ À l'oral : « *moi, je…, alors que toi, tu…* » marque souvent un contraste.

– avec un **pronom neutre** : *ça,* en début et en fin de phrase, parfois suivi de *c'est* :

→ *ça* + verbe ; *ça, c'est* + adjectif ; *ça, c'est ce que* + sujet + verbe.
EXEMPLES : *Travailler, **ça** fatigue. **Ça**, c'est ce que tu dis !*

• **utiliser un pronom relatif :**

– avec un **pronom relatif** *(qui, que, dont)* et le pronom neutre *ce* : *ce qui, ce que, ce dont, ce… c'est ; ce à quoi … c'est…*

• **extraire un élément en insistant sur un pronom sujet + un pronom relatif :**

– avec un **pronom tonique** :
EXEMPLE : *Je prendrai un café avec Paul.* → *C'est **moi qui** prendrai un café avec Paul, pas toi !*

– avec l'**élément extrait** : EXEMPLE : *C'est **avec Paul que** je prendrai un café.*

➤ Précis de grammaire, p. 199 et 202

Les typologies du rire

• le comique, l'humour, la parodie

• l'absurde, le burlesque, la farce

• l'ironie, la satire, le sarcasme

• le rire nerveux, le rire jaune

• l'humour noir, le rire contagieux

• un rire forcé, narquois, bruyant, lourd, gras

4

A contrario

a. Retrouvez les contraire de ces types de rire :
– un rire léger
– un rire spontané
– un rire discret
– un rire étouffé
– un rire franc

b. Puis, mettez les expressions en situatio[n]

L'humour

- c'est hilarant, drôle, comique, amusant, risible, marrant, rigolo, plaisant, distrayant, bidonnant
- une vanne, un gag, un canular, une moquerie, une raillerie, une boutade, un calembour, une blague, une plaisanterie
- rire, se marrer, s'esclaffer, glousser, (se) dérider, taquiner, se moquer de, ricaner

1 Définitions

a. En groupes, choisissez cinq mots au hasard dans la liste ci-dessus.
b. Pour chaque mot, cherchez sa définition précise dans un dictionnaire et pensez à un exemple.
c. Faites deviner ces mots au groupe voisin, sans réemployer les mots exacts de la définition.

Les spectacles du rire

- une comédie, un sketch, une représentation, un spectacle, un show, un festival
- un humoriste, un comédien
- un comique, un clown
- un farceur, un bouffon
- une blague, un numéro, une farce

2 Qui fait quoi ?

a. Qui fait rire au cirque ?
b. Qui peut faire un sketch ?
c. Qui joue dans un film ?
d. Qui faisait rire le roi et sa cour ?
e. Qui joue des tours ?

Le rire

Le rire en expression

- se rouler par terre
- se fendre la poire / la pêche
- être pris d'un fou rire
- rire au nez de quelqu'un
- rire dans sa barbe
- rire à s'en décrocher la mâchoire
- pisser de rire (fam.)
- rire à gorge déployée
- C'est à mourir de rire !

3 Redonnez à chaque expression sa définition.

a. rire tout à coup
b. rire à en crever (fam.)
c. rire de manière discrète
d. rire de manière très bruyante
e. se moquer d'une personne

ACTIVITÉ RÉCAP'

Critiquer un spectacle

- Avec deux amis, vous sortez d'un spectacle d'un nouvel humoriste.
- Ensemble, vous parlez de cette soirée en insistant sur les points forts / faibles du spectacle et de l'humoriste, et en expliquant ce qui vous a plu / déplu.
  Exemple : *Moi, j'ai particulièrement aimé... / Ce que j'ai particulièrement aimé, c'est... / Ça, c'était drôle, non ?*

La minute culturelle

1. Belge, québécoise ou suisse ? Retrouvez l'origine et la signification de chaque expression.

a. être aux oiseaux
b. tirer la pipe à quelqu'un
c. se mailler de rire

2. Chanson, émission ou film ? Attribuez à chaque titre sa catégorie.

a. *Tout le bonheur du monde*
b. *Le bonheur est dans le pré*
c. *On ne demande qu'à en rire*

3. Qui sont-ils ? Attribuez un nom d'humoriste à chaque photo.

a. Claudia Tagbo
b. Gaspard Proust
c. Rachid Badouri

Réponses :
1. a. (québécoise) être fou de joie –
b. (belge) se moquer de quelqu'un –
c. (suisse) se tordre de rire
2. a. chanson – b. film – c. émission
3. 1. c. – 2. a. – 3. b.

Détente lexicale

C'est dans l'air !

Le Carambar, à ses débuts, n'était qu'au caramel et ne valait que cinq centimes de franc ! Si le bonbon a pris puis perdu quelques centimètres depuis sa création en 1954, il coûte dorénavant 0,15 centimes d'euros. Ses blagues, destinées aux enfants, seraient-elles plus lourdes ? Exemple : Comment les musiciens choisissent-ils leur parquet ? Ils le choisissent... Fa Si La Si Ré (facile à cirer). Alors, bon appétit !

Trouvez les réponses à ces blagues Carambar. Écrivez-en quelques-unes à plusieurs et faites-les deviner à la classe !

a. Que se fait un Schtroumpf quand il tombe ?
b. Quel est le comble pour une couturière ?
c. Que dit un oignon quand il se cogne ?

Réponses : a. un bleu – b. perdre le fil de la conversation – c. aïe ! (ail !)

MOTS à double sens

À deux, écrivez une phrase dans laquelle vous faites un jeu de mots. Lisez-la au groupe voisin pour en vérifier la compréhension.

Un mot peut avoir plusieurs sens. On dit qu'il est polysémique. Par exemple, le mot « brique » signifie « matériau de construction » et signifiait un « million » d'ancien francs (= 10 000 nouveaux francs). Lorsqu'un mot a plusieurs sens, on peut jouer avec ce mot pour faire des blagues.

Exemple : « *C'est pas cher de se construire une maison, il suffit juste d'avoir quelques briques !* »

À bâtons rompus !

Tentez de défier le chrono en parlant à bâtons rompus d'une de ces citations ou d'un de ces proverbes pendant trois minutes.

Paul Éluard
« Il ne faut pas de tout pour faire un monde. Il faut du bonheur et rien d'autre. »

Serge Gainsbourg
« Mieux vaut pleurer de rien que de rire de tout. »

Proverbe africain
« Celui qui rame dans le sens du courant fait rire les crocodiles. »

Jeux de mots, jeux de sons !

« Fa Si La Si Ré » ou « Facile à cirer » ?

Le **calembour** est un jeu de mots fondé sur la prononciation identique (l'homophonie) de deux phrases. Trouvez des calembours à partir des mots suivants.

l'électeur ➡ les ... . l'otarie ➡ l' ... . l'avis ➡ la ... .

l'euro ➡ le ... .   l'aîné ➡ les ... . l'infirmerie ➡ l' ... .

Réponses : les lecteurs ; l'hôte a ri ; la vie ; le rot ; les nez ; l'infirme rit

Reçu 5 sur 5 !

Dans cette unité, retrouvez :

1 **verbe** étonnant : ....
1 **expression** amusante : ....
1 **nom** marquant : ....
1 **personne** ayant titillé votre curiosité : ....
1 **idée** dérangeante : ....

Complétez et comparez avec votre voisin pour justifier vos choix.

À vous de décoder... une illustration de presse

Tout le monde a droit au bonheur...
la question est de savoir auprès de quelle administration en faire la demande

Source : *Les Indégivrables*

Xavier Gorce

o **Pour mieux comprendre ce dessin humoristique, ayez le déclic culturel !**

a. Que sont les « indégivrables » ?

b. Pourquoi s'appellent-ils ainsi ?

c. Pourquoi avoir choisi le pingouin comme personnage ?

d. Ce dessin vous fait-il sourire ? Pourquoi ?

C'EST À VOUS !

 o **En groupes, échangez.**
Créez une administration en charge du « bonheur ». Donnez-lui un nom, une forme et une organisation. Présentez votre création à un autre groupe et répondez aux éventuelles questions posées.

 o **Individuellement, rédigez un mail** de demande d'informations auprès du gouvernement pour connaître le nom de l'administration en charge du bonheur dans votre pays, ainsi que ses missions et ses fonctions.

LEGO
ON PARDONNE TOUT À LEUR CRÉATIVITÉ

Êtes-vous prêt à tout pardonner ?
LEGOcreativite.fr

LEGO
ON PA
À LEUR

Êtes-vous prêt à tout pardon
LEGOcreativite.fr

Vidéo
Un éclair de génie !
02

Adoptez de bons réflexes !

▶ Décrivez l'expression des enfants et expliquez le slogan.

▶ Regardez la vidéo. Que propose l'entreprise de Matthieu Dardillon ? Quelles étapes de son parcours l'ont conduit à la création de ce concept ?

Drôle d'expression !

▶ Expliquez le lien entre le titre de la vidéo et celui de l'unité. Selon vous, Matthieu est-il représentatif de ces expressions ? Pourquoi ?

▶ Quel mot-clé Matthieu utilise-t-il pour définir sa génération ?

Entre nous...

▶ Matthieu pense que l'on ne peut pas faire un travail qui ne nous « parle pas ». Êtes-vous d'accord ?

▶ Faites-vous partie des optimistes ou des sceptiques ? Pensez-vous que l'on puisse inventer un nouveau monde ?

De la suite dans les idées !

1 (Initiatives

Se repérer

- Mettre des idées en marche

Prendre position

- Le travail, une quête de sens ?
- La solidarité a-t-elle sa place au travail ?

S'exprimer

- Exprimer sa désapprobation
- Dénoncer une situation

2 (Évolutions

Décrypter

- Et demain ?
- Inventer, avoir un déclic

Interpréter

- La critique dans un texte descriptif

S'exprimer

- Atelier culturel
  Décoder une chanson

GREY paris LEGO et le logo LEGO sont des marques déposées du Groupe LEGO. © 2013 The LEGO Group.

Mettre des idées en marche

Doc. 1

Le panorama de la création

QUELQUES CHIFFRES...

555 247

entreprises créées en 2014, dont :

285 804 auto-entrepreneurs, en hausse de 3,8 % par-rapport à 2013. Les auto-entrepreneurs représentent 51,5 % des créations d'entreprise.

102 543 entrepreneurs individuels, en baisse de 1,8 %. Les entrepreneurs individuels hors auto-entrepreneurs représentent 18,5 % des créations d'entreprise.

166 901 sociétés, en hausse de 4,8 %. Les sociétés représentent 30% des créations d'entreprise

(51,5% — 18,5% — 30 %)

... ET QUELQUES MYTHES SUR LES ENTREPRENEURS !

Pour créer une entreprise en France, il faut...

... être très diplômé [non]

57% des créateurs d'entreprises ont un CAP / BEP / BAC ou n'ont pas de diplôme

... de l'argent [non]

8 000€ 44% des créateurs ont besoin de moins de 8 000€ pour se lancer

... avoir une idée innovante [non]

73% des créateurs se sont lancés sans introduire de produits ou de services nouveaux

Les entrepreneurs en France...

... sont riches [non]

31 200€ revenu annuel moyen des dirigeants non-salariés, équivalent au salaire moyen français : 36 700 €

... veulent être riches [non]

22% des porteurs de projet de création espèrent gagner « avoir plus de revenus » qu'en étant salarié

... cherchent l'indépendance avant tout [oui]

61% des entrepreneurs sont motivés par l'indépendance

Source : INSEE et Observatoire des porteurs de projets CCI Entreprendre, 2014 - Base : 7 250 porteurs de projets

Ⓒ **CCI Entreprendre**

www.marcom-startup.com

Doc. 2

🔊 *Le coworking*

www.franceinfo.fr

Doc. 3

Bachelier et déjà chef d'entreprise

Il jongle entre ses cours de management à l'université Paris-Est Marne-la-Vallée et son activité professionnelle. Deux jours à la fac et trois jours chez lui, où il travaille au lancement de CapLab, une applica-
5 tion ludique pour réviser en ligne. Kévin Mamode, 22 ans, est entrepreneur et étudiant. Son emploi du temps aménagé est un des avantages du statut national d'étudiant-entrepreneur. *« Si je ne l'avais pas obtenu, je n'aurais pas pu mener ces deux activités*
10 *de front »*, dit-il.

Lancé depuis septembre 2014, ce statut vise à inciter des jeunes à reprendre ou à créer une entreprise. Si 25 % y songent, seuls 3 % franchissent le pas. Proportion trop faible aux yeux de la secrétaire d'État
15 à l'Enseignement supérieur et à la Recherche, qui voit dans l'entrepreneuriat un outil de lutte efficace contre le chômage. *« L'enjeu est de contribuer à l'émergence des activités de demain et de susciter l'enthousiasme d'une nouvelle génération de créa-*
20 *teurs »*, explique-t-elle.

Amma Paolo, www.le monde.fr, 6 février 2015.

1 Repérez les informations ! 🔊 10

Observez, lisez et écoutez les documents.

a. Citez deux « idées reçues » sur les créateurs d'entreprise ?

b. Pourquoi certains indépendants décident-ils de partager un lieu de travail ?

c. Que recherchent majoritairement les entrepreneurs en créant une entreprise ?

d. Que savez-vous du statut d'« étudiant-entrepreneur » ?

e. Qui sont les *coworkers* et que leur apporte cette manière de travailler ?

2 Soyez curieux !

a. Donnez une définition des mots « créateur » et « entrepreneur ». Sont-ils équivalents ? Pour chaque terme, créez un nuage de mots de la même famille.

b. Le *coworking* est-il uniquement un espace de travail partagé ? Comment le savez-vous ?

➤ Exprimer l'opposition et la concession, p. 38

c. Qu'entend-on par « l'entrepreneuriat [comme] outil de lutte efficace contre le chômage » ? Que pensez-vous de cette initiative ?

d. Selon vous, sommes-nous tous capables de créer une entreprise ou de développer un projet ? Pourquoi ?

Doc. 4

Ces barbares qui veulent débloquer la France

Ils ont entre 30 et 45 ans. Ils ne croient plus en une société hypercentralisée et refusent de se résigner. Ils se surnomment eux-mêmes les « barbares ». Avec Internet, les réseaux sociaux et l'industrie du logiciel, ils bousculent le système...

Tout a commencé par un classement publié par l'institut Choiseul en février. Le *think tank*[1] libéral y recensait les 100 « leaders économiques de demain » pour la France. En pole position, « des fils de » ; derrière, d'anciens conseillers de cabinets ministériels – énarques pour la plupart – parachutés à la tête de divisions de groupes du CAC 40. [...] En regardant ce résultat, le sang d'Antoine Brachet, 36 ans, n'a fait qu'un tour. *« La France de demain, ce n'est pas du tout là qu'elle se joue »*.

Ni une ni deux, il crée une page Facebook, la nomme « Les 100 barbares », choisit comme icône un poing levé et invite tous ses amis à participer à un sondage : « Vote pour ton barbare ! » Objectif : repérer les leaders qui sont vraiment capables de changer la France. Pour lui, seuls ceux qui maîtrisent les outils numériques auront le levier pour bousculer les conservatismes et inventer les solutions qui remettront le pays en marche et la société en accord avec elle-même.

Le résultat – certes très peu scientifique – est étonnant. Le classement « version barbare » est tout aussi élitiste que celui de l'institut Choiseul, mais beaucoup plus varié. On trouve des entrepreneurs comme Frédéric Mazzella, fondateur de BlaBlaCar, le site de covoiturage qui fait trembler la SNCF ou Vincent Ricordeau, fondateur de la plateforme de financement participatif KissKissBankBank.

Pourquoi ces « barbares » autoproclamés réussiraient-ils mieux que les élites classiques à remettre la France en mouvement ? *« Parce qu'il y a plus de vingt-cinq ans que la révolution numérique a commencé et que les États, les grandes entreprises et les autres institutions ne s'y sont toujours pas adaptés »*, constate Henri Verdier, qui a écrit avec Nicolas Colin *L'Âge de la multitude* (Armand Colin) et a inspiré la métaphore des « barbares ». *« Ceux qui réussissent dans ce nouveau cadre, ce sont des innovateurs radicaux, des entrepreneurs qui s'emparent des nouvelles possibilités. »* [...]

Plusieurs d'entre eux, comme Frédéric Mazzella, détestent toutefois l'idée d'être présentés comme des « agresseurs ». Ils se perçoivent plutôt en « libérateurs », décloisonneurs... D'autres au contraire jouent à fond la métaphore guerrière.

1. *Mot anglais qui désigne un groupe d'experts, une équipe de réflexion ou un laboratoire d'idées.*

Donald Hebert, *Nouvel Obs*, n°2608, 9 mai 2014.

1 Posez-vous les bonnes questions !

a. Que reproche Antoine Brachet au classement de l'institut Choiseul ?

b. Qui sont les « barbares » ? Quels sont leurs objectifs et outils pour les atteindre ?

c. À quoi sert la page Facebook ?

2 Soyez curieux !

a. Entreprendre, c'est avoir de l'audace, de la suite dans les idées et se mettre en mouvement. Retrouvez les mots en lien avec ces expressions.

b. *« D'autres au contraire jouent à fond la métaphore guerrière. »* Que suggère « au contraire » ?

c. *« Parachutés à la tête de divisions de groupes »* (l. 8-9) : comment comprenez-vous ce groupe de mots ?

d. Ces « barbares » sont-ils des élites ?

➤ Exprimer l'opposition et la concession, p. 38

Avez-vous l'esprit d'analyse ? 💬

→ Vous allez amorcer un travail sur l'**exposé** à partir des documents 1 et 4. Lisez l'encadré ci-contre, puis suivez les étapes pour faire un exposé sur le thème *Entreprendre aujourd'hui.*

1 Seul : dans les documents, repérez les informations en lien avec le thème de l'exposé.

À deux, comparez !

2 Cherchez des informations complémentaires.

Échangez !

3 Organisez et présentez vos idées. Pensez à mettre en évidence les idées essentielles.

L'exposé

L'**exposé** est une présentation orale structurée sur un thème particulier et en un temps limité.

Pour mettre en évidence :

• *Il est important de... / Notons que... / Attention à...*

• *Il faut remarquer, signaler que... / Je soulignerai que... / J'insiste sur le fait que...*

▶ U2 : mettre en évidence
▶ U5 : se corriger / se rectifier
▶ U8 : ouvrir / fermer une digression
▶ Fiche pratique, p. 193

➤ 📖 Cahier d'activités, **unité 2**

Le travail, une quête de sens ?

Doc. 1

Ne rien faire au travail, un passe-temps ordinaire

Les salariés passent en moyenne près de trois heures de leurs journées de travail sans... travailler. Pour d'autres, c'est encore plus. Un chercheur s'est penché sur le phénomène.
5 Paresse ou résistance ?

Certains salariés s'échappent sur Internet. D'autres ont plus d'imagination : ils écrivent un roman, terminent une thèse, étirent les pauses-café jusqu'aux confins du raisonnable ou
10 prennent du temps pour rêvasser. {...}

Ces cas extrêmes ont inspiré à un sociologue de l'université suédoise de Lund, Roland Paulsen, une étude sur les causes et les symptômes du « travail inoccupé » *(« empty work »)*.

15 Le chercheur voit dans la paresse au travail une sorte de raté du capitalisme. Comme si la machine toute puissante de l'entreprise se grippait, les travailleurs trouvant des moyens de déjouer son contrôle. {...} Cette « anomalie » tord aussi le
20 cou à deux idées reçues : le travail entraînerait forcément l'épanouissement, et l'oisiveté serait la chasse gardée des inactifs.

Alexia Eychenne, www.lexpress.fr, 1er décembre 2014.

Doc. 2

Pourquoi travailler ?

Aurore, 23 ans, stagiaire « Je suis pragmatique. Si je travaille, c'est parce que j'ai besoin d'argent, mais s'il n'y avait pas cette nécessité, je ne travaillerais pas. Je trouve largement mon épanouisse-
5 ment hors du travail à travers l'art, la culture, les personnes qui m'entourent. »

Sarah, 24 ans, responsable RH et communication « Si je ne travaillais pas pour gagner ma vie, je travaillerais quand même, j'aurais envie et besoin
10 de créer des choses et de le partager avec d'autres. »

Lucie, 43 ans, professeure des écoles « Quand j'ai choisi d'enseigner, c'était surtout pour rendre à l'Éducation nationale ce qu'elle m'avait apporté. Venant d'un milieu social plutôt défavorisé, l'école
15 a joué pour moi le rôle d'ascenseur social. Et je voulais contribuer à faire de même pour d'autres enfants. J'adore mon travail. Dans ma classe, j'ai l'impression d'être utile. »

Hadrien, 29 ans, journaliste Web « Pendant
20 plusieurs années, je m'étonnais en permanence d'être payé pour faire ce que j'adorais plus que tout au monde. Ce n'était pas un métier, c'était un épanouissement quotidien. Et puis, un jour, on m'a assis sur une chaise et on m'a demandé de produire.
25 On m'a parlé de statistiques de fréquentation, de visiteur unique, de clics par page, de rendement. Aujourd'hui, je traîne mon métier comme un boulet. »

Achille Weinberg, « Pourquoi travaille-t-on ? », *Sciences Humaines,*
Les grands dossiers, n°242, novembre 2012.

Doc. 3

 Une vision de l'économie

www.rfi.fr

1 Posez-vous les bonnes questions !

Observez, lisez et écoutez les documents.

a. Quelle définition de l'économie avez-vous relevée ?

b. Selon les témoignages, quelles sont les différentes raisons de travailler ?

c. Qu'est-ce qui justifie l'inactivité au travail ?

d. Dans le document 3, relevez toutes les manières de confirmer un dire.

2 Cap ou pas cap ? 💬

○ Vous êtes interviewé à la radio et répondez à la question du journaliste : « Pour quelles raisons et dans quel but travaillez-vous ? »

○ Choisissez et répartissez-vous des rôles (journaliste, entrepreneur, banquier...). Discutez de votre vision du travail en confirmant, de temps à autre, les dires de chacun.

Confirmer un dire	
Absolument !	Si, si, ce que vous dites est vrai...
Ah carrément !	Bien sûr que si...
Oui, justement...	C'est exactement cela.
Vous avez tout à fait raison.	C'est exact !

La solidarité a-t-elle sa place au travail ?

Doc. 1

🔊 L'économie sociale et solidaire

www.franceinter.fr

1 Qu'avez-vous compris ? 🔊 12

a. À quel titre intervient Jean-Marc Borello ?

b. Quelle définition la journaliste donne-t-elle de l'économie sociale et solidaire (ESS) ?

c. Qu'en dit l'invité ?

d. Relevez les différents types de structures qui participent de l'ESS.

e. Quels sont les objectifs importants pour les entreprises de l'ESS ?

f. Dans quels domaines agit l'entreprise de Jean-Marc Borello, SOS ?

g. Selon Jean-Marc Borello, quels sont les critères qui justifient que le groupe SOS soit représentatif de l'ESS tout en étant un grand groupe ?

h. Quels sont les objectifs réels de l'ESS en termes d'emploi ?

> ### LE + INFO
> Faites-vous la différence ?
>
> **Le chiffre d'affaires :** le montant total des ventes sur une période donnée.
>
> **Le profit ou le bénéfice :** les ventes moins les frais engagés par l'entreprise (salaires, investissements, etc.).

2 Soyez curieux !

a. Relevez tous les mots associés à l'entreprise (hommes et structures).

b. En parlant de son entreprise, Jean-Marc Borello dit : « *C'est un immense poème à la Prévert* ». Qui est Prévert ? Pourquoi dit-il cela ?

c. L'invité parle de « pratiques vertueuses » au sein des entreprises. Selon vous, quelles sont-elles ? S'agit-il de critères importants dans une entreprise ?

> ### LE + INFO
> En France, une loi a été promulguée le 31 juillet 2014 afin d'encourager et de renforcer le développement de l'**économie sociale et solidaire**.

Ça se discute ! 📝

→ Vous allez amorcer un travail d'argumentation pour construire un **essai**. Lisez l'encadré ci-contre, puis suivez les étapes pour répondre à la question : *La solidarité a-t-elle sa place au travail ?*

⊘ ⟨ Faites bouillir vos idées ! ⟩

▸ En groupes, notez toutes les idées qui vous viennent à l'esprit. Ce sont des arguments.

⊘ ⟨ Organisez vos arguments et vos exemples ! ⟩

▸ Individuellement, faites deux colonnes : oui / non et classez vos arguments.
▸ Pour chaque argument, faites correspondre un exemple adapté.

⊘ ⟨ Écrivez le plan détaillé de votre développement ! ⟩

▸ Ordonnez vos arguments et vos exemples.
▸ Mettez en seconde position l'opinion que vous souhaitez défendre. Comparez en groupes.

> ### L'essai argumentatif
>
> À partir d'un sujet, l'**essai** permet de donner votre opinion dans un texte organisé, logique et cohérent : introduction, développement, conclusion.
>
> **Pour différencier un argument d'un exemple :**
> • argument = idée générale / élément pour justifier un point de vue
> • exemple = cas concret (expérience, lecture, etc.) qui renforce l'argument
>
> ▸ U2 : différencier arguments et exemples
> ▸ U5 : rédiger une introduction
> ▸ U8 : rédiger une conclusion
> ▸ Fiche pratique, p. 192

➤ 📖 Cahier d'activités, **unité 2**

REPÈRES LINGUISTIQUES

Grammaire

Exprimer l'opposition et la concession

→ **Observez et analysez.**

> Malgré sa réputation de pays immobile, la France propose aux jeunes des solutions pour mener à bien des projets innovants. Contrairement à ses aînés, la jeunesse a compris qu'il fallait prendre son destin en main.

a. Lisez le texte et relevez les connecteurs logiques au sein des phrases.

b. Quels liens logiques expriment-ils ?

1 **Écoutez les témoignages et classez les connecteurs entendus selon leur sens.**

Opposition	Concession
...	...

2 **Reliez les phrases suivantes avec le connecteur approprié.**

EXEMPLE : *Marina est fan du groupe Arcade Fire. Elle ne pourra pas aller à leur concert à l'Olympia.*
→ *Bien que Marina soit fan du groupe Arcade Fire, elle ne pourra pas aller à leur concert à l'Olympia.*

a. L'architecture de mon quartier est très moderne. L'architecture du centre-ville date du XVIIe siècle.

b. En France, aucune femme n'a accédé au poste de président de la République. Une femme est devenue présidente du Chili en mars 2014.

c. Avoir un salaire confortable est important. Les conditions de travail sont primordiales.

d. Elle a travaillé nuit et jour pendant trois mois. Elle a échoué à son examen de physique-chimie.

e. Je vais partir travailler à l'étranger pendant six mois. Ma famille ne comprend pas mon choix.

3 **Écoutez les titres du journal et formulez un avis contraire ou une concession.**

EXEMPLE : *Le taux de chômage a augmenté en France.* → *Certes, le taux de chômage a augmenté en France mais il y a une véritable relance économique actuellement.*

> **Pour exprimer une opposition** (= deux faits de nature équivalente)**, on peut utiliser des nuances :**
>
> • **une opposition de personnes :**
> EXEMPLE : *Moi, je dis ça **alors que** toi, tu dis autre chose.*
>
> • **une opposition qui marque des situations éloignées :**
> EXEMPLE : *Tu penses que la Terre est ronde. **Inversement**, je pense qu'elle est carrée.*
>
> • **une opposition avec un contraste entre deux actions :**
> EXEMPLE : *Les Français se couchent tôt **tandis que** les Italiens font tout le temps la fête.*
>
> • **une opposition dans un discours écrit** (en revanche) **ou à l'oral** (par contre)
>
> **Pour exprimer une concession** (= deux idées qui ne suivent pas la même logique)**, on peut utiliser :**
>
> • **une nuance d'hypothèse :**
> EXEMPLE : ***Même si** j'avais le temps, je ne ferais pas ce travail. Je n'en ai aucune envie.*
>
> • **un fait qui ne donne pas le résultat attendu :**
> EXEMPLE : *J'ai froid, **bien qu'**il fasse 21°C.*
>
> • **une nuance des propos précédents :**
> EXEMPLES : *Notre entreprise se développe. **Toutefois**, nous pouvons encore progresser.*
> *Notre entreprise est en train de couler. **Néanmoins**, je ne perds pas espoir.*
>
> À votre avis, quelle est la différence entre les deux dernières phrases ?

➤ **Précis de grammaire, p. 204**

Lexique

En marche

• bousculer, déranger

• s'emparer d'un projet

• aller de l'avant, avancer

• enclencher, amorcer, entamer

• mettre en mouvement, mettre en marche

• faire avancer un système

• débloquer

• ne pas se soucier des conventions

• faire trembler

• jouer un rôle de libérateur

• être le moteur, un levier

• maximiser une expérience

• proposer des alternatives

3

Complétez les phrases

a. Pour lancer un projet innovant, il faut souvent .... les habitudes d'un secteur d'activité.

b. Celui qui lance un projet est un .... pour l'ensemble de son équipe, qu'il motive et encourage

c. La réussite de cette toute nouvelle entreprise a déstabilisé les géant du secteur. On peut dire qu'elle .... ses concurrents.

d. La situation économique semblai impossible à faire évoluer, et pourtant des entrepreneurs innovants .... la situation.

Des entreprises et des hommes

- un créateur, un (auto-)entrepreneur, un porteur de projet, un leader, un chef de projet, un innovateur, un décideur, un pionnier, un bras droit
- un financeur, un actionnaire
- l'économie sociale et solidaire, les valeurs
- une petite / grande structure, une coopérative, une fondation, une association, une boîte (créer sa boîte), une start-up, une PME / SARL
- le géant du secteur
- le leadership

1

Devinettes

a. C'est une structure typique de l'économie sociale et solidaire qui peut regrouper plusieurs entrepreneurs ou projets.
b. C'est une structure sans but lucratif.
c. Il a la capacité de mener un projet, de gérer et animer une équipe.
d. C'est la plus grande société d'un domaine d'activité donné.

Créer son entreprise

- avoir / prendre l'initiative de
- faire une étude de marché
- construire un business plan
- créer de nouveaux modèles
- mettre en œuvre / lancer son projet
- passer à l'action
- chercher des partenaires, des associés
- se fixer des objectifs de croissance
- obtenir / dégager des fonds
- évaluer la concurrence
- tester la viabilité économique d'une idée
- se déclarer (auto-)entrepreneur
- bénéficier d'aides à la création
- s'immatriculer au registre du commerce
- une approche collaborative

2

Vrai ou Faux ?

a. S'immatriculer au registre du commerce permet d'être officiellement reconnu comme entreprise.
b. Quand on construit son business plan, on n'évalue pas la concurrence.
c. On peut bénéficier d'aide de l'État ou de l'Europe lorsque l'on crée une entreprise.
d. Les banques ne dégagent jamais de fonds si un entrepreneur n'a pas d'associés.

L'entrepreneuriat

Entreprendre en expression

- avoir une idée derrière la tête
- avoir le cerveau en ébullition
- avoir une idée de génie / lumineuse
- avoir le / un déclic
- accoucher d'une idée
- avoir du boulot par-dessus la tête
- trouver un filon
- lancer une idée
- se jeter à l'eau
- avoir de la suite dans les idées

4

Prenez la pose !

Par deux, choisissez une expression. Imaginez comment la représenter (sans accessoires) et prenez la pose afin de la faire deviner à la classe.

ACTIVITÉ RÉCAP'

Présenter « votre barbare »

○ En groupes, chacun présente un « barbare », c'est-à-dire un créateur ou un entrepreneur qui aurait innové en matière de service, projet ou entreprise. Expliquez comment il est allé de l'avant. Votez pour le « barbare » du groupe à présenter au reste de la classe. Pour cela, négociez ensemble en émettant des oppositions ou des concessions.

Exprimer sa désapprobation

1 Vous en pensez quoi ?

a. Regardez et décrivez l'illustration.

b. Que symbolise-t-elle ?

c. Imaginez un contexte. Et vous, comment réagiriez-vous dans la même situation ?

2 C'est du vécu !

a. Écoutez ces différentes situations. 🔊 15
Pour chacune d'entre elles, identifiez le contexte, retrouvez la cause de la désapprobation et relevez l'expression utilisée pour exprimer cette désapprobation.

b. Question de son, question de style !

– Écoutez et concentrez-vous sur 🔊 16 la prononciation de « tu ». Qu'en déduisez-vous à propos des styles soutenu, courant et familier ?

– Écoutez ces expressions. 🔊 17
Puis, répétez-les avec le style qui convient.

> **« Tu »**
> Dans les styles soutenu et courant, on prononce « tu ». Dans le style familier, « tu » devient « t' » devant une voyelle.

3 En situation ! 💬

➜ Sélectionnez l'une des situations suivantes et imaginez ce que vous diriez.

○ Au restaurant : vous êtes avec un ami qui a décidé de faire 20 heures de sport par semaine pour se remettre en forme.

○ En famille : vos parents ont lu un article sur l'augmentation des cambriolages dans la ville où vous étudiez. Très inquiets, ils vous annoncent qu'ils souhaitent que vous reveniez vivre près de chez eux.

○ Au travail : votre chef vous annonce qu'à partir du mois prochain, vous devrez travailler un dimanche sur deux sans percevoir de salaire supplémentaire.

○ À domicile : vous avez créé un projet sur le web qui fonctionne très bien. Un grand groupe vous contacte pour racheter votre idée et votre site.

> **LE + EXPRESSION**
> • Je ne suis franchement pas d'accord !
> • Tu as tort. Tu te trompes.
> • Tu n'aurais pas / jamais dû + infinitif
> • Je désapprouve (totalement / fortement)...
> • Absolument pas ! Hors de question !
> • C'est inadmissible / inacceptable / intolérable !
> • Tu devrais avoir honte !
> • Là, on aura tout entendu !
> • Quelle drôle d'idée !
> ✘ Tu plaisantes ! / Tu rigoles !
> ✘ Tu me soûles !
> ✘ Tu es complètement à côté de la plaque !
> ✘ Mais tu es malade !
> ✘ N'importe quoi ! Et puis quoi encore ?

Dénoncer une situation

Chers délégués du personnel,

Je m'adresse à vous tous aujourd'hui pour dénoncer nos conditions de travail moderne qui ne sont en aucun cas adaptées à la nature humaine. Il faut le dire, nos manières de
5 travailler nous avilissent physiquement.

Avons-nous oublié que l'humain est un mammifère capable de mouvement, un chasseur-cueilleur devenu sédentaire avec l'évolution ? Nous avons tant oublié notre condition humaine que nous travaillons assis dans des positions qui
10 martyrisent notre corps, comme le montre si bien l'augmentation du nombre du bien nommé « syndrome de la souris ». Si son nom prête à sourire, il n'en est pas moins vrai que le « tout informatique » crée de nouveaux maux dont la société ne prend pas conscience.

www.marcherentravaillant.org

15 Face à cet aveuglement, il était temps pour moi de prendre des mesures préventives dans le cadre de mon travail. Partant du constat que nous sommes faits pour être debout et marcher, j'ai d'abord commencé par adapter mon espace de travail afin d'être dans cette position. L'idée m'est ensuite venue qu'il fallait ajouter le mouvement : depuis deux ans, toute mon équipe travaille à partir de bureaux portatifs en marchant.

Depuis ce changement, tout le monde se porte à merveille et les arrêts maladies sont devenus quasi inexistants,
20 notre productivité a considérablement augmenté car notre cerveau fonctionne beaucoup mieux lorsque le corps est en action. Mon entreprise a donc complètement bénéficié de cette mesure de prévention que je conseille à tous d'adopter au plus vite.

À bon entendeur, marchez !

Benoit Pereira da Silva

1 Vous en pensez quoi ?

a. Lisez ce texte. Qui écrit quoi à qui ?
Que dénonce l'auteur ?

b. Relisez le texte. Comment l'auteur introduit-il et conduit-il son courrier ? Retrouvez la façon dont il évoque son constat, sa volonté de changement et ses propositions.

c. Êtes-vous d'accord avec le constat qui est fait ? Seriez-vous prêt à tester le travail en marchant ? Discutez !

2 C'est écrit noir sur blanc !

→ Vous venez de prendre connaissance d'une proposition pour améliorer la santé au travail. Vous écrivez un courriel à vos délégués du personnel pour proposer des alternatives innovantes à vos conditions de travail.

○ Vous constatez et dénoncez vos conditions de travail.

○ Vous proposez deux alternatives.

○ Vous expliquez les bienfaits de vos propositions.

LE + EXPRESSION

Pour dénoncer une situation, utilisez les expressions et tournures suivantes :

• Je dénonce...

• Il est inadmissible, insoutenable, impossible...

• Il faut dire...

• Ne nous voilons plus la face...

• Il est temps de...

Utilisez des questions rhétoriques pour interpeller :

• « Avez-vous déjà fait... ? »

• « Comment peut-on... ? »

DÉCRYPTER

Et demain ?

Doc. 1

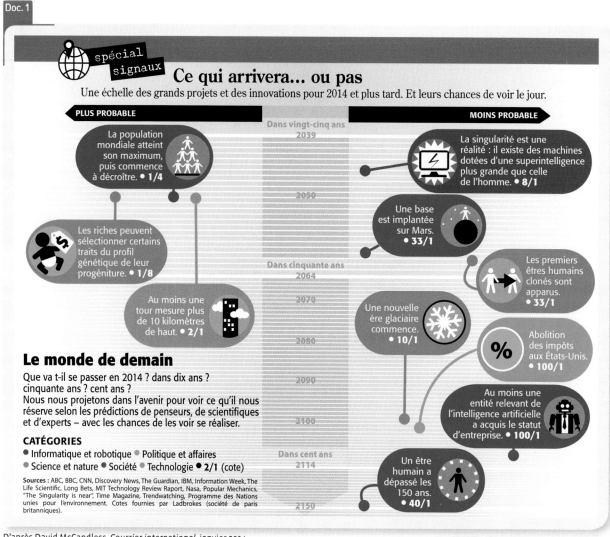

spécial signaux

Ce qui arrivera... ou pas

Une échelle des grands projets et des innovations pour 2014 et plus tard. Et leurs chances de voir le jour.

PLUS PROBABLE ← → **MOINS PROBABLE**

Dans vingt-cinq ans
2039

La population mondiale atteint son maximum, puis commence à décroître. • 1/4

La singularité est une réalité : il existe des machines dotées d'une superintelligence plus grande que celle de l'homme. • 8/1

2050

Les riches peuvent sélectionner certains traits du profil génétique de leur progéniture. • 1/8

Une base est implantée sur Mars. • 33/1

Dans cinquante ans
2064

Les premiers êtres humains clonés sont apparus. • 33/1

2070

Au moins une tour mesure plus de 10 kilomètres de haut. • 2/1

Une nouvelle ère glaciaire commence. • 10/1

2080

Abolition des impôts aux États-Unis. • 100/1

Le monde de demain

Que va t-il se passer en 2014 ? dans dix ans ? cinquante ans ? cent ans ?
Nous nous projetons dans l'avenir pour voir ce qu'il nous réserve selon les prédictions de penseurs, de scientifiques et d'experts – avec les chances de les voir se réaliser.

2090

Au moins une entité relevant de l'intelligence artificielle a acquis le statut d'entreprise. • 100/1

2100

CATÉGORIES
- Informatique et robotique • Politique et affaires
- Science et nature • Société • Technologie • 2/1 (cote)

Dans cent ans
2114

Un être humain a dépassé les 150 ans. • 40/1

Sources : ABC, BBC, CNN, Discovery News, The Guardian, IBM, Information Week, The Life Scientific, Long Bets, MIT Technology Review Raport, Nasa, Popular Mechanics, "The Singularity is near", Time Magazine, Trendwatching, Programme des Nations unies pour l'environnement. Cotes fournies par Ladbrokes (société de paris britanniques).

2150

D'après David McCandless, *Courrier international*, janvier 2014.

1 Ouvrez l'œil !

Lisez l'infographie et cochez les bonnes réponses. Indiquez la partie de l'infographie qui vous a aidé à trouver la réponse.

❏ Nous avons plus de chance de voir un jour la construction d'une tour géante que de vivre sur Mars.

❏ Il semble presque impossible que les humains vivent plus de 150 ans.

❏ La sélection génétique pourrait devenir une réalité pour les classes aisées.

❏ Dans 50 ans, le clonage humain sera devenu une banalité.

❏ En 2050, les machines seront plus intelligentes que l'homme.

2 Info ou intox ?

a. De quel magazine cette infographie est-elle extraite ? Pensez-vous que les données soient fiables ? Pourquoi ?

b. Quels temps sont utilisés pour parler du futur ? Pourquoi ?

c. Trouvez un synonyme de « diminuer ».

3 Entre nous...

Parmi les évolutions évoquées dans l'infographie, laquelle aimeriez-vous tester ? Laquelle trouvez-vous complètement inutile ? À votre avis, que sera le monde dans 50 ans ?

La minute grammaticale

Le présent est utilisé pour montrer que l'innovation commence ; le passé composé est utilisé pour montrer que l'innovation a déjà eu lieu.

Inventer, avoir un déclic

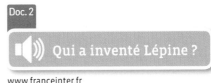
Qui a inventé Lépine ?

www.franceinter.fr

1 De l'image au son ! 18

a. Regardez le document 1. Quelle est la tonalité de la réplique de l'oiseau ? Que suggère le dessinateur ?

b. Écoutez le document 2. Quels liens faites-vous avec l'illustration ?

c. À quelle occasion l'émission a-t-elle lieu et qui sont les invités ?

d. Qui était Lépine ? Qu'a-t-il inventé et pourquoi ?

e. Relevez les avantages de l'invention de Valérie Grammont.

2 À demi-mot...

a. Lors de la présentation du sujet, quelle attitude le présentateur adopte-t-il ?

b. Quelle est la dimension écologique de l'invention de Valérie Grammont ?

c. Quelle image Valérie Grammont utilise-t-elle pour signifier qu'une grande quantité de marc était jetée ?

Autrement dit... 💬

→ Vous allez commencer un travail sur le **résumé**. Lisez l'encadré ci-contre, puis suivez les étapes pour **isoler les parties** du document 2 ci-dessus.

① Écoutez de nouveau le document. Repérez le thème et les idées principales.

Comparez avec votre voisin !

② Seul, repérez les liens entre les idées. Écrivez-les.

Échangez avec la classe !

③ Ensemble, décidez des différentes parties du document et de son organisation.

Le résumé

Un **résumé** invite à reformuler les idées essentielles d'un document tout en respectant l'ordre des idées.

Pour isoler des parties, on peut souligner / surligner / entourer / encadrer :

- **les idées essentielles et les idées secondaires :** lesquelles véhiculent l'information importante ? lesquelles servent à illustrer ? quelles sont les idées que l'on retrouve dans différents paragraphes ?
- **les mots-clés :** ils doivent être rattachés aux idées essentielles ;
- **les articulateurs logiques :** la logique du document déclencheur est à respecter dans le résumé. Il est donc indispensable de relever les connecteurs.

▶ U2 : isoler des parties
▶ U5 : reformuler des idées
▶ U8 : rédiger un plan détaillé
▶ Fiche pratique, p. 190

➤ 📖 Cahier d'activités, **unité 2**

La critique dans un texte descriptif

Une fourchette pour analyser nos repas, un bracelet pour contrôler le fonctionnement de nos organes, bientôt une voiture qui se conduit toute seule... Plus intelligents les uns que les autres – et que nous-mêmes, bien entendu –, les objets connectés font tout à notre place. L'âge d'or ? Pas si sûr. Il suffit de voir à quel point ceux qui promettaient hier de nous faciliter la vie nous tourmentent aujourd'hui : le grille-pain, le parapluie, la chaise longue, le rouleau adhésif, le portable... l'intelligence n'exclut pas la malfaisance.

CHARLES HAQUET ET BERNARD LALANNE

PROCÈS DU GRILLE-PAIN ET AUTRES OBJETS QUI NOUS TAPENT SUR LES NERFS

MERCVRE DE FRANCE

Le téléphone portable

L'objet qui se permet de nous sonner comme on sonne un domestique. Qui se dit « *smart* » mais pousse des cris de putois quand on l'oublie dans le capharnaüm d'un sac à main.

5 En privé, le téléphone portable est un compagnon docile et assez peu susceptible. On peut fort bien ne pas répondre aux appels, le laisser passer sur messagerie ou lui couper le sifflet d'emblée. C'est quand il sent du public qu'il devient odieux. Que ce soit au restaurant, au cinéma, dans le bus ou le train, son intrusion stridente 10 fait l'effet d'une décharge électrique. Panique à bord ! Trois personnes ont la même sonnerie, où est le responsable ? Il faut lui sauter dessus et, pour cela, le localiser. Cela tient de la chasse au blaireau, la cruauté en moins : plonger dans le sac, attraper l'animal, le déterrer... [...] La honte.

Euréka ! On l'a tâté à travers la doublure. Trop tard, il s'est tu. Madame 15 remballe tout son fourbi, le rouge aux joues, l'oreille aux aguets.

Bip ! C'est la messagerie. « *Allo, c'est moi. Tu peux me rappeler quand tu entendras ce message ? »*

Tout ça pour ça...

Où t'es ? Tu fais quoi ? Tu rentres quand ? Tu peux prendre le pain ? Ces 20 questions existentielles s'entrecroisent en un écheveau qui prend la main sur notre vie quotidienne. « *Les sonneries sectionnent le flux du temps, massacrent la pâte de la durée, hachent les journées, comme le couteau du cuisinier japonais le concombre* » écrit Sylvain Tesson dans *S'abandonner à vivre.*

25 Si au moins les tranches de temps qu'il découpe étaient régulières ! Le portable, c'est « quand je veux, où je veux » et, de préférence, quand on souhaiterait qu'il la boucle : mal élevé, trop gâté, le sale gosse n'a jamais reçu la moindre paire de gifles depuis sa naissance, on n'a pas cessé de l'encenser au contraire. Résultat, il se croit tout permis.

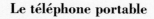

La minute lexicale

Une hyperbole

C'est une exagération de langage. Exemple : le téléphone pousse des cris de putois.

➤ Fiche pratique, p. 195

30 Textos, mails, tweets, chat, apps… Il nous fait ingurgiter sans cesse des mots qui ne ressemblent à
rien, pas même à des onomatopées. Pire, il a dé-
teint sur nous et nous a transformés en malotrus
qui ne respectent rien ni personne. Cet objet, sans
35 le dire, ne nous tape pas seulement sur les nerfs, il
sape les fondements de la civilisation.

À quelques détails près, c'est ainsi que commença
le déclin de Rome.

Charles Haquet et Bernard Lalanne, *Procès du grille-pain et autres objets
qui nous tapent sur les nerfs,* Mercure de France, 2014.

La minute phonétique

« Textos, mails, tweets, chat, apps… Il nous fait
ingurgiter sans cesse des mots qui ne ressemblent à rien, pas même à des onomatopées. »

Le langage SMS est fondé sur l'oral : on se sert
des majuscules et des chiffres pour écrire
des mots plus courts. Retranscrivez !

TOQP ? / A 2MAIN ! / GTO ciné

LE + INFO

La **tonalité** correspond à la manière dont est
raconté un événement.

• ton comique = rire

• ton ironique = dire autre chose que ce l'on exprime

• ton tragique = triste

• ton pathétique = émotion

• ton dramatique = tension

---

1 À première vue !

a. Regardez la couverture du livre et déduisez le sens
de l'expression « taper sur les nerfs ».

b. À votre avis, de quoi parle cet ouvrage ?

c. Quelle tonalité devrait-t-on y trouver ?

2 Posez-vous les bonnes questions !

a. Lisez la quatrième de couverture puis l'extrait. Quels
sont les deux contextes d'utilisation du téléphone ?

b. Relevez tous les mots utilisés pour nommer le
téléphone. Quelle impression cela donne-t-il ?

c. Quelles sont les critiques formulées à l'égard de cet
objet ?

d. Relisez la phrase « *On peut fort bien ne pas répondre
aux appels, le laisser passer sur messagerie ou lui
couper le sifflet d'emblée.* » Que remplacent « *le* » et
« *lui* » ?

➤ Utiliser les procédés de reprise, p. 46

3 Entre les lignes...

a. Reprenez le paragraphe du moment de la sonnerie
(l. 10 à 18). Concentrez-vous sur la ponctuation, puis
lisez l'extrait à voix haute. Mettez le ton !
Quelle impression avez-vous ?

b. Quelle autre critique se cache derrière celle
du téléphone portable ? Justifiez vos réponses
par des expressions du texte.

c. Que pensez-vous de la citation « *Les sonneries
sectionnent le flux du temps, massacrent la pâte
de la durée, hachent les journées, comme le couteau
du cuisinier japonais le concombre* » (l. 21 à 23) ?

C'EST À VOUS !

○ Chacun écrit sur un morceau de papier un objet qu'il
pourrait mettre dans la liste des objets énervants.

○ Les papiers sont redistribués dans la classe. Vous recevez
le nom d'un objet et écrivez un article court et descriptif
sur cet objet en veillant à le nommer de plusieurs façons et
en expliquant pourquoi il pourrait vous taper sur les nerfs.
Partagez votre article et échangez !

Grammaire

Utiliser les procédés de reprise

Lexique

→ **Observez et analysez.**

> Les objets du quotidien peuvent vous faciliter la vie comme ils peuvent vous la gâcher. Nous en avons tous à la maison qui sont inutiles, cassés ou casse-pieds. Vous ne les jetez pas parce que vous vous dites qu'un jour, vous leur trouverez une fonction. En attendant, ces outils et ustensiles prennent toute la place.

a. Relevez les termes utilisés pour remplacer le mot « objet ».

b. Comment expliquez-vous cette variation ?

1 **Écoutez les phrases, relevez les mots utilisés pour la reprise et justifiez** **leur utilisation, comme dans l'exemple ci-dessous.**

EXEMPLE : *Eugène Poubelle a inventé la poubelle à la fin du xixe siècle. On lui doit une meilleure gestion des ordures ménagères dans nos rues et nos maisons !*

Substantif remplacé	Elément de reprise	Justification
Eugène Poubelle	*lui*	*COI : Devoir quelque chose à quelqu'un*
...	...	...

2 **Inventez des phrases en proposant une reprise du groupe de mots souligné, comme dans l'exemple. Faites varier le type de reprises.**

EXEMPLE : *Mes neveux ont construit une fusée géante pendant leur cours de technologie.*
→ *Je trouve que cet objet est très dangereux. / Je ne sais pas si mes neveux l'ont déjà testée.*

a. Les grands inventeurs sont souvent reconnus longtemps après leur mort.

b. Le numérique est sans aucun doute la plus grande révolution de la fin du xxe siècle.

c. En France, le CNRS (Centre national de la recherche scientifique) est un vrai laboratoire d'idées.

d. J'achète un nouveau parapluie chaque année.

3 **Lisez le texte et reformulez-le pour éviter les répétitions.**

La télévision est apparue dans les années 1950. À cette époque, peu de foyers étaient équipés de télévision. Pour regarder la télévision, les gens se réunissaient souvent. L'un des événements marquants de la télévision a été la diffusion en direct du premier pas sur la Lune en 1969. Aujourd'hui, la télévision numérique offre un bouquet de chaînes presque infini. De nos jours, la télévision fait partie des meubles et la majorité des gens regarde la télévision au moins une heure par jour. Et vous, quel est votre rapport à la télévision ?

Répondez à la question posée à la fin du texte sans utiliser le mot « télévision ».

Pour éviter les répétitions, on peut utiliser :

• **une reprise nominale :**

– avec un **synonyme** ou un **équivalent**. EXEMPLE : *le téléphone = l'appareil, le portable, l'objet...*

– avec un autre **déterminant** : un article indéfini *(un, une, des)*, un démonstratif *(ce, cet, ces...)*, un possessif *(son, sa, ses...)*, etc. EXEMPLE : *le téléphone = un appareil, cet objet, son portable...*

• **une reprise pronominale :**

– avec un pronom **personnel sujet**. EXEMPLE : *Il sonne.*

– avec un pronom **indéfini**. EXEMPLE : *Tous sonnent.*

– avec un pronom **possessif**. EXEMPLE : *Le mien sonne.*

– avec un pronom **démonstratif**. EXEMPLE : *Celui-ci sonne.*

– avec un pronom **personnel complément**. EXEMPLE : *Je le fais sonner.*

– avec un pronom **relatif**. EXEMPLE : *Le téléphone qui sonne.*

➤ **Précis de grammaire, p. 202**

L'avenir

- se projeter dans l'avenir
- faire des prédictions / prédire l'avenir
- améliorer ≠ aggraver une situation
- accroître, augmenter, étendre, rallonger
- atténuer, restreindre, réduire, raccourcir
- gagner en qualité de vie
- analyser une situation
- croire en, douter de
- le destin, la destinée, l'avenir
- avoir une vision pessimiste / optimiste
- l'allongement de la durée de vie
- être fataliste, résigné

4 **La voyante**

Vous lisez l'avenir à votre voisin en réutilisant un maximu de vocabulaire.

Créer des objets

- une invention, un objet innovant / connecté
- une révolution (numérique / informatique)
- un progrès, une avancée
- les nouvelles technologies
- l'intelligence artificielle
- la génétique, le clonage
- inventer / fabriquer / concevoir un objet
- s'assurer de la conformité d'un objet
- déposer un brevet
- primer une invention

Les acteurs du changement

- un inventeur, un créateur
- un savant fou
- un fondateur, un concepteur
- un précurseur, un pionnier
- un visionnaire
- un penseur
- un expert, un spécialiste
- un scientifique, un ingénieur

1

Discutez et échangez.

Trouver un exemple, un objet ou une invention :

a. que vous considérez comme une avancée scientifique primordiale.

b. qui est selon vous la révolution numérique la plus importante du siècle.

c. qui appartient aux objets connectés.

d. qui peut révolutionner ou a révolutionné la génétique.

e. qui possède une dimension écologique.

2

Qui est qui ?

a. Personne qui a ouvert la voie à une pensée, à un mouvement, ou qui a devancé la création d'un objet.

b. Celui qui est à la base de la création d'une entreprise, par exemple.

c. Personne qualifiée au niveau technique ou scientifique et qui a des fonctions de dirigeant dans ces domaines.

d. Personne capable d'anticipation, qui a l'intuition de l'avenir.

Les objets en expression

- traîner une casserole
- manger des briques
- en avoir ras-le-bol (ou ras-la-casquette)
- se faire remonter les bretelles
- sauver les meubles
- mettre les pieds dans le plat
- avoir les fils qui se touchent
- se prendre un râteau
- passer un savon à quelqu'un
- couper le sifflet à quelqu'un

Les inventions

3

Redonnez son expression aux définitions suivantes. Existe-t-il un équivalent dans votre langue ?

a. aborder un sujet maladroitement

b. être fou

c. réprimander quelqu'un

d. avoir un passé douteux, une histoire peu glorieuse

e. échouer dans sa tentative pour séduire quelqu'un

ACTIVITÉ RÉCAP'

Votre concours Lépine

○ En groupes, vous allez inventer un objet innovant et inédit !

○ Commencez par vous présenter en expliquant en quoi vous êtes un pionnier dans le domaine. Puis, présentez votre objet révolutionnaire. Soyez précis et expliquez son lien avec l'avenir.

○ Attention, vous ne pouvez utiliser le nom de votre objet que deux fois.

La minute culturelle

De quoi s'agit-il ?
Retrouvez l'invention associée à chacune des descriptions suivantes.

a. C'est en 1895, dans la ville de Lyon, que les frères Lumière ont inventé ce système qui a révolutionné le monde de l'image. Après la peinture et la photographie, ils ont mis au point celui que l'on nommera le 7ᵉ art.

b. Cette chaussure en plastique en matière antimicrobienne, antidérapante et antitranspirante connaît un succès planétaire depuis 2003, et pourtant personne ne sait qu'elle a été inventée au Québec par deux ingénieurs, Marie-Claude de Billy et Andrew Reddyhoff qui, à l'origine, voulaient créer des coussins.

c. Devenu aveugle à l'âge de 3 ans à la suite d'un accident, ce Français est à l'origine d'un système d'écriture et de lecture, publié pour la première fois en 1829 et encore utilisé aujourd'hui.

d. C'est le Français Alexandre Godefroy qui mit au point le premier modèle de cette invention en 1886. Il s'agit d'un appareil qui, à l'époque, ressemblait à une sorte de bonnet relié à un tuyau flexible projetant de l'air chaud. Il faudra attendre 1926 pour voir apparaitre la version manuelle qui ressemble à celle que l'on trouve dans nos salles de bains.

Réponses :
a. le cinéma – b. les Crocs –
c. le braille – d. le sèche-cheveux

Détente lexicale

Drôle d'expression !

1. Que signifie cette expression ?
Il n'a pas inventé la poudre.

2. Par quoi pourriez-vous remplacer « la poudre » ?
Il n'a pas inventé :
a. l'eau chaude.
b. l'amour et l'eau fraîche.
c. le beurre dans les épinards.
d. le fil à couper le beurre.

Réponses : 1. Il n'a rien inventé d'extraordinaire. – 2. a. et d.

 caché

Complétez le texte ci-dessous.

Au XIXᵉ siècle, de nombreux cas de rage sévissent en .....(a)..... et c'est en 1880 que Louis Pasteur commence à travailler sur cette .....(b)...... Son objectif est alors de trouver des moyens de .....(c)..... les maladies. Il présente dès 1884 les .....(d)..... positifs d'une expérimentation de vaccination préventive de .....(e)...... contre la rage. Chez l'homme, le pas est franchi en 1885 avec son premier succès : la .....(f)..... d'un enfant de 9 ans, Joseph Meister, qui lui est présenté dans son laboratoire de l'École normale supérieure de Paris. Le jeune garçon qui arrive d'Alsace présente des .....(g)..... de chien profondes et multiples. Il reçoit 13 .....(h)..... de broyat de moelle de lapin (une par jour) et survit. Quelques mois plus tard, Pasteur rapporte les résultats de 726 inoculations. Il parvient ensuite à créer un établissement vaccinal contre la rage en 1888 et c'est l'actuel .....(i)..... Pasteur.

D'après www.pasteur

Réponses : a. Europe – b. pathologie – c. prévenir – d. résultats – e. chiens – f. vaccination – g. morsures – h. injections – i. Institut

À chacun sa citation !

Attribuez chaque citation à son inventeur. Choisissez votre citation préférée et justifiez votre choix.

1. « Ceux qui ont une foi excessive dans leurs idées ne sont pas bien armés pour faire des découvertes. »

2. « Il est plus facile de désintégrer un atome qu'un préjugé. »

3. « L'humanité tirera plus de bien que de mal des découvertes nouvelles. »

a. Pierre Curie

b. Claude Bernard

c. Albert Einstei

Réponses : 1. b. – 2. c. – 3. a.

Jeux de mots, jeux de sons !

En « auto, métro ou vélo » ou en « automobile, métropolitain ou vélocipède » ?

Parfois, la langue française abrège les mots trop longs et ces **abréviations** entrent dans le dictionnaire.

Trouvez l'intrus !

info – dermato – météo – moto – bistro – ophtalmo – photo – stylo – micro – kilo

Réponse : bistro

Reçu 5 sur 5 !

Dans cette unité, retrouvez :

1 verbe étonnant : ....
1 expression amusante : ....
1 nom marquant : ....
1 personne ayant titillé votre curiosité : ....
1 idée dérangeante : ....

Complétez et comparez avec votre voisin pour justifier vos choix.

À vous de décoder... une chanson

La Fille au Prisunic

C'est moi la fille au Prisunic
Je fais la caisse automatique
Mais tandis qu'j'encaisse tout ce blé
J'pense à mon vernis écaillé
J'pense à mes bas qui sont usés
Comme ma vie qu'est triste à pleurer
Mon truc c'était contact humain
Dire des points d'vue, serrer des mains
C'est toujours la même musique
Sur mon piano à fric
Avec mes doigts mécaniques
J'enregistre, j'enregistre
En attendant, j'encaisse,
C'est fou ce que j'encaisse
J'encaisse
Tout en rêvant, c'est passionnant
À la vue des autres qui passent devant
Mais des fois ça m'fait mal à l'œil
Toutes ces promos qui m'font de l'œil
Comme si c'était ça mon bonheur
Comme si ils me faisaient une fleur
Ma vie, si j'pouvais m'la payer
La caisse, je l'aurais forcée,
je l'aurais forcée, je l'aurais forcée
Ouais, ouais, ouais

Adrienne Pauly, 2006.

o **Pour mieux comprendre cette chanson, ayez le déclic culturel !**

a. À votre avis, qu'est-ce que le « Prisunic » ?

b. Que dénonce cette chanson ?

c. À quoi rêve la personne ?

d. Que pensez-vous des paroles et de la musique de cette chanson ?

C'EST À VOUS !

o **Par deux, interagissez.**
Vous allez voir votre chef pour lui exposer les difficultés que vous rencontrez dans le service dans lequel vous travaillez. Vous expliquez en quoi et pourquoi le travail que vous effectuez est répétitif et ennuyant. Votre chef vous propose quelques solutions.

o **Individuellement, créez un texte de chanson** qui commence par « *C'est moi la fille...* » / « *C'est moi le gars...* » et qui parle du monde du travail. Expliquez ce que vous faites comme type de travail, en quoi ce travail est aliénant et les rêves que vous poursuivez.

Nous, les femmes...

Adoptez de bons réflexes !

▶ Regardez la photographie. Faites le lien entre cette photographie et le titre de l'unité. Connaissez-vous le sens de cette expression ?

▶ Regardez la vidéo. Qui parle ? de qui, de quoi, de quelle manière et où ?

Drôle d'expression !

▶ D'après vous, qu'est-ce qu'un trompe-l'œil ?

▶ À qui s'adresse cette phrase : *« T'es belle comme un cacao qui sèche au soleil ! »*. Expliquez-la.

Entre nous...

▶ Aimeriez-vous découvrir le quartier de Yopougon ? Pourquoi ?

▶ Vos premières impressions sur ces documents ont-elles changé ?

À première vue !

1 (Perceptions

Se repérer

• Une question d'image

Prendre position

• Comment ne pas tomber
dans le panneau ?
• Miroir, dis-moi qui est
la plus belle ?

S'exprimer

• Faire et recevoir
une confidence
• Rédiger un message efficace

2 (Explorations

Décrypter

• Touche pas à mon accent !
• Tous francophones, a priori !

Interpréter

• La chronologie
dans un texte narratif

S'exprimer

• Atelier culturel
*Décoder une expression
imagée*

1(Perceptions

Une question d'image

Doc. 1

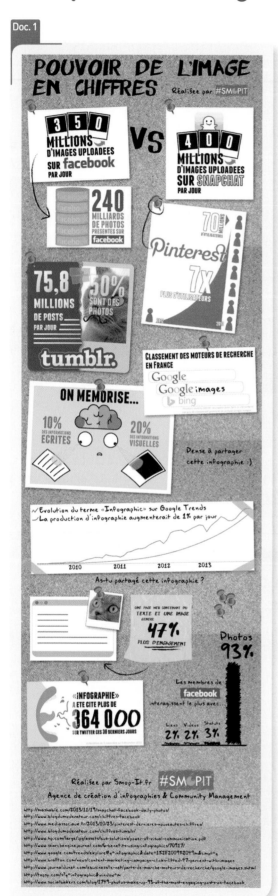

Doc. 2

🔊 **Du bon usage des *selfies***

www.vuesetvoix.com

Doc. 3

Louis XIV, victime de la mode

S'il est bien un symbole absolu de l'Ancien Régime, c'est la perruque. Signe de distinction sociale, de pudeur comme de démesure, cet ac-
5 cessoire résume à lui seul un mode de vie, une société et une construction de l'image de soi. Et ce mode de vie est aussi une mode, initiée bien involontairement par Louis XIV. Car
10 c'est le roi qui est à l'origine du port de la perruque à la Cour et ailleurs, alors qu'en 1658, à l'occasion d'un épisode pathologique resté célèbre, le jeune souverain a commencé à cacher son crâne dégarni. Il va de soi que
15 l'histoire des perruques dans la France du XVIIᵉ siècle est, encore une fois, l'histoire d'une monarchie qui a donné le ton dans de nombreux domaines. Cette cour itinérante, avant son installation définitive à Versailles, servait déjà de repère quant aux usages et aux tenues élégantes.

Stanis Perez, 16 janvier 2013.

1 Repérez les informations ! 🔊 20

Observez, lisez et écoutez les documents.

a. Quelle est la place de l'image dans nos vies ? Illustrez par des exemples.

b. Que symbolise l'image ?

c. Comment l'être humain parvient-il à contrôler son image ?

d. Quelles impressions a-t-on en diffusant un *selfie* ?

e. Pourquoi et comment la perruque est-elle devenue un symbole de l'Ancien Régime ?

2 Soyez curieux !

a. Relevez les mots et expressions relatifs au paraître.

b. Dans le document 2, quelles sont les conséquences de la publication d'une photo sur les réseaux sociaux ? Quels marqueurs sont utilisés pour les exprimer ?

➤ Exprimer la conséquence, p. 56

c. Selon vous, comment un mode de vie peut-il aussi être une mode ?

d. Êtes-vous d'accord avec l'expression « *une image vaut 1000 mots* » ? Justifiez.

Doc. 4

Éloge de la retenue sur les réseaux sociaux

Plus d'un milliard d'individus exposent leur vie sur les réseaux. Cette « *tyrannie du paraître* » ne crée-t-elle pas plus d'angoisse que de bonheur ?

C'est la frange la moins visible de la France invisible. La majorité silencieuse qui ne
5 réclame rien, sinon son droit à continuer de vivre sans bruit. Ces citoyens ne s'exhibent pas sur Facebook, ne diffusent pas leurs photos de vacances, se fichent d'être populaires sur Twitter. Ils sont juste discrets.
10 Par nature ou par réaction, rétifs à l'actuelle « *tyrannie du paraître* » pour reprendre la formule du psychanalyste Gérard Bonnet [...].

On ne les entend pas mais on les cerne de mieux en mieux. [...] Depuis, des tests scientifiques ont montré
15 que les besogneux effacés travaillaient généralement mieux que leurs collègues fanfarons. De quoi rassurer une bonne partie de la population mondiale qui réfléchit plus qu'elle ne brille, doute plus qu'elle n'assène[1] – et se tient, surtout, à distance de la surexposition de soi très en vogue aujourd'hui. [...]
20 À chacun de communiquer sur ses accomplissements professionnels ou intimes, en se fabriquant une image plus ou moins embellie sur Facebook [...], en y exposant son quotidien comme si cela pouvait soudain lui donner du sens. À ce petit jeu de l'étalage de soi, on a vite fait de se sentir hors
25 course. Une récente étude allemande indique qu'un tiers des utilisateurs de Facebook se sentent plus mal après s'être

connectés au site, fatigués de guetter le nombre de « *likes* » que leurs propos ou leurs photos obtiennent – ou simplement honteux quand ils comparent leur vie à celle des autres. [...]
30 Le philosophe français Pierre Zaoui propose [...] la discrétion comme léger pas de côté qui ouvre au monde plus qu'il n'isole. [...]

Une invitation à se déconnecter de soi-même pour mieux se lier aux autres. [...] Elle n'a rien à voir avec l'humilité résignée
35 des petites gens. Se faire discret, c'est résister à la caméra de surveillance de l'époque – le diktat de transparence –, tout en vivant une expérience citoyenne, au milieu des autres, avec une disponibilité renouvelée, une sensibilité urbaine et démocratique.

1. *Exprimer avec force une opinion, un propos.*

Erwan Desplanques, www.telerama.fr, 31 janvier 2014.

1 Posez-vous les bonnes questions !

a. Que font et ne font pas les gens discrets ?

b. Comment se sentent les utilisateurs des réseaux sociaux ?

c. Quels avantages a-t-on à être discret ?

2 Soyez curieux !

a. Entourez tous les mots liés à la retenue.

b. À la lecture de l'article, comment interprétez-vous les expressions « la tyrannie du paraître » et « l'étalage de soi » ?

c. Selon vous, en quoi « se déconnecter de soi-même » permet-il de mieux se lier aux autres ?

LE + INFO

Facebook déclare 4,5 milliards de « *likes* » quotidiennement, soit plus de 4 par compte actif ! En 2010, l'apparition du bouton « *like* », représenté par un pouce levé, a changé la manière de s'exprimer. « *Liker* » est devenu un acte automatique, impulsif et dépourvu d'intérêt, fait par convention.

Avez-vous l'esprit d'analyse ?

→ Vous allez amorcer un travail sur le **commentaire** de documents chiffrés à partir du document 1. Lisez l'encadré ci-contre, puis suivez les étapes et **formulez des hypothèses**.

1 Repérez les données (titre, source, date, chiffres et mots-clés).

À deux, comparez !

2 Décrivez ces données.

En groupes, échangez !

3 Formulez des hypothèses.

Le commentaire

Le **commentaire** est un repérage, une explication et une analyse des données chiffrées d'un ou plusieurs documents, en un temps et un nombre de mots limités.

▶ U3 : formuler des hypothèses
▶ U6 : comparer des données
▶ U9 : organiser un plan détaillé
▶ Fiche pratique, p. 194

➤ 📖 Cahier d'activités, **unité 3**

Comment ne pas tomber dans le panneau ?

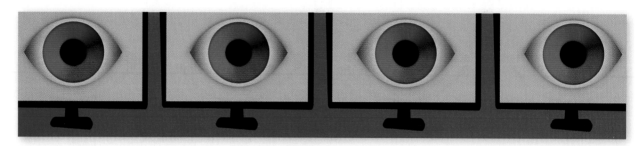

Doc. 1

Matraquage publicitaire

Le premier reproche qui peut être fait à la publicité est de procéder à un matraquage *ad nauseam*, d'autant plus présent qu'il se répand à travers tous les supports imaginables (presse, télé, cinéma, radio,
5 Internet, panneaux, écrans [...]) nous atteignant ainsi à chaque instant de nos vies, à la maison, dans la rue [...]. Mais quelle est donc l'idéologie générale véhiculée par la publicité dans son ensemble ? Tout d'abord, elle prône une vision biaisée et simpliste du
10 monde et de la vie :

« La publicité promet toujours la même chose : le bien-être, le confort, l'efficacité, le bonheur et la réussite. [...] Elle vend du rêve, propose des raccourcis symboliques pour une rapide ascension sociale. [...]
15 *Structurellement réductrice, la publicité offre une vision condensée, schématique, simple de la vie. Elle recourt volontiers à des stéréotypes pour nous dicter nos désirs. [...] »*

Adriano Brigante, « Masse critique », 17 juillet 2013.

Doc. 2

 Les nouveaux panneaux publicitaires et le *eye tracking*

www.franceinter.fr

Doc. 3

Grenoble ne dit pas vraiment non à la pub !

La nouvelle équipe municipale de Grenoble a tenu la promesse faite pendant la campagne. À partir de janvier 2015 et pour quatre mois, elle démontera les 326 panneaux publicitaires de la commune pour ne
5 laisser qu'un millier de panneaux intégrés aux abribus. [...] La décision de Grenoble de supprimer drastiquement ses espaces publicitaires n'est pas un geste anti-pub. Au contraire ! C'est simplement une illustration du fameux adage « *trop de (mauvaise) pub tue*
10 *la (bonne) pub* ». Les Grenoblois [...] ne veulent plus d'une publicité polluante et intrusive, ce qui ne signifie pas forcément qu'ils ne veulent pas de publicité. [...]

L'équipe municipale envoie finalement le même mes-
15 sage aux annonceurs que celui des internautes ou des téléspectateurs : si vous voulez faire partie de notre paysage, faites un effort, soyez créatifs, divertissants, utiles. Trop d'annonceurs et de ceux qui les accompagnent utilisent encore l'affichage comme un
20 outil de matraquage. [...] Avec 1000 abribus, Grenoble ne dit pas complètement non à la pub [...] elle dit seulement qu'elle ne veut plus n'importe quoi, n'importe où, n'importe quand et n'importe comment. Nuance !

Millward Brown, 25 novembre 2014.

1 Posez-vous les bonnes questions ! 21

Observez, lisez et écoutez les documents.

a. Que reproche-t-on à la publicité ?

b. Comment la pub envahit-elle de plus en plus notre quotidien ? Citez des exemples.

c. Que propose la mairie de Grenoble ?

d. De quelle manière l'information est-elle introduite dans le document 2 ?

2 Cap ou pas cap ?

○ En groupes, proposez plusieurs réponses à la question « Comment ne pas tomber dans le panneau ? »

○ Rédigez un petit guide des bonnes pratiques face à la publicité, destiné aux consommateurs.

○ Créez une petite vidéo avec des dialogues courts pour aider les consommateurs à ne pas tomber dans le panneau ! Pour chaque dialogue, pensez à introduire une information.

> **Introduire une information**
>
> Tu savais que...
>
> Figure-toi que...
>
> Est-ce que tu sais que...
>
> Tu connais pas la dernière ?
>
> Il faut que je te dise...
>
> Devine ce que...

Miroir, dis-moi qui est la plus belle ?

Doc. 1

 Femmes africaines et publicité

www.rfi.fr

1 Qu'avez-vous compris ?

a. Quelles représentations de la femme dans la pub sont citées en exemple ?

b. Quelles images sont intolérables pour la population malienne ?

c. Dans quel domaine Amadou Moustapha Diop travaille-t-il ? Quel est son point de vue ?

d. Des femmes prennent parfois des risques. Quels sont-ils ? Pourquoi ?

e. Les dangers sont-ils les mêmes en Afrique et dans les pays occidentaux ? Justifiez.

f. À quel sujet l'opinion des intervenants converge-t-elle ?

2 Soyez curieux !

a. Comment peut-on qualifier l'image de la femme dans la pub ? Comment réagissez-vous face à ce type d'images ?

b. Quel effet peut-avoir une pub sexiste sur les femmes ? Quel verbe permet d'exprimer cette conséquence ?

➤ Exprimer la conséquence, p. 56

c. À votre avis, pourquoi a-t-on invité ces trois personnes à participer à l'émission ?

d. La publicité passe-t-elle forcément par la provocation ?

Ça se discute !

→ Vous allez amorcer un travail de **critique** à partir du document 1 ci-dessus. Lisez l'encadré ci-contre, puis suivez les étapes.

◉ **Relevez l'objet !**

▸ Écoutez de nouveau le document, repérez l'objet de la critique et l'élément critiqué.

◉ **Relevez l'auteur !**

▸ Identifiez la manière dont l'auteur de la critique apparaît : est-il impliqué ou non ?

◉ **Comparez et rédigez !**

▸ Par deux, à l'oral, comparez les clichés véhiculés dans les publicités avec ceux de votre pays.

▸ Seul, rédigez une critique en prenant personnellement position.

La critique

La **critique** est un article d'opinion sur un objet (films, livres, publicités, etc.). Son auteur décrit et porte des appréciations positives, négatives ou nuancées sur cet objet.

Pour comparer des éléments, on peut exprimer :

• une similarité : *Comme..., il / elle démontre... ; Il / Elle est aussi / autant... que celui / celle... ; Il / Elle est à l'image de...*

• une différence : *Il / Elle est (beaucoup) plus / moins... que... ; à l'opposé / à la différence de... ; contrairement à...*

▸ U3 : comparer des éléments
▸ U6 : utiliser des adjectifs
▸ U9 : opposer des termes

➤ 📖 Cahier d'activités, **unité 3**

Grammaire

Exprimer la conséquence

→ **Observez et relevez les éléments.**

> Les réseaux sociaux incitent les individus à épier la vie d'autrui. C'est pourquoi certaines personnes refusent d'être esclaves de ce monde virtuel. Moi, j'ai tellement perdu mon temps à *liker* la vie de mes soi-disant amis que j'ai décidé de me déconnecter de ces réseaux. Le temps que je gagne est tel que je peux me consacrer à ma famille et à mes loisirs. Tant et si bien que j'ai totalement oublié l'existence de mon ordinateur.

a. Lisez le texte et entourez les conséquences qui découlent de la pratique des réseaux sociaux.

b. Soulignez les éléments qui permettent d'exprimer ces conséquences.

1 Écoutez et citez les conséquences de la société de consommation sur les jeunes. Puis, relevez les éléments qui permettent de les exprimer. 23

2 Soulignez la conséquence, puis formulez-la en une seule phrase.

EXEMPLE : *Il a vu une publicité sur un produit amincissant. Il a décidé de se mettre au régime.*
→ *Il a vu une publicité sur un produit amincissant si bien qu'il a décidé de se mettre au régime.*

a. Internet comporte de nombreux dangers. Il faut éduquer les jeunes à son utilisation.

b. Cette image, rendue publique hier, est choquante. Cela a porté atteinte à la réputation de l'entreprise.

c. Romain a voulu profiter d'une promotion exceptionnelle. Il a acheté un pantalon trop petit pour lui.

d. Il y a eu un problème de réseau. Je n'ai pas pu me connecter pendant une semaine.

e. Elle a envie de paraître plus belle. Elle souhaite avoir recours à la chirurgie esthétique.

3 Par deux, répondez librement en exprimant une conséquence.

a. La présence de panneaux publicitaires vous énerve-t-elle ?

b. Activez-vous la géolocalisation sur votre smartphone ?

c. La campagne publicitaire sur l'alimentation saine a-t-elle porté ses fruits ?

d. Les hommes et les femmes sont-ils égaux face à la projection de leur image dans les médias ?

e. La cour de Louis XIV servait-elle de modèle à la population du XVIIᵉ siècle ?

Pour exprimer la conséquence, on peut utiliser :

• **un verbe :**

– *amener, créer, inciter, permettre, découler, provoquer, entraîner, susciter, occasionner...*

• **un mot de liaison :**

– *c'est pourquoi, par conséquent, du coup, aussi, d'où, alors, de ce fait, dès lors...*

• **une intensité :**

– **verbe** + *tellement / tant* + *que.* EXEMPLE : *Je marche tellement que j'ai souvent mal aux pieds.*

– *si / tellement* + **adjectif ou adverbe** + *que.* EXEMPLE : *Cette robe est si belle que je l'ai achetée sans hésiter.*

– *tellement de / tant de* + **nom** + *que.* EXEMPLE : *Il a tant d'amour pour elle qu'il lui pardonne tout.*

– *un(e) tel(le) / de tel(le)s* + **nom** + *que.* EXEMPLE : *Elle a une telle faim qu'elle pourrait tout manger.*

• **une expression suivie de l'indicatif :**

– *si bien que, tant et si bien que, de (telle) sorte que, de (telle) manière que, de (telle) façon que, au point que, à tel point que*

➤ Précis de grammaire, p. 203

Lexique

L'image

• une image choquante, dégradante, provocatrice, intolérable
• le pouvoir de l'image
• un objet de désir
• une image numérique
• un *selfie* / un autoportrait
• la tyrannie du paraître
• la surexposition de soi
• la discrétion
• les canons de la beauté

 1

Tabou

Par deux, faites deviner quelques mots de la liste ci-dessous à votre voisin sans prononcer le mot « image » ou de mots de la même famille.

L'apparence en expression

• tomber dans le panneau
• jeter de la poudre aux yeux, vendre du rêve
• ne pas se fier aux apparences
• une apparence flatteuse
• paraître sous un beau / mauvais jour
• cultiver son image
• Une image vaut 1000 mots.
• Trop de pub tue la pub !
• Les apparences sont trompeuses.
• L'habit ne fait pas le moine.

 4

Dessinez, c'est gagné

Faites deviner ces expressions à votre voisin en les dessinant.

Le paraître en action

- avoir une bonne / mauvaise image de soi
- plaire à, charmer, séduire
- ressembler à, être le portrait de
- s'exhiber, exposer son quotidien
- être épié, guetté, scruté
- être attrayant, populaire, élégant
- projeter / véhiculer une image
- briller en société
- se faire discret

 Les contraires

Associez ces mots à leur antonyme :
- repoussant
- chercher à attirer
  l'attention / les regards
- être ignoré   - négligé
- se cacher   - déplaire

La publicité

- une agence de pub, de communication, de marketing
- une marque, un produit
- un slogan, un spot publicitaire
- un consommateur, un annonceur
- un espace publicitaire : un panneau d'affichage, un écran, une enseigne, un abribus
- une réduction, une promotion
- une publicité mensongère, le matraquage publicitaire
- un geste anti-pub
- intrusif, envahissant, créatif, divertissant, utile
- diffuser / susciter le désir / la convoitise
- recourir à des stéréotypes, des clichés

Perceptions

 Qui suis-je ?

Trouvez la bonne réponse à ces énigmes.
- **a.** Je suis célèbre et mon nom est écrit sur de nombreux produits.
- **b.** Grâce à moi, le consommateur peut acheter ces chaussures moitié moins chères.
- **c.** On m'enduit de colle et on y appose une image. Je suis exposé à la vue de tous.
- **d.** Mon travail est de promouvoir une marque.
- **e.** Quand je suis pertinent et diffusé à outrance, les consommateurs ne peuvent pas m'oublier.

ACTIVITÉ RÉCAP'

Publicité mensongère

- En groupes, imaginez une publicité mensongère vantant les qualités d'un objet insolite et imaginaire, de sorte que le consommateur ne pourra résister à son achat.
- Jouez les publicités.
- Individuellement, vous achetez un de ces produits. Imaginez les conséquences de ce produit sur votre vie quotidienne.
- Formez un groupe avec les autres utilisateurs du même produit et listez les conséquences afin d'avertir une association de consommateurs.

Faire et recevoir une confidence 💬

1 Vous en pensez quoi ?

a. Décrivez l'image. De quoi s'agit-il ?

b. D'après l'illustration, comment fait-on une confidence ? Citez d'autres éléments (gestes, expressions, ton, etc.).

c. Échangez en groupes : à propos de quoi peut-on avoir une confidence à faire ?

2 C'est du vécu !

a. Écoutez ces différentes situations. 🔊 24
Pour chacune d'entre elles, identifiez le contexte, l'objet de la confidence et relevez l'expression utilisée pour faire / recevoir cette confidence.

b. Dans quel contexte utilise-t-on les onomatopées suivantes ? En connaissez-vous d'autres ?

> **Onomatopées**
>
> Ah ! Chut ! Hum ! Hep ! Haha ! Heu !
> Mmmm ! Psst, psst ! Hihi !

c. Par deux, improvisez une conversation en onomatopées.

d. Question de son, question de style !

– Écoutez et concentrez-vous sur la prononciation 🔊 25 de « je ». Qu'en déduisez-vous à propos des styles soutenu, courant et familier ?

– Écoutez ces expressions. 🔊 25
Puis, répétez-les avec le style qui convient.

> **« Je »**
>
> Dans le style soutenu, on prononce « je ». Dans le style courant, on prononce « j' » devant une consonne sonore *(j'vais)* et « ch' » devant une consonne sourde *(ch'pense)*.
>
> Dans le style familier, « je » devient « ch' » devant « s » et le « s » n'est pas prononcé. Exemple : *je ne sais pas → chais pas.*

3 En situation ! 💬

→ Confidence pour confidence...

○ Imaginez une confidence (loufoque ou incroyable) dont vous souhaitez faire part à quelqu'un.

○ Déambulez dans la classe.

○ Confiez votre secret à une personne de votre choix, qui à son tour vous confie son secret.

○ Vous n'arrivez pas à tenir votre langue. Vous répétez ce secret à une autre personne, mais dans un niveau de langage différent ; et réciproquement.

○ C'est plus fort que vous ! À nouveau, vous répétez un secret que vous venez d'apprendre à quelqu'un qui vous en apprend un autre.

○ Installez-vous en cercle, chacun répète le dernier secret qu'on lui a confié. Saurez-vous reconnaître le vôtre ?

Marguerite Abouet et Clément Oubrerie, *Aya de Yopougon*, tome 5, Gallimard, 2009.

LE + EXPRESSION

• Psst, j'ai un truc à te dire / dont je voulais te parler. Je vais te dire un secret. Je voudrais t'avouer quelque chose. J'ai une confidence à te faire.

• Tu sais garder un secret ? Est-ce que je peux te faire une confidence ?

• Ça reste entre nous, hein ? Surtout, ne le répète à personne ! C'est confidentiel. Chut ! Tu ne dis rien, d'accord ? Sois discret. Garde ça pour toi, ok ?

• Tu ne connais pas la dernière, X m'a dit que... / J'en ai une bonne à te raconter. / Devine ce que X m'a dit...

• Promis ! Je tiendrai ma langue. Je ne le dirai à personne. Motus et bouche cousue ! Je suis muette comme une carpe / une tombe. Ça ne sortira pas de cette pièce.

Rédiger un message efficace

JOURNÉE SANS ACHAT

Imaginez ! Toute une journée sans rien acheter !

Le 28 novembre prochain, joignez le mouvement ! N'achetez rien et profitez de l'occasion pour remettre à vos proches un certificat d'exemption de cadeau...

Une journée sans achat...

❀ **pour l'environnement**
parce que la majeure partie des problèmes environnementaux sont causés par la surconsommation, le transport, le suremballage, les déchets...

❀ **pour le juste partage des richesses**
parce que notre voracité à consommer s'appuie sur l'exploitation de populations affamées...

❀ **pour des raisons budgétaires**
parce que trop de familles s'endettent et se rendent malheureuses pour maintenir leur rythme effréné de consommation...

❀ **pour se simplifier la vie**
car il y a tant de choses plus agréables à faire que de courir les magasins pour chercher des cadeaux inutiles à offrir à des gens qui n'en ont pas vraiment besoin...

❀ **pour retrouver d'autres valeurs**
parce qu'il vaut mieux être qu'avoir...

Toutes les raisons sont bonnes de participer...

http://uniondesconsommateurs.ca

1 Vous en pensez quoi ?

a. Observez et lisez le document. De quoi s'agit-il ? À qui est-il destiné ? Quel est son objectif ? Quel message veut-il diffuser ? Quel est le slogan ?

b. Observez la structure du document. Trouvez : le titre, l'accroche, le corps du texte, la chute.

c. Pensez-vous que ce message soit efficace ? Pourquoi ?

LE + INFO

Un **slogan** doit être court, frappant, rythmé et destiné à faire agir. Il peut prendre différentes formes qui favorisent sa mémorisation comme :

– les rimes : *Antikal, le calcaire, c'est son affaire !*

– la répétition d'un même son : *Quand c'est bon, c'est Bonduelle !*

– une expression figée déformée : *Bic fait, bien fait.*

– les jeux de mots, le double sens : *20 minutes, à la seconde près.*

2 C'est écrit noir sur blanc !

→ Par deux, vous allez rédiger un message efficace pour une campagne de communication (publicitaire, préventive...).

○ Choisissez la campagne sur laquelle vous souhaitez travailler : une pub pour une marque de voiture, une campagne de prévention contre le tabac / de sensibilisation à l'environnement, etc.

○ Définissez clairement le sujet du message, son objectif et le public cible.

○ Listez les mots-clés que vous allez inclure dans le message (pour gagner la confiance, satisfaire, convaincre, etc.).

○ Valorisez votre message en choisissant un titre percutant, une phrase d'accroche et un slogan.

○ Rédigez votre message (environ 20 lignes).

DÉCRYPTER

2(**Explorations**

Touche pas à mon accent !

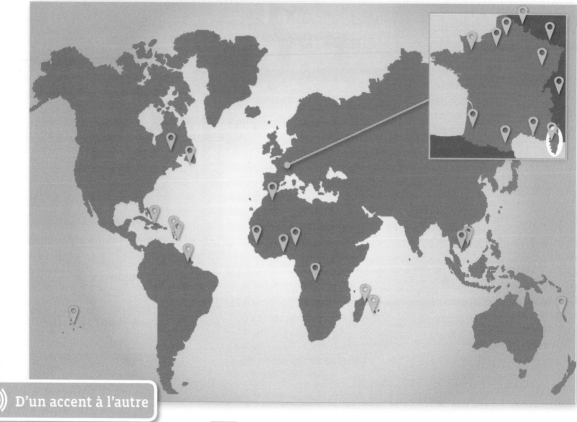

Doc. 1

🔊 D'un accent à l'autre

www.rfi.fr

Doc. 2

🔊 Pourquoi tant d'accents francophones ?

www.rfi.fr

1 De l'image au son ! 🔊 26 🔊 27

a. Observez la carte du document 1.
Dans quels endroits du globe peut-on entendre
différents accents francophones ?

b. Écoutez le document 1. D'où viennent
ces accents ? Aidez-vous de la carte.

c. Écoutez le document 2. Quelle est la question
du jour ? Quel est le double sens du mot accent ?

d. Le français est-il une langue à accent
ou à accentuation ? Justifiez à l'aide
d'une phrase de l'invité.

e. Finalement, comment naît un accent ?

2 À demi-mot...

a. Pourquoi une communauté linguistique
ne peut-elle pas être homogène ?

b. Qu'est-ce qui distingue la parole de la langue ?
À votre avis, quelles sont les conséquences ?

c. Quel lien faites-vous entre la honte culturelle
et les accents ?

La minute grammaticale

Pour opposer une négation à une affirmation on
peut utiliser « non » ou « non pas ». Ils peuvent
aussi être coordonnés par « mais » ou « et ».

Exemple : Il est venu pour utiliser mon ordinateur,
et non pas pour me voir.

Tous francophones, a priori !

Doc. 1

Écrire en français ou en francophone, quelle différence ?

Amadou Hampâté Bâ
Amkoullel,
l'enfant peul

Livre français et livre francophone

Il est évident qu'un écrivain ne se pose pas la question. Il écrit. En français. Sans se demander si son livre sera classifié comme français ou francophone. Mais alors, qui décide ? Car 5 classer un livre dans l'une ou l'autre de ces catégories n'est pas sans conséquences. La place de la littérature française paraît indiscutable, mais celle des littératures francophones doit toujours être justifiée. Du coup, de nombreux auteurs étrangers cherchent ou ont cherché à quitter la périphérie 10 de la francophonie pour être admis au sein honorifique de la « littérature française ». D'autres doivent insister sur le fait qu'ils sont français. [...] Être auteur français ou francophone relève de l'identité nationale, et non des thèmes abordés dans les livres ou du style de l'auteur.

15 **D'où viennent les écrivains francophones ?**

La Francophonie recouvre des territoires de statuts différents : ceux dont le français est la langue historique, (Suisse romande, Belgique wallonne, Québec francophone, etc.), ceux où le français a été imposé (dont les anciennes 20 colonies de la France et de la Belgique), et ceux qui ont choisi d'appartenir à la Francophonie, mais où le français n'est parlé et compris que par une infime partie de la population. A priori, tous 25 les écrivains issus de ces pays devraient être francophones. Et la littérature francophone devrait donc regrouper toutes les œuvres 30 publiées en français. Mais ce n'est pas le cas. D'abord, paradoxalement, la littérature française ne fait a priori pas partie de la littérature francophone. Ensuite [...], il faudrait cesser de distinguer entre littératures française et francophone, pour 35 utiliser d'autres termes. Par exemple, « littératures de langue française » ou « littératures d'expression française ». Mais cela réglerait-il le problème du prestige plus ou moins grand associé aux écrivains français ou francophones ?

RTS découverte avec Jean-Marc Luscher, chargé d'enseignement à l'université de Genève, www.rts.ch

1 Ouvrez l'œil !

Lisez le document et cochez les bonnes réponses. Justifiez à l'aide d'une phrase du texte.

- ❏ Les auteurs qui écrivent en français le font avant tout pour être qualifiés d'écrivains francophones.
- ❏ Le terme « littérature française » paraît avoir plus de prestige que celui de « littérature francophone ».
- ❏ L'identité nationale et les thématiques d'une œuvre permettent le classement.
- ❏ Il existe plusieurs catégories de pays francophones.
- ❏ La littérature francophone rassemble tous les livres écrits en français.
- ❏ On devrait utiliser un terme unique pour l'ensemble des ouvrages en français.

2 Info ou intox ?

a. La source est-elle française ou francophone ? Justifiez.

b. La littérature française n'est pas classée dans la littérature francophone. Est-ce un fait avéré ou la conclusion de l'expérience de l'auteur ? Quelle expression vous l'indique ?

3 Entre nous...

Avez-vous déjà lu des livres en français ? Pour vous, quels auteurs représentent la littérature d'expression française ? Sont-ils français ou francophones ? Faites-vous une différence entre un auteur français et un auteur francophone ?

Autrement dit...

→ Vous allez amorcer un travail sur le **compte-rendu** du document 1 ci-dessus. Lisez l'encadré ci-contre, puis suivez les étapes pour **rédiger une introduction**.

1 Repérez le nom de l'auteur, la source du document et la date de parution.

2 Dégagez la nature du document, le thème général et le ton utilisé.

En classe, comparez !

3 Rédigez une courte introduction de trois lignes.

Échangez votre introduction avec votre voisin !

Le compte-rendu

Le **compte-rendu** d'un document est un texte court rédigé avec vos propres mots.

Pour rédiger une introduction :
- le nom et la fonction de l'auteur
- la nature, la date et la source du document, le ton utilisé (optionnel)
- le thème général

▶ U3 : rédiger une introduction
▶ U6 : construire un plan détaillé
▶ U9 : rédiger une des deux parties
▶ Fiche pratique, p. 191

➤ 📖 Cahier d'activités, **unité 3**

La chronologie dans un texte narratif

Joseph Kaplan, né en 1910 à Prague, issu d'une famille juive et d'une prestigieuse lignée de médecins, ne pouvait qu'embrasser la profession à son tour. Ce beau garçon à l'accent chantant débarque à Paris en 1936 dans le service des maladies infectieuses de l'hôpital Bichat. Le Front populaire vient d'arriver au pouvoir, la guerre d'Espagne commence, les fascismes menacent l'Europe. Le jeune docteur n'en est pas moins ambitieux. Ainsi, il accepte un poste à l'Institut Pasteur d'Alger. Dès son arrivée, il tombe sous le charme de « cette ville sublime », se donne dix ans pour réussir et faire fortune à « Alger la New York ». La plume de Jean-Michel Guenassia se teinte de nostalgie dans l'évocation de son pays natal, l'Algérie.

D'après lexpress.fr, 16 juillet 2012.

Joseph dormait quand le Lépine avait accosté au port. Il avait raté le lent travelling avant l'arrivée dans la baie avec la ville accrochée aux col-
5 lines. Elle ne s'était pas offerte à lui, il n'avait pu fouiller du regard cet amphithéâtre ondoyant ni écouter les autres passagers qui repéraient et nommaient des lieux connus.

10 Quand Joseph repensait à Alger, la première impression qui lui venait à l'esprit était cette lumière d'or en fusion au moment où il avait ouvert la porte de la coursive, encore en-
15 gourdi, le flash interminable d'un photographe invisible qui l'avait obligé à protéger son visage avec ses mains. Il sentit une odeur vanillée, une bouffée de chaleur l'éclaboussa.

20 Il se demanda s'il y avait le feu, il n'y avait aucune panique, à peine le ronronnement de la grue qui déchargeait les régimes de bananes sur le quai affairé. Il écarta lentement les
25 doigts pour s'accoutumer à cette incandescence, leva les yeux, aperçut un bleu de paradis originel comme il n'en avait jamais vu, ni à Prague, ni à Paris, balayé de toute impure-
30 té, chaleureux et chatoyant, un monument monochrome en suspension dont la seule fonction semblait de vous hypnotiser.

En cette fin de journée d'oc-
35 tobre 1938, à l'âge de vingt-huit ans, il découvrit enfin le ciel et le soleil, regarda les docks en arcade mon-tante comme une vague
40 et, posé fièrement au-dessus, un jeu inextricable de cubes soudés par un architecte fou dévalant en cascade jusqu'aux immeubles éclatants qui défiaient la mer et il comprit ce que
45 voulait dire Alger la Blanche.

Joseph débarqua du bateau, ses deux valises à la main, chercha du regard la personne qui devait l'accueillir. Sur le quai il n'y avait que
50 des dockers arabes au visage buriné qui déchargeaient la soute, le maillot maculé de sueur. Aucun des marins ne put le renseigner.

Il attendit à l'ombre d'un camion
55 pendant une heure, demanda à l'officier de quart qui n'était au courant de rien, se résolut à prendre un taxi dont l'échappement dégageait autant de fumée que la cheminée du bateau.
60 Dans sa Panhard rouge et noire, le chauffeur lui fit la conversation en se plaignant de la chaleur de cet été tardif qui n'en finissait pas.

Au premier abord, Joseph ne vit
65 aucune différence avec la métro-pole, les mêmes avenues haussman-niennes avec une foule bruyante, des trams qui avançaient au milieu de passants indisciplinés, des cafés
70 aux terrasses bondées, des voitures

La minute lexicale

Une énumération
C'est une liste d'au moins trois éléments.
Exemple : des trams..., des cafés..., des voitures..., des maga-sins..., des femmes.

➤ Fiche pratique, p. 195

enchevêtrées, des magasins impeccables, des femmes habillées comme à Paris. Il débarquait en Afrique, quelque chose qui aurait dû ressembler au Sahara avec des dunes, des chameaux, des Touaregs, un goût
75 d'aventure, de mystère, et il se retrouvait dans une cité occidentale. Il était déçu.

Ils arrivèrent sur une place immense bordée de rangées de réverbères Art déco, de palmiers, écrasée par un monument polygonal gigantesque d'un blanc imma-
80 culé de style mauresque que Joseph prit pour la mosquée. Le taxi lui expliqua amusé que c'était la Grande Poste (heureusement les mosquées se trouvaient dans la Casbah). Joseph aperçut enfin une femme drapée dans un haïk, un fin voile blanc qui lui couvrait en
85 partie le visage, plus loin un indigène en djellaba rayée tirant un âne pelé qui portait deux grands sacs en osier bourrés de légumes disparut dans une ruelle. Le taxi monta de larges avenues en lacet. Le chauffeur lui désigna le massif musée des Beaux-Arts, lui
90 conseilla de se promener dans le Jardin d'essai réputé pour sa fraîcheur, ses espèces exotiques, ses eucalyptus au parfum mentholé. Par la fenêtre abaissée, Joseph respira profondément mais rien ne vint.

La pointe de la baie disparaissait dans une brume de
95 chaleur, la ville entière s'y évanouissait.

Jean-Michel Guenassia, *La Vie rêvée d'Ernesto G.,* Albin Michel, 2012.

1 À première vue !

Observez le document. De quel type de texte s'agit-il ? Qui est l'auteur ? À votre avis, de quoi parle l'ouvrage ?

2 Posez-vous les bonnes questions !

Lisez le texte d'introduction et l'extrait.

a. Qui est Joseph Kaplan ? Qu'est-ce que le texte nous apprend sur lui ?

b. Son arrivée se déroule-t-elle comme prévu ? Avec qui communique-t-il ?

c. Quelles sont les premières impressions de Joseph lorsqu'il découvre Alger ?

d. Comment imaginait-il Alger ? La ville correspond-elle à ses attentes ?

e. Quelles sont les différences et les similitudes entre Alger et les villes d'Europe ?

f. Relevez tous les mots et expressions relatifs à la vie portuaire.

g. Quels sont les temps de référence du récit ? Quelles valeurs ont-ils ?

➤ Raconter un récit au passé, p. 64

3 Entre les lignes...

a. Comment Joseph perçoit-il la lumière d'Alger ? À quoi la compare-t-il ?

b. Quel sentiment lui procure la vue d'une femme drapée ? Pourquoi ?

c. Pourquoi ne sent-il rien du jardin des Beaux-Arts ?

C'EST À VOUS !

○ Choisissez une ville que vous avez visitée.

○ Discutez avec votre voisin de l'image que vous aviez de cette ville avant d'y aller et de ce que vous avez constaté à votre arrivée.

○ Fermez les yeux et imaginez ce que vous y voyez, sentez et entendez.

○ À l'aide de ces éléments, rédigez le récit de votre arrivée dans cette ville et décrivez vos premières impressions.

REPÈRES LINGUISTIQUES

➤ 📖 Cahier d'activités, **unité 3**

Grammaire

Raconter un récit au passé

Lexique

→ **Observez et analysez.**

> « Quand Joseph repensait à Alger, la première impression qui lui venait à l'esprit était cette lumière d'or en fusion au moment où il avait ouvert la porte de la coursive, encore engourdi, le flash interminable d'un photographe invisible qui l'avait obligé à protéger son visage avec ses mains. Il sentit une odeur vanillée, une bouffée de chaleur l'éclaboussa. »

a. Lisez cet extrait et soulignez les verbes conjugués. Quels sont les temps employés pour raconter au passé ?

b. Dites ce qu'exprime chaque temps.

c. Quels mots aident à raconter au passé ?

1 **Écoutez le document et complétez le tableau pour reconstituer la chronologie exacte des événements et identifier les éléments décrivant la situation.** 28

Actions ponctuelles dans l'ordre chronologique	Description de la situation
…	…

2 **Conjuguez les verbes au temps qui convient.**

Lorsque Fatoumata .... *(partir)* en mission avec l'UNICEF au Mali, elle .... *(être)* immédiatement séduite par ce pays. Pourtant, quand elle .... *(préparer)* ses valises, elle .... *(ne pas se demander)* ce qu'elle .... *(aller)* y découvrir. Penchée au hublot de l'avion, elle .... *(pouvoir)* discerner les fameuses routes de terre rouge du Mali. C'........ *(être)* magnifique ! À ce moment-là, elle .... *(sentir)* son excitation grandir. À la sortie de l'aéroport, le chef de projet de l'UNICEF l'........ *(attendre)* et après l'avoir saluée, il l'........ *(conduire)* à leur nouveau bureau.

3 **Imaginez et racontez la mission de Fatoumata (150 mots).**

À la découverte d'une ville

- une cité occidentale / orientale, une métropole
- une baie, les docks, un port, un quai
- débarquer, accoster, décharger, atterrir
- une arcade, un immeuble, un monument
- une terrasse bondée, une place bordée de réverbères, une ruelle sinueuse, une large avenue haussmannienne
- l'architecture
- la foule bruyante, les passants affairés

4 **Où suis-je ?**

Par deux, faites deviner des lieux de votre ville e utilisant au moins une expression de l'encadré.

Pour raconter un récit au passé, on peut :

- **faire une description** (d'un lieu, d'une personne, d'une situation) **à l'imparfait.**

- **raconter des faits achevés ou des actions brèves qui se succèdent avec le passé simple :**

  – avec des **adverbes de temps** : *hier, ce matin, soudain, tout à coup…*
  EXEMPLE : *Le matin, il partit au travail, puis à midi, il mangea au soleil sur un banc, l'après-midi, il prit le temps de se reposer.*

- **raconter des actions qui précèdent d'autres actions passées avec le plus-que-parfait :**

  – avec des **adverbes exprimant l'antériorité** : *déjà, auparavant…*
  EXEMPLE : *Elle avait déjà pris son déjeuner quand elle arriva.*

- **raconter des actions inachevées avec l'imparfait :**

  – avec des **conjonctions** : *quand, lorsque, pendant que…*
  EXEMPLE : *Il dormait quand je suis arrivée.*

- **parler d'une habitude passée avec l'imparfait :**

  – avec des **locutions d'habitude** : *tous les jours, en général, d'habitude, souvent…*
  EXEMPLE : *Tous les jours, nous partions de bon matin en bateau.*

➤ Précis de grammaire, p. 206

Monde(s) francophone(s)

- un pays, un état, une nation, une ancienne colonie, une communauté linguistique homogène ≠ hétérogène
- un locuteur natif ≠ non natif
- langue maternelle, langue d'usage, langue administrative, langue officielle, langue d'enseignement, langue choisie
- l'OIF (Organisation internationale de la Francophonie), le 20 mars, des pays membres, des pays observateurs, des territoires de statuts différents
- les États africains, la Suisse romande, la Belgique wallone, le Québec, le Cambodge, Alger la Blanche
- avoir une langue en partage, un avenir commun
- l'intercompréhension
- d'ici et d'ailleurs

Langue française et littérature

- une langue historique, imposée, choisie, minoritaire, véhiculaire, vernaculaire
- un accent étranger, régional, social, grave, chantant, parisien
- avoir un sacré accent
- une syllabe, une voyelle, une consonne
- les traits de prononciation : l'accentuation, l'intonation, l'articulation, une façon / manière de prononcer / parler
- un écrivain, un auteur étranger, français, francophone
- être classifié, être admis au sein de, avoir un titre honorifique
- être un ardent défenseur de la langue, avoir de l'amour pour la langue

1 **Et pour vous la Francophonie, qu'est-ce que ça signifie ?**

Donnez votre propre définition.

2 **Complétez ces phrases avec le mot qui convient.**

a. Le français, langue ...., est un moyen de communication entre les populations. C'est une langue ....
b. Les ouvrages d'Amin Maalouf ont fait de lui un .... emblématique de la littérature .... C'est un .... défenseur du français.
c. Il a un .... accent ! Sa manière de .... les mots est typique de l'accent .... du Nord de la France.

Explorations (francophones)

Impressions de voyage

- ondoyant, sublime, chaleureux, chatoyant, éclatant, assourdissant, incandescent
- être sous le charme de, être hypnotisé par
- apercevoir quelque chose, fouiller du regard
- n'en avoir jamais vu, sentir une odeur / un parfum, ressentir une bouffée de chaleur, entendre / percevoir le ronronnement de, s'accoutumer à la lumière
- être ébloui, aveuglé, assourdi
- insipide, acide, amer, épicé, fade
- parfumé, aromatique, inodore

3 **Classez les mots et expressions ci-contre selon le sens qu'ils éveillent.**

– l'ouïe   – le toucher   – l'odorat
– la vue   – goût

ACTIVITÉ RÉCAP'

Le voyage est un conte

- En groupes, vous partez en voyage dans une ville francophone de votre choix. Définissez : le livre d'un auteur qui vous accompagne, l'accent que vous entendez, le lieu où vous arrivez et sa description, vos premières impressions.
- Chaque groupe raconte son voyage à la manière d'un conte, sans nommer la destination. Le premier du groupe commence par « Il était une fois... », puis passe la parole au deuxième, etc. Utilisez les temps du passé !
- Le groupe qui trouve le plus de destinations a gagné !

La minute culturelle

Complétez ou retrouvez les slogans publicitaires.

1. « Avec .... je positive ! » est le slogan d'un groupe français de la grande distribution. Lequel ?

a. Carrefour
b. Monoprix
c. Auchan

2. Quel est le slogan de Decathlon ?

a. Entraînez-vous !
b. Que la patate soit avec vous !
c. À fond la forme !

3. Qui est « l'ami du petit déjeuner » ? C'est l'ami .... !

a. Nesquik
b. Ricoré
c. Poulain

4. Tout le monde chante, et « tout le monde se lève pour .... ! »

a. Danette
b. La Banette
c. Babybel

5. « Du pain, du vin, du .... »

a. boudin
b. Boursin
c. Cœur de lion

6. « Parce que je le vaux bien. » Pour cela, les femmes doivent utiliser les produits :

a. L'Oréal
b. Yves Rocher
c. Garnier

Réponses : 1. a. – 2. c. – 3. b. – 4. a. – 5. b. – 6. a.

Détente lexicale

Emprunt

Dis-moi dix mots en français

Qui sait que le mot « alarme » vient de l'italien *All'arme!* (« Aux armes ! »), tandis qu'« alerte » vient de *All'erta!* (« Sur les hauteurs ! »). Ou que « baragouiner » vient du breton *bara* (« pain ») et *gwin* (« vin ») ?

On l'aura deviné ou on le sait déjà, le français, comme la plupart des langues, a une capacité d'accueil qui fait que beaucoup de ses mots ont des origines étrangères. […] « De tout temps, la langue française n'a cessé de puiser à d'autres sources : « séraphin » (hébreu), « sorbet » (arabe), « tulipe » (turc), « pyjama » (persan), « vanille » (espagnol) ou « accordéon » (allemand) ont ainsi traversé une ou même plusieurs frontières avant d'arriver jusqu'à nous. […]

Maya Ghandour Hert, www.lorientlejour.com, 18 décembre 2014.

1. D'après vous, quelle est l'origine étrangère de ces mots ?

a. tomate – b. nickel – c. animal – d. graffiti – e. démocratie – f. train – g. zéro

2. Par deux, trouvez dix mots d'origine étrangère et préparez un quiz pour le groupe voisin.

Réponses : a. espagnole – b. allemande – c. latine – d. italienne – e. grecque – f. anglaise – g. arabe

Le petit BAC

En groupes, trouvez le plus vite possible les mots en fonction de la catégorie et du pays demandés.

	un écrivain	une ville	un cliché / un stéréotype	un plat
La Belgique				
Le Sénégal				
La Suisse				
Le Canada				
La France				
La Roumanie				
Le Liban				

Jeux de mots, jeux de sons !

« Dior, j'adore ! », « Lapeyre, y'en a pas deux ! »

Pour être mémorisés, les **slogans** jouent sur la poésie et l'humour : ils sont donc souvent créés sur la base de rimes ou de calembours.

À vous de trouver des slogans pour votre école de langue !

Reçu 5 sur 5 !

Dans cette unité, retrouvez :

1 auteur francophone à lire : ....

1 accent francophone à imiter : ....

1 slogan publicitaire convaincant : ....

1 expression déroutante : ....

1 mot à la sonorité rigolote : ....

Complétez et comparez avec votre voisin pour justifier vos choix.

À vous de décoder... une expression imagée

CAMEMBÉRER

ÊTRE BLEU DE QUELQU'UN

PARLER À TRAVERS SON CHAPEAU

FAIRE UN CLOPET

Zelda Zink, www.tv5monde.com

○ **Pour mieux comprendre ces expressions imagées, ayez le déclic culturel !**

a. Dans quels pays pouvez-vous entendre ces expressions ?

b. Expliquez chaque expression.

c. Laquelle préférez-vous ? Pourquoi ?

d. Quelles sont les autres expressions imagées que vous connaissez ?

C'EST À VOUS !

○ **En groupes, jouez !**
Parmi les expressions que vous avez citées, choisissez-en une et créez une improvisation : décidez du lieu imaginaire dans lequel vous vous trouvez, de la situation et des personnages ; construisez la trame de votre scénario (avec un début, un milieu, une fin) en insérant l'expression. Jouez-la devant la classe !

○ **Individuellement, écrivez une lettre au courrier des lecteurs** pour répondre à un article paru dans un magazine sur une campagne visant à promouvoir la langue française et la Francophonie : *« La Francophonie, une langue, un peuple, un accent, une passion uniques ! »* Commencez par expliquer votre indignation face à la publicité mensongère avant de critiquer le titre de la campagne. Argumentez.

PARTIE 1 COMPRÉHENSION DE L'ORAL

Vous allez entendre une seule fois un enregistrement sonore. Lisez d'abord les questions.
Écoutez le document puis répondez en cochant (☑) la bonne réponse ou en écrivant l'information demandée. 🔊

1. Quel est le métier de l'invité de l'émission ?

❏ journaliste   ❏ directeur   ❏ animateur

2. Comment s'appelle l'association ?

....

3. Quand a-t-elle été créée ?

....

4. Quel est son objectif ?

❏ accompagner les bénévoles

❏ favoriser l'accès à la formation

❏ développer des épiceries solidaires

5. Quel est le choix fait par le directeur de l'association ?

❏ faire appel à des bénévoles

❏ faire appel à des commerçants

❏ faire appel à des professionnels

6. Quels produits peut-on trouver ? Donnez 2 réponses.

....

....

7. Quel(s) autre(s) service(s) trouve-t-on dans les épiceries ?

❏ une distribution de repas

❏ un espace d'échanges   ❏ des offres d'emplois

8. Combien coûtent les produits proposés ?

....

PARTIE 2 COMPRÉHENSION DES ÉCRITS

Lisez le texte puis répondez aux questions.

Les objets connectés commencent à trouver leur public

Pas un jour ne se passe sans une annonce d'un lancement d'un nouvel objet connecté. Alors que ces derniers envahissent tous les domaines du quotidien, une étude réalisée par CCM Benchmark pour NPA Conseil met en avant l'intérêt des consommateurs pour cette nouvelle catégorie de produits.

Aux yeux des consommateurs, la star de la catégorie est la montre connectée. Pratiquement tous les internautes savent ce que c'est. Mais les usages qui lui sont associés restent à définir. Tant qu'elle est associée à un smartphone, elle ne serait finalement utilisée que comme capteur de mouvements. L'intégration d'une carte SIM dans une montre connectée, qui pourrait donc être utilisée pour téléphoner sans avoir besoin d'un mobile, lui donnerait un atout supplémentaire. Plus généralement, les consommateurs privilégient les objets connectés qui peuvent leur apporter davantage de confort et leur permettre de réaliser des économies. Véritable Arlésienne[1] de la catégorie, le réfrigérateur connecté, capable d'analyser son contenu, serait apprécié des consommateurs. Ils apprécie-

raient de recevoir des alertes quand un produit est périmé ou de pouvoir faire leur liste de courses sans même avoir à en ouvrir la porte ! À condition que ces fonctions ne soient pas facturées à un prix exorbitant, ils sont prêts à dépenser jusqu'à 500 euros de plus pour un réfrigérateur connecté.

Dans le même ordre d'idée, plus de 70 % des internautes sont prêts à faire confiance à un objet connecté dédié à la domotique : gestion du chauffage, de l'éclairage... plus généralement, permettant de réaliser des économies d'énergie. Ils sont aussi plus de 60 % à accorder du crédit à la santé connectée, depuis les pèse-personnes jusqu'aux capteurs de mouvements, séduits par le concept de « coach à domicile » que véhicule cette catégorie de produits.

Une renommée acquise

Quant à la voiture connectée, les usages sont encore à définir ! Pour le moment, la voiture communicante est perçue comme une extension du smartphone, pour accéder plus facilement à ses contacts, sa musique... sans avoir à

quitter la route des yeux. En revanche, la voiture autonome, capable de se conduire toute seule, ne remporte pas l'adhésion. 52 % des personnes interrogées sont réfractaires à l'idée de monter dans un véhicule autonome. C'est d'ailleurs un des principaux blocages à son développement, avec la législation qui implique que le conducteur reste maître de son véhicule. Car pour le reste, la voiture autonome existe déjà.

Certes, l'attraction de consommateurs pour les objets connectés est encore balbutiante, mais elle est porteuse d'espoir pour les nombreux acteurs de ce secteur émergent, présenté comme la nouvelle révolution de l'Internet.

Aujourd'hui, près des trois quarts des internautes français savent ce qu'est un objet connecté. Une renommée acquise rapidement, alors que cette catégorie de produits était encore quasiment inconnue il y a deux ans. En revanche, du côté des fabricants, il reste encore à inventer les modèles économiques et les services qui leur permettront de réellement monétiser les avantages apportés par ces objets connectés.

1. *Personne dont on parle beaucoup mais qu'on ne voit jamais.*

Elsa Bembaron, www.le figaro.fr, 31 mai 2014.

1. Selon le texte, aujourd'hui, la majorité des Français :

   ❏ utilisent des objets connectés.

   ❏ connaissent les objets connectés.

   ❏ sont réfractaires aux objets connectés.

2. Quel est l'objet connecté qui suscite le plus d'intérêt ?

   ❏ le réfrigérateur   ❏ la montre   ❏ la voiture

3. Citez, d'après le texte, les deux caractéristiques des objets connectés qui intéressent les consommateurs.

   ....

   ....

4. Que doivent permettre les objets connectés installés dans une maison ?

   ....

5. Vrai ou faux ? Cochez (☑) la bonne réponse et recopiez la phrase ou la partie du texte qui justifie votre réponse.

   Les possibilités offertes par la voiture connectée sont illimitées.

   ❏ Vrai   ❏ Faux

   ....

6. Pour quelle raison le développement de la voiture autonome est-il freiné ?

   ....

7. Que représente l'intérêt des consommateurs pour les objets connectés ?

   ❏ une possible révolution

   ❏ le début d'un changement

   ❏ une nouvelle mode

8. Vrai ou faux ? Cochez (☑) la bonne réponse et recopiez la phrase ou la partie du texte qui justifie votre réponse.

   Les objets connectés restent encore trop méconnus en France.

   ❏ Vrai   ❏ Faux

   ....

   Les fabricants sont en retard en ce qui concerne la tarification de l'utilisation des objets connectés.

   ❏ Vrai   ❏ Faux

   ....

PARTIE 3   PRODUCTION ÉCRITE

Après l'amélioration des conditions de travail des années 1980, la qualité de vie au travail des années 1990, l'harmonie entre la vie personnelle et la vie professionnelle des années 2000, les prochaines années pourraient bien être celles du bien-être et du bonheur au travail. Mais travail et bonheur sont-ils compatibles ? Qu'en pensez-vous ?

Vous exposez vos arguments en vous appuyant sur des exemples précis. (250 mots minimum)

PARTIE 4   PRODUCTION ORALE

Vous dégagerez le problème soulevé par le document, puis vous présenterez votre opinion sur le sujet de manière claire et détaillée.

PEUT-ON RENDRE LA PUBLICITÉ PLUS ÉCOLOGIQUE ?

Le 24 novembre 2014, la municipalité écologiste de Grenoble a annoncé sa décision de « *libérer l'espace public de la publicité* ». Une première en Europe. Si on évoque souvent la pollution visuelle due aux panneaux publicitaires, on pense moins aux ressources que la publicité utilise pour fabriquer et transporter affiches, tracts, pancartes ou objets promotionnels. Chaque mois en France, 70 000 tonnes de prospectus sont distribués. Combien partent immédiatement à la poubelle ? Un peu partout dans le monde, des entrepreneurs ont lancé des agences de publicité respectueuses de l'environnement. [...]

En Nouvelle-Zélande, une compagnie aérienne a rémunéré trente personnes pour qu'elles arborent un tatouage temporaire au henné à l'effigie de la marque.
À Barcelone, [...] chez Supernada, une petite équipe grave des marques sur des fruits, crée des logos en crochet avec des chutes de laine ou des slogans en ombres chinoises. [...]
Si la publicité n'est pas vouée à disparaître, elle est appelée à changer, à devenir plus verte. Peut-être à se passer du papier et du plastique. Les possibilités semblent sans fin.

Camille Drouet, www.lemonde.fr, 30 novembre 2014.

Place à l'égalité !

Adoptez de bons réflexes !

▶ Regardez la photo. Quels clichés sont véhiculés ?

▶ Écoutez la vidéo. Repérez et nommez les différentes parties du discours. Quelle est la question de départ ?

Drôle d'expression !

▶ Quelle organisation participe à l'amélioration des droits de la femme au Québec ?

▶ Quels exemples vous « dérangent » ou vont à l'encontre de vos clichés concernant la place des femmes au Québec ?

Entre nous...

▶ Comparez la situation de Léa et Léo à celle de votre pays. Quelles seraient les similitudes et les différences ? Justifiez avec des statistiques.

▶ Diriez-vous qu'il est généralement nécessaire de « déranger » et bousculer les stéréotypes pour arriver à des égalités ? Justifiez-vous !

Prière de déranger !

1 (Égalité

Se repérer
- La parité, une réalité ?

Prendre position
- Des mesures vers la parité, et après ?
- Le CV anonyme, un levier vers l'égalité ?

S'exprimer
- Exprimer un étonnement
- Écrire un mail de réclamation

2 (Provocations

Décrypter
- Penser ou repenser le monde ?

Interpréter
- L'implicite dans une biographie

S'exprimer
- Atelier culturel
  Décoder une caricature

La parité, une réalité ?

Doc. 1

Une lente marche vers l'égalité

Johen Gerner et Manon Paulic, BD Repères « Une lente marche vers l'égalité », *Le 1 hebdo*, n°32, 12 novembre 2014.

Doc. 2

Les femmes et les représentations

www.franceinter.fr

Doc. 3

Les femmes représentent 52 % de l'humanité, et elles ne sont que 5 % à 10 % à être entrées dans
5 les dictionnaires des noms propres. Elles sont toujours payées 25 % de moins que les hommes pour des postes équiva-
10 lents, et leurs talents ne sont pas reconnus à leur juste valeur. Dans les musées, les achats d'œuvres d'artistes femmes équi-
15 valent à 5 % de l'ensemble des acquisitions, et elles ne sont que 1 % à être exposées... Ce dictionnaire est une défense et une illustration de la création des femmes comme trésor de l'humanité. Je me souviens d'avoir vu à la
20 télévision le reportage d'un anthropologue au Brésil. Un homme et une femme étaient à l'écran. Après avoir demandé son identité à l'homme, le chercheur s'est tourné vers la femme pour lui demander son nom. L'homme a alors pris la parole pour lui signi-
25 fier qu'elle n'en avait pas. Je me suis dit qu'il y avait là une grande violence symbolique subie par les femmes : celle d'être frappées d'inexistence.

Antoinette Fouque, « Les femmes sont le génie de l'espèce »,
Madame Figaro, 20 février 2014.

1 Repérez les informations ! 🔊 29

Observez, lisez et écoutez les documents.

a. Expliquez le titre du document 1, *Une lente marche vers l'égalité*, et présentez les autres brièvement.

b. Dans quels domaines les femmes sont-elles traitées différemment ?

c. Pourquoi avoir décidé de créer un tel dictionnaire? Que contient-il ?

d. Quels progrès majeurs ont marqué la situation de la femme en 100 ans ?

e. Que reste-t-il encore à faire ?

2 Soyez curieux !

a. Quelle est la différence entre les mots « parité » et « égalité » ?

b. Dans le titre du dictionnaire, pourquoi utiliser « des » devant « créatrices » ?

➤ Compléter un nom, p.76

c. Pourquoi relier « violence symbolique » à « être frappées d'inexistence » (l. 26 à 27) ? Que pensez-vous de ce type de violence ? En connaissez-vous d'autres ?

d. Qui sont les féministes citées dans ces documents ? Quelle est la situation du féminisme et qui sont les féministes dans votre pays ?

Doc. 4

Une révolution des rôles sociaux

Les femmes ont investi diverses sphères professionnelles, en particulier dans le secteur des services. Elles sont nombreuses à travailler dans les métiers relationnels, exposés à la clientèle, et dans les activités de prise en charge d'autrui,
5 s'inscrivant dans la continuité de leur rôle traditionnel au sein de la famille : santé, services à la personne, éducation. Si bien que certains anciens bastions masculins sont en passe de devenir des professions féminines : comme les avocats et les médecins.

10 Cette évolution n'efface pas le différentiel de traitement qui continue d'affecter les carrières des femmes par rapport à celles des hommes : des perspectives d'avancement inférieures, un salaire diminué (à tâches et fonctions équivalentes) – y compris dans les professions qui se sont rapi-
15 dement féminisées. [...]

Pourtant, avec la féminisation du travail, des normes d'organisation considérées autrefois comme féminines se diffusent, y compris auprès des hommes. Ils sont plus nombreux à refuser la contrainte d'une disponibilité ho-
20 raire sans-limite et sans prévisibilité. Des études portant sur les professions médicales décrivent les effets de la féminisation sur la réorganisation des processus de travail, se traduisant souvent par une meilleure planification et visibilité des tâches. [...]

25 La féminisation du travail recompose de l'intérieur les conditions d'exercice des activités professionnelles. Les femmes y injectent les normes comportementales auxquelles elles sont incitées à se conformer dans la continuité de leur rôle pivot au sein de la famille : disponibilité aux
30 autres, apaisement des conflits, ouverture. Mais plus fondamentalement, leur activité croissante oblige à la recherche de nouveaux équilibres entre les temps professionnels et familiaux au sein des foyers, qui à leur tour redéfinissent les attentes pesant respectivement sur les femmes et les
35 hommes. En cela, les normes comportementales masculines sont elles aussi en train d'évoluer, avec une relégation progressive du modèle viril de la sur-disponibilité professionnelle détachée des contraintes familiales. Les rôles sociaux que nous sommes habitués à associer aux femmes
40 et aux hommes (et ainsi les « qualités » que nous leur prêtons respectivement, sans trop y réfléchir) vont être radicalement transformés par cette nouvelle donne.

Loup Wolff, *Le 1 hebdo,* n° 32, 12 novembre 2014.

1 Posez-vous les bonnes questions !

a. Pourquoi certaines professions se sont-elles féminisées ?

b. Cette tendance a-t-elle amélioré la condition féminine ?

c. Quelles plus-values a apporté la féminisation des professions dans le domaine du travail ?

2 Soyez curieux !

a. Quel terme indique que la proportion de femmes dans le travail augmente ?

b. Quelle différence voyez-vous entre les mots en gras « le différentiel **de** traitement » (l. 10) et « les carrières **des** femmes » (l. 11) ? Pourquoi ?

➤ Compléter un nom, p. 76

c. Comment comprenez-vous la dernière phrase du texte ?

d. Quel serait d'après vous l'impact économique ou organisationnel d'une égalité totale au sein des métiers ?

Avez-vous l'esprit d'analyse ? ✎

→ Vous allez poursuivre votre travail sur la **synthèse** à partir des documents 2 et 4. Lisez l'encadré ci-contre, puis suivez les étapes pour **articuler les idées**.

1 Repérez les idées (essentielles / secondaires) communes ou divergentes.

À deux, comparez !

2 Par deux, classez-les dans des parties et sous-parties.

En sous-groupes, argumentez !

3 Ajoutez une articulation entre les différentes idées.

La synthèse

Pour élaborer un plan de **synthèse**, il est essentiel de dégager le thème commun aux documents, les mots-clés, et de synthétiser les idées essentielles et secondaires en rapprochant les documents.

Des articulateurs

Pour exprimer :
- la cause : *en raison de, puisque, vu que...*
- la conséquence : *de ce fait, c'est pourquoi...*
- l'opposition : *au contraire, alors que...*
- la concession : *bien que, malgré, toutefois...*

Pour ajouter une idée :
de plus, en outre, par ailleurs, d'autre part...

▸ U1 : élaborer un plan simple
▸ U4 : articuler des idées
▸ U7 : rédiger une introduction
▸ Fiche pratique, p. 189

➤ 📖 Cahier d'activités, **unité 4**

Des mesures vers la parité, et après ?

Doc. 1

🔊 Des femmes dans les métiers du technique ?

www.rfi.fr

Doc. 2

Les stéréotypes restent très présents, notamment dans l'esprit des femmes

Nathalie Wright est directrice de la division Grandes Entreprises et Partenaires chez Microsoft France depuis 2011. Elle est également membre du réseau européen *Women in Leadership*. Ce dernier réunit
5 deux cents professionnelles deux fois par an pour discuter de la place des femmes dans la société. « La révolution digitale est en train de chambouler les codes masculins du monde de l'entreprise en offrant de nouvelles possibilités aux femmes sous
10 réserve que l'on impose certaines règles. Chez Microsoft, je m'assure toujours qu'aucune réunion de groupe n'a lieu avant 9h30 ou après 18 heures, et j'encourage les managers à ne pas envoyer de mails tard le soir ou le week-end. Cela ne signifie pas que
15 nous ne puissions pas gérer des urgences. L'idée est que les mères ne soient pas forcées de rester branchées à leurs smartphones le samedi lorsqu'elles emmènent leurs enfants au parc. Ces règles, qui ont pour but de mieux équilibrer les vies profession-
20 nelle et privée des femmes, sont appliquées à tous les salariés. Depuis, l'entreprise est parvenue à un équilibre de fonctionnement plus vertueux. »

Nathalie Wrigh, *Le 1 hebdo*, n°32, 12 novembre 2014.

Doc. 3

Les quotas sont-ils la solution pour plus de femmes dans les Conseils d'administration ?

C'est un constat bien réel que les femmes sont sous-représentées dans les hauts métiers d'affaires et dans les Conseils d'administration. Aujourd'hui, de nombreux gouvernements du monde entier ins-
5 taurent des quotas afin d'obtenir une plus grande mixité au sein des Conseils et combler cet écart. Mais est-ce vraiment la solution ? [...]

Ceci est encourageant pour l'égalité des sexes, mais la mise en place de tels quotas est un débat chro-
10 nique en matière de gouvernance d'entreprise avec des arguments intéressants des deux côtés et auprès des deux sexes.

[...] Des quotas provisoires peuvent être nécessaires pour diversifier les Conseils de manière plus rapide,
15 mais ils risquent de nuire à la crédibilité des femmes compétentes qui peuvent être considérées comme ne faisant partie du Conseil que grâce au quota et non grâce à leur travail.

Un des premiers problèmes à résoudre en même
20 temps que l'établissement de quotas est d'améliorer les dispositions de garde d'enfants pour les mères qui travaillent afin qu'elles puissent progresser et monter les échelons.

Les Échos, 25 juillet 2013.

1 Posez-vous les bonnes questions ! 🔊 30

a. Quel état des lieux est dressé de la parité au travail ?

b. Quels exemples d'actions servent la parité hommes-femmes ?

c. Pourquoi la parité est-elle parfois difficile à mettre en œuvre ?

d. De quelle manière l'animateur radio passe-t-il la parole à sa collègue ?

2 Cap ou pas cap ?

○ En groupes, cherchez des exemples de mesures pour l'égalité (professionnelle, éducative, politique, etc.) hommes-femmes. Discutez de leurs impacts et des bouleversements sur le système actuel.

○ Présentez ces mesures à la classe comme si vous étiez à un conseil du réseau européen *Women in Leadership*. Pensez à passer la parole pour mieux la partager.

Passer la parole à quelqu'un

Voici…

Je vous propose d'écouter…

Je vais laisser la parole à…

Et si l'on écoutait…

Laissons… nous parler de…

… va nous parler de…

J'invite donc… à présenter…

X, [statut], a participé…

Le CV anonyme, un levier vers l'égalité ?

Doc. 1

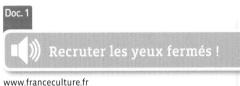

Recruter les yeux fermés !

www.franceculture.fr

1 Qu'avez-vous compris ? 31

a. D'après la question posée, quels seraient les deux rôles du CV anonyme ?

b. Quelles sont les conclusions de l'expérience du Conseil général de l'Essonne ?

c. Quels sont les reproches faits au CV anonyme ?

d. Que pense Fabien Tastet du CV anonyme et quelles solutions propose-t-il ?

e. Pourquoi l'entreprise AXA a-t-elle abandonné le CV anonyme ?

f. Quels sont les avantages de LinkedIn ?

g. En quoi le CV anonyme a-t-il été bénéfique pour Jean-François Bergelin ?

h. Quelles mises en garde fait-il quant à l'utilisation du CV anonyme ?

LE + INFO

Le préfixe « **auto** » renvoie à soi-même.
Ainsi, dans le terme « autocensure », il permet de renvoyer la censure ou critique à soi-même.

Connaissez-vous d'autres termes ?

2 Soyez curieux !

a. Quels termes indiquent que le CV anonyme sert à effacer les différences ?

b. Quels sont les problèmes que peuvent rencontrer les recruteurs avec le CV anonyme ?

c. À votre avis, quelles sont les réticences que peuvent avoir les candidats à faire un CV anonyme ?

Ça se discute !

→ Vous allez poursuivre votre travail sur l'argumentation pour participer au **débat** suivant : *Le CV anonyme, un levier vers l'égalité ?* Lisez l'encadré ci-contre, puis suivez les étapes.

⮕ | Choisissez un rôle ! |
▸ En groupes, décidez chacun d'un rôle à tenir (exemples : recruteur, candidat, politicien…).
▸ En fonction de votre rôle, listez quelques arguments.

⮕ | Nourrissez le débat ! |
▸ L'animateur introduit le débat et présente les différents intervenants.
▸ Chacun exagère son rôle en affirmant ou réfutant des arguments. N'hésitez pas à provoquer !

⮕ | Restez dans votre rôle ! |
▸ Pensez à réagir et à intervenir en fonction de votre rôle.
▸ Assurez-vous de bien comprendre et d'être compris.

Le débat

✓ Faire bouillir ses idées
✓ Organiser ses arguments
✓ Savoir s'affirmer

Pour s'assurer de comprendre :
• *Pardon / Excusez-moi, je n'ai pas bien compris / suivi / entendu.*
• *Vous pouvez répéter, s'il vous plaît ?*
• *Je ne suis pas sûr d'avoir compris ce que…*

Pour s'assurer d'être compris :
• *Vous me suivez ?*
• *Vous voyez ce que je veux dire ?*
• *Est-ce que je suis (assez) clair ?*

▸ U1 : prendre la parole
▸ U4 : s'assurer d'être compris / de comprendre
▸ U7 : empêcher quelqu'un de parler / de reprendre la parole

➤ Cahier d'activités, **unité 4**

Grammaire

Compléter un nom

→ **Observez et analysez.**

> La discrimination des femmes en France concerne la différence de traitement entre hommes et femmes dans les lois et la société. Les femmes qui représentent environ 45 % de la population active connaissent un taux de chômage supérieur à celui des hommes. En France, il existe un ministère des Droits des femmes chargé de mettre en œuvre les politiques du gouvernement pour l'égalité.

a. Lisez le court texte et relevez les groupes nominaux composés de deux noms.

b. Quelle différence observez-vous ?

1 **Écoutez le document. Pour chaque groupe nominal composé de deux noms, complétez le tableau, comme dans l'exemple.** 32

Le deuxième nom a une valeur particulière	Le deuxième nom a une valeur générale
le directeur **de la** banque (= un directeur et une banque connus) …	un directeur **de** banque (= une profession en général) …

2 **Complétez le texte.**

Les avantages …….. travail …….. femme

Lorsqu'une femme travaille, les études montrent des avantages à différents niveaux. Tout d'abord au niveau personnel, il apporte à la femme un développement …….. caractère, un affermissement …….. personnalité et un épanouissement personnel. Elle assume pleinement son statut …….. citoyenne.
On note aussi une amélioration …….. santé …….. travailleuses.

Les familles des femmes qui ont un emploi profitent aussi de leur travail car les jeunes femmes qui travaillent participent au budget …….. parents, voire assurent en grande partie la prise en charge …….. budget familial. Ainsi le niveau …….. vie …….. famille augmente considérablement grâce au travail …….. femme.

3 **Jeu de combinaison**

Chacun dispose de 5 petits papiers et écrit un nom sur chaque papier (exemples : femme, droit, chambre…). En groupes, mélangez les papiers et piochez-en deux. Faites une première combinaison (exemple : une femme de chambre) et expliquez ce que ce nom signifie. Piochez un autre papier et essayez de faire une triple combinaison (exemple : les droits d'une femme de chambre), puis expliquez ce que cela signifie. Et ainsi de suite.

> **Pour compléter un nom, on ajoute « de ». On peut utiliser :**
>
> • **un nom avec un article** pour exprimer une **valeur particulière**.
> EXEMPLES : *Je connais le directeur de la banque. Je cherche les chaussures des enfants. Le taux du chômage de courte durée a augmenté.*
>
> • **un nom sans article** pour exprimer une **valeur générale**. Dans ce cas, le complément du nom exprime une fonction, une catégorie (on peut remplacer ce deuxième nom aisément par un autre).
> EXEMPLES : *Un directeur de banque / d'école / de casino gagne bien sa vie. Le taux de chômage a augmenté.*

➤ Précis de grammaire, p. 198

Lexique

À la traîne, à la mode, en avance sur son temps

- être désuet, ringard, dépassé, vieillot
- être à des années lumières de…
- (ne plus) être dans le coup
- être out (fam.), obsolète, passé de mode
- avoir des années de retard
- être à la traîne
- être in (fam.), branché, tendance, hype
- être en vogue
- être avant-gardiste
- être en avance ≠ en retard sur son temps
- avoir un train / une longueur d'avance

Dialogues de sourds

Se joue à trois. L'un d'entre vous est à la traîne, l'autre à la mode et l'autre en avance sur son temps. Discutez ensemble des « droits des hommes ».

Parité

- une (lente) marche vers l'égalité
- le féminisme, le féminin, la féminisation
- les droits des femmes
- être reconnu à sa juste valeur
- disposer de / avoir accès à
- garantir quelque chose à quelqu'un
- un congé de maternité / paternité / parental
- un modèle viril / un code masculin
- lutter contre des préjugés, des stéréotypes
- revendiquer haut et fort
- lever une censure

8 mars : journée de la femme

En groupes, écrivez quelques slogans revendiquant plus de droits pour les femmes. Puis, manifestez haut et fort !

Égalité professionnelle

- une rémunération, un salaire
- un poste, une tâche, un statut, une fonction
- l'équivalence, la similarité
- investir une sphère professionnelle
- avoir des disponibilités horaires
- être flexible
- gravir / monter un échelon
- monter en grade / être promu
- faire carrière
- s'investir dans son travail
- être en bas / en haut de l'échelle

Jeu de rôle

Se joue à deux. Un employé demande à son employeur une amélioration de ses conditions de travail : augmentation salariale, flexibilité au niveau des horaires et promotion.

Différence

- l'inégalité, la disparité, la disproportion
- l'infériorité ≠ la supériorité
- être inférieur, égal, supérieur
- la discrimination à l'embauche
- instaurer un quota
- un délit de faciès
- le plafond / plancher de verre
- un différentiel de traitement
- être sur- ≠ sous-représenté
- combler un écart
- rédiger un CV anonyme

Égalité

3 **Top réponses !**

Se joue à trois. L'un d'entre vous pose une question. Les deux autres répondent de façon rapide et pertinente. Celui qui a posé la question attribue 1 point à la meilleure réponse donnée.
Exemple : Quelle serait la meilleure solution pour lutter contre la discrimination ?

La parité en œuvre

○ Vous travaillez dans une entreprise composée à 75 % d'hommmes et dont le Conseil d'administration ne comprend aucune femme. En groupes, vous proposez des actions pour établir une plus grande égalité au sein de l'entreprise. Soumettez vos idées à la classe en utilisant des compléments de nom.
Exemple : *Nous proposons une augmentation du salaire des femmes.*

Exprimer un étonnement 💬

www.blog-emploi.com

1 Vous en pensez quoi ?

a. Regardez et décrivez l'illustration.

b. Qu'est-ce qui est inattendu dans la situation ? Quels éléments visuels indiquent que les trois candidats sont étonnés ?

c. Connaissez-vous quelqu'un de votre entourage qui aurait vécu une situation de discrimination à l'embauche ? Racontez.

2 C'est du vécu !

a. Écoutez ces différentes situations. 🔊 33
Pour chacune d'entre elles, identifiez le contexte, retrouvez la cause de l'étonnement et relevez l'expression utilisée pour manifester cet étonnement.

b. Question de son, question de style !

– Écoutez et concentrez-vous sur 🔊 34 la prononciation de l'adjectif « fou ». Qu'en déduisez-vous à propos du style familier ?

– Écoutez ces expressions. 🔊 35
Puis, répétez-les avec le style qui convient.

> ### Le verlan
> Dans le style familier, on inverse parfois les syllabes des mots. C'est le verlan, terme créé à partir de « l'envers ».

3 En situation ! 💬

→ Sélectionnez l'une des situations suivantes et imaginez ce que vous diriez.

○ **À la maison :** votre fille veut devenir végétarienne et refuse que vous achetiez de la viande. Elle vous demande également de jeter toute la vaisselle car celle-ci a déjà été en contact avec de la viande.

○ **Au travail :** le nouveau stagiaire arrive au travail en retard, mal coiffé, mal rasé en jean et en chaussures de sport.

○ **À la fac :** votre voisin refuse de vous prêter ses notes de cours sous prétexte qu'il pense que vous profitez de sa gentillesse.

○ **Entre amis :** votre ami a l'intention de dire à ses parents qu'il va dormir chez vous alors qu'il compte passer la nuit en boîte de nuit.

> ### LE + EXPRESSION
> • C'est incroyable / invraisemblable ! C'est la première fois que je vois une chose pareille !
>
> • Je m'étonne de votre attitude. Je ne comprends pas comment vous pouvez dire cela.
>
> • De quel droit me donnez-vous des ordres ?
>
> • Qu'est-ce qui vous prend ? Ça vous fait rire ?
>
> ✖ C'est la meilleure ! Non mais je rêve ! C'est pas croyable / pas possible !
>
> ✖ C'est pas vrai, ça !
>
> ✖ Ça va pas la tête / la teutê ? T'es pas bien / ienb ? T'es complètement fou / ouf !

Écrire un mail de réclamation

De : oliv.guerif@gmail.com
À : facile.couture@orange.fr
Objet : Plainte pour discrimination

Madame, Monsieur,

Je vous écris pour vous faire part de mon mécontentement vis-à-vis de l'accueil qui m'a été réservé lors de ma première séance de couture pour débutant suite à mon inscription au cours proposé
5 par votre association, la semaine dernière.

Pendant la séance, j'ai commencé à discuter avec mes voisines. Je dis « voisines » car, à ma grande surprise, il se trouve que je suis le seul représentant masculin de ce cours. J'ai très vite sympathisé avec mes camarades qui m'ont, à plusieurs reprises, aidé
10 à comprendre le fonctionnement de la machine.

Cela n'a pas eu l'air de plaire à la professeure qui m'a demandé d'arrêter de jouer les Don Juan. Une fois le cours terminé, elle m'a prié de rester et m'a expliqué que ma présence perturbait le cours. Elle a par ailleurs indiqué que ce cours de couture était, je cite, « un cours sérieux et non une agence matrimoniale ».

15 Je tiens à vous dire que suis choqué de cette attitude quelque peu discriminatoire et je trouve pitoyable qu'aujourd'hui encore, une professeure puisse réagir de la sorte. Si la même chose s'était passée avec une femme lors d'un cours de mécanique, beaucoup d'associations auraient pris sa défense. Pour une fois qu'un homme s'intéresse à une activité de femme, il en est exclu. Ne soyez pas étonné que la condition de la femme ne progresse guère.

20 Au moment où je vous écris, je reste vexé par le comportement de votre collègue et j'attends d'elle des excuses lors de la prochaine séance à laquelle je compte bien me rendre.

Cordialement,
Olivier Guérif

1 Vous en pensez quoi ?

a. Quel en est le ton général de ce courrier ? Quelles expressions l'indiquent ?

b. Relisez le texte et retrouvez les circonstances, le problème énoncé, les sentiments et la demande de réparation.

c. Comment réagiriez-vous si quelque chose de semblable vous arrivait ? Êtes-vous familier de ce genre de message ?

2 C'est écrit noir sur blanc !

→ Vous écrivez un courriel de réclamation suite à une situation de discrimination vécue au travail et demandez réparation.

o Choisissez un contexte et un problème précis.

o Choisissez le sentiment ressenti (colère, tristesse, amertume, jalousie…).

o Demandez réparation.

LE + EXPRESSION

Pour vous aider à faire part de vos sentiments, n'oubliez pas les formules :

• À ma grande surprise / À mon étonnement,…

• Je suis désagréablement surpris par…

• J'ai été profondément déçu par…

• Je souhaiterais vous faire part de mon mécontentement, de mon insatisfaction.

DÉCRYPTER

2(Provocations

Penser ou repenser le monde ?

Doc. 1

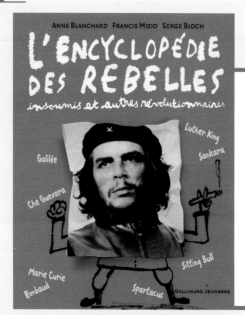

ANNE BLANCHARD FRANCIS MIZIO SERGE BLOCH

L'ENCYCLOPÉDIE DES REBELLES

insoumis et autres révolutionnaires

Luther King
Galilée
Sankara
Che Guevara
Marie Curie
Rimbaud
Sitting Bull
Spartacus
GALLIMARD JEUNESSE

Résumé

Hommes ou femmes, ils ont tous un jour refusé l'oppression, le conformisme, l'injustice, la régression ou le dogme. De Spartacus à Martin Luther King en passant par Louise Michel, Rimbaud ou Gandhi, ils ont un jour dit non au monde tel qu'il est ou à l'ordre des choses. Par leur pensée ou leur action, ils ont marqué l'histoire, transformé la société, fait progresser la science, révolutionné la littérature, la musique ou la peinture...

En marge des biographies savoureuses que Francis Mizio brosse d'une plume malicieuse et complice, des encadrés documentaires expliquent le contexte culturel ou historique de l'époque. Et les portraits de Serge Bloch mêlent photos et dessins pour détourner avec humour ces icônes révolutionnaires.

« Le livre balaye en vingt-cinq tableaux les portraits de ces hommes et femmes qui ont marqué les esprits par leurs actes, leurs découvertes ou leurs œuvres, mêlant petite et grande histoire, anecdotes et iconographie d'époque, pastichant leur style ou racontant très sérieusement leur vie. » (*Libération*, décembre 2009)

« Gallimard Jeunesse est l'un des rares éditeurs à parler aux ados sans les prendre pour des idiots. [...] Ces portraits d'hommes et de femmes se lisent avec plaisir, tant le style est drôle et vivant. » (*Phosphore*, janvier 2010)

Anne Blanchard, Serge Bloch et Francis Mizio, *L'Encyclopédie des rebelles, insoumis et autres révolutionnaires,* collection « Albums documentaires », Gallimard, 2009.

1 Ouvrez l'œil !

Lisez la présentation de ce livre et cochez les bonnes réponses.

❏ Ce livre s'adresse à des adultes.

❏ Il s'agit de 25 portraits.

❏ Ce livre se veut à la fois culturel, instructif, historique et léger.

❏ L'auteur du livre est Francis Mizio. L'illustrateur, Serge Bloch.

❏ Ces rebelles ne sont pas que des personnes connues.

❏ L'objectif est de se moquer du côté « révolutionnaire » de ces hommes et femmes.

Confrontez vos réponses avec un partenaire et justifiez vos choix.

2 Info ou intox ?

a. Regardez le nom de la maison d'édition. Est-ce une maison célèbre ? Lisez les noms des « rebelles ». En connaissez-vous ?

b. Observez la forme grammaticale « en passant par » : diriez-vous que c'est un gérondif ?

c. Dans cette présentation, quels mots sont liés au fait d'être « rebelle » ?

3 Entre nous...

Parmi les rebelles évoqués dans la présentation du livre, lequel trouvez-vous marquant ? Quels seraient les 25 rebelles que vous aimeriez trouver dans ce livre ?

La minute grammaticale

Le gérondif (« en » + participe présent) indique que deux actions sont faites en même temps par un même sujet.

Dans le texte, « en passant par » n'a pas de sujet. Cette expression, dont la forme est gérondive, est devenue une préposition.

C'est quoi, un rebelle ?

www.rfi.fr

Doc. 3

Sous la direction de
**Jean-Noël Jeanneney
et Grégoire Kauffmann**

1 De l'image au son ! 36

a. Regardez la couverture (document 3). Qui voyez-vous ? Quel est le lien avec le titre de l'ouvrage ?

b. Écoutez le document 2. Redonnez le contexte d'écoute : nom de l'émission, de la radio, du présentateur et des invités, jour de diffusion et objectifs de cette émission.

c. Qu'est-ce qu'un rebelle? Proposez un nuage de mots.

d. Pourquoi les rebelles n'hésitent-ils pas à déplaire ou à provoquer ?

e. Quels sont les différents types de rebelles évoqués ?

2 À demi-mot...

a. Quelle différence est établie entre « rebelle » et « résistant » ?

b. Comment comprenez-vous « *Ce sont ceux qui ont jugé qu'il fallait se poser contre les tendances naturelles d'une société, c'est-à-dire conserver, perpétuer et transmettre* » ?

c. Comment savez-vous que les deux historiens n'ont pas uniquement mis ces « rebelles » sur un piédestal ?

Les rebelles
Une anthologie

Le Monde
CNRS EDITIONS

Autrement dit...

→ Vous allez poursuivre un travail sur la **prise de notes** à partir du document 2 ci-dessus. Lisez l'encadré ci-contre, puis suivez les étapes.

⊕ | Soyez concis ! |
  ▸ Écoutez le document et notez les mots-clés, une idée essentielle et deux idées secondaires.
  ▸ Comparez avec votre voisin pour vérifier vos informations.

⊕ | Dessinez un schéma ! |
  ▸ Pour faciliter votre relecture, repensez votre prise de notes et dessinez un schéma avec votre voisin : l'idée essentielle au centre ; les idées secondaires qui gravitent autour (avec des flèches, des traits, etc.).

⊕ | Complétez votre schéma ! |
  ▸ Réécoutez le document et ajoutez quelques informations (dates, chiffres, etc.)
  ▸ Avec votre voisin, reliez ces détails au schéma précédent à l'aide de formes.

La prise de notes

✓ Repérer des mots-clés (dates, chiffres, etc.)
✓ Lister les idées essentielles
✓ Être clair

Quelques formes pour aider à la prise de notes :
• une bulle O, un encadré □
• une flèche →, un trait —
• une accolade {}, un astérisque *
• un plus +, un moins –, un égal =, un différent de ≠

▸ U1 : découvrir des abréviations
▸ U4 : découvrir des formes
▸ U7 : apprendre à se relire

➤ ☐ Cahier d'activités, **unité 4**

L'implicite dans une biographie

Willem, maître de la provoc dont le trait dérange, se retrouve pilote du festival de la BD d'Angoulême. Rencontre avec ce grand timide surprenant.

Provoquer, une façon de communiquer

Discret, Willem est un grand nom du dessin de presse, dont tout le monde connaît le coup de crayon féroce, les caricatures au vitriol et la virtuosité en noir et blanc. Pourtant le fidèle et
5 constant collaborateur de *Libération* et de *Charlie Hebdo* a aussi signé moult bandes dessinées dans les années 1970-80.

Lorsqu'il débarque à Paris, en 1968, Willem, qui pourtant ne parle pas un mot de français, se
10 sent immédiatement chez lui. À 27 ans, il a déjà derrière lui un long passé contestataire. Né pendant la guerre, ce fils de médecin de campagne ne compte plus les établissements scolaires dont il a été renvoyé. Feignant, indiscipliné, ré-
15 tif à toute forme d'autorité, quand ses frères et sœurs embrassent de longues et sérieuses études, le cancre ne sait faire qu'une seule chose : gribouiller. Inscrit aux Beaux-Arts à Amsterdam en 1962, ce grand hurluberlu devient rapidement
20 l'une des figures de proue du mouvement Provo. Spécialisé dans les canulars et les coups d'éclat humoristiques, ce groupuscule, qui brocarde la bien-pensance et les institutions néerlandaises, est considéré comme l'ancêtre de tous les mouvements contestataires qui secouèrent la planète à la fin des an-
25 nées 1960. « Les policiers ne savaient pas quoi faire, nous les faisions souvent passer pour des cons. Mélangé à la contestation, le rire est une arme redoutable. Il y avait des gens de tous les horizons… Tous jeunes et avec l'envie que les choses changent. C'était une alchimie sociale incroyable et tout le monde parlait la même langue. » Willem monte un
30 journal satirique, *God, Nederland & Oranje*, immédiatement condamné et censuré, qui cesse sa parution après quelques numéros. Il choisit alors de venir s'installer en France. *Siné*[1] publie tout de suite un de ces dessins en une de *L'Enragé* et Topor lui fait rencontrer l'équipe de *Hara Kiri*. « Enfin des gens qui me ressemblaient… je garde les
35 souvenirs d'une fête qui a duré 17 ans ! » Affiches, tracts, pochettes de disques, BD, livre pour enfants, illustrations : il multiplie les travaux, mais seulement avec des revues satiriques et des petits éditeurs, parce que, dit-il, il « n'aime pas les usines ». En 1982 commence sa collaboration avec *Libération*, d'abord à la culture, puis dans les pages
40 politiques où paraissent encore ses dessins tous les jours, sauf le week-end. D'une ponctualité métronomique, il fait l'admiration de tous ses « employeurs ». En revanche, pas question de lui faire modifier quoi

La minute phonétique

« Des gens de tous les horizons… Tous jeunes »

Le « s » de « tous » se prononce quand il s'agit du pronom et ne se prononce pas quand il s'agit de l'adjectif. Comment prononcez-vous tous les « tous » du document ?

que ce soit. « Même ses fautes d'orthographe ou de syntaxe sont intou-
chables, explique Siné. Ça fait hurler les correcteurs et certains lec-
45 teurs qui nous écrivent, furibards. Moi, ça me fait rire, c'est sa marque
depuis toujours, ça fait partie du personnage, c'est comme si son accent
s'exprime jusque dans ses dessins. »

Willem, un hollandais violent ? Non, plutôt un maître du grotesque
et de la provocation tels qu'en sécrète ce petit coin d'Europe du Nord
50 depuis des siècles. Vigie attentive à la marche du monde, Willem
est également un voyageur qui aime les chemins de traverse et ne se
contente pas des chromos. « Un beau reportage, ce n'est pas des aqua-
relles et des croquis d'enfants. Je me méfie des modes, trop de choses
non essentielles sont publiées. Il faut collecter des témoignages, aller
55 au contact des gens, là où ça frotte, là où ça blesse. » Amateurs de jolis
décors et d'impression nombriliste, vous voilà prévenus.

1. *Siné Mensuel.*

Stéphane Jarno, « Willem : l'œil qui mord aux commandes d'Angoulême », www.telerama.fr,
1er février 2014.

1 À première vue !

Regardez l'article, le visuel et son chapeau.

a. Comment interprétez-vous le titre de l'article ?

b. Que fait Willem ?

2 Posez-vous les bonnes questions !

Lisez le texte.

a. Quels sont les traits de personnalité de Willem ?

b. En quoi est-il « un maître de la provoc » ?

c. Quelle vision Willem a-t-il du travail ? Il s'est souvent
engagé socialement : qu'est-ce qui, pour lui,
est fédérateur ?

d. Quel est son rapport à l'autorité ?

e. Est-ce que l'on peut considérer que Willem est
un « hollandais violent » (l. 48) ? De quelle manière
la réponse est-elle donnée ?

➤ Exprimer une nuance, p. 84

3 Entre les lignes...

a. Quelle est la philosophie de vie du caricaturiste ?

b. Pourquoi viser « *là où ça frotte, là où ça blesse* »
(l. 55) ?

c. En quoi « *Mélangé à la contestation, le rire est
une arme redoutable* » (l. 26-27) ?

La minute lexicale

Une abréviation

C'est un mot qui est raccourci parce qu'il est
généralement trop long à prononcer dans la langue
parlée. Il est ensuite repris à l'écrit, ce qui n'est pas
forcément correct.
Exemple : « provocation » devient « provoc ».

➤ Fiche pratique, p. 195

C'EST À VOUS !

○ Vous allez choisir un penseur rebelle de votre pays. Écrivez un article
informatif, de style biographique, en donnant les dates clés de sa vie, des
adjectifs pour décrire sa personnalité et les actions menées. Pensez à utiliser
le présent de vérité générale.

REPÈRES LINGUISTIQUES

➤ 📖 Cahier d'activités, **unité 4**

Grammaire

Exprimer une nuance

Lexique

→ Observez et relevez les éléments.

– Paul est en retard ! J'imagine qu'il aura encore oublié de
   mettre son réveil et qu'il vient de se réveiller.
– Tu ne crois pas qu'il nous aurait prévenus ? À mon avis, il a
   dû avoir une urgence.
– Ah, tu crois ?
– J'ai peur qu'il lui soit arrivé quelque chose, il a peut-être
   eu un accident grave.
– Certainement pas. Ça lui arrive tout le temps…

Soulignez les éléments qui marquent un sentiment,
une certitude ou une probabilité.

1 **Écoutez et classez les phrases que vous entendez dans le tableau.**

Informations modifiées par un sentiment	Informations modifiées par une incertitude	Informations modifiées par une probabilité
…	…	…

2 **Nuancez les informations suivantes en fonction de la notion entre parenthèses.**
EXEMPLE : *Il est en retard. (probabilité)* → *Il se peut qu'il soit en retard.*

a. J'ai perdu mon téléphone. (sentiment)

b. Il s'est perdu. (incertitude)

c. Nous allons être malades si nous mangeons ça. (probabilité)

d. Il fait une dépression nerveuse. (probabilité)

e. Il a dit qu'il avait vu un des voleurs. (incertitude)

f. Il est condamné à trois mois de prison ferme. (sentiment)

3 **Nuancez votre rapport.**

Vous êtes policier. Vous devez faire un rapport sur une enquête de meurtre. Vous
n'avez pas de preuve mais une forte intuition. Réécoutez ce que vous avez enregistré
sur votre dictaphone afin de le reformuler à votre supérieur de manière nuancée.

Pour ne pas montrer une opinion trop marquée, on peut :

• **exprimer une probabilité :**

– avec un **adverbe** : *probablement, sans doute, peut-être…*

– à l'aide d'une **tournure impersonnelle** qui peut être renforcée par un adverbe :
   il y a des chances que, il est (fort/très) probable que, il paraît que, il semble que…

– à l'aide du temps choisi : indicatif, conditionnel présent, futur antérieur.
EXEMPLES : *Il va probablement pleuvoir.*
        Il pleuvrait dans le Nord de la France.
        Il est rentré trempé. Il aura sans doute plu.

• **exprimer une incertitude, un doute :**

– avec un **verbe** : *douter que, ne pas croire que, ne pas être sûr que, se demander
si* + indicatif, *ignorer si* + indicatif…

– à l'aide d'une **tournure impersonnelle** qui peut être renforcée par un
adverbe : *il y a peu de chances que, il est improbable que, il est possible que, il se
peut que…*

– à l'aide du temps choisi : subjonctif.
EXEMPLE : *Il se peut qu'il pleuve (= je ne suis pas sûr qu'il pleuve).*

➤ Précis de grammaire, p. 204

En concept

• le conformisme
  ≠ l'anticonformisme
• le conservatisme
• l'oppression
• l'asservissement
• l'autorité
• l'injustice
• la régression, la décadence
• le progrès, la progression
• l'obéissance
• la soumission
• l'insurrection
• la rébellion
• la révolte
• la tyrannie

4

En contexte

On vous demande
d'expliquer les mots
ci-dessus à un groupe
de jeunes enfants (ent
8 et 10 ans). Donnez d
exemples pour illustre
vos propos.

Les acteurs

- un rebelle
- un révolutionnaire
- un contestataire
- une icône
- une figure de proue
- un résistant
- un révolté
- un insoumis
- un anticonformiste
- un hurluberlu
- un cancre
- un indiscipliné

En action

- marquer l'histoire de
- transformer la société
- faire progresser la science
- secouer les convictions
- restituer une liberté
- pousser à dire « non »
- instaurer un nouvel ordre
- bousculer l'ordre établi
- déranger le monde existant
- combattre au nom de
- brocarder la bien-pensance
- provoquer un coup d'éclat

 Les connaissez-vous ?

Expliquez en quoi ces personnages traités par *L'Encyclopédie des rebelles, insoumis et autres révolutionnaires* ont été des acteurs de la provocation. *Spartacus – François d'Assise –Galilée – Toussaint Louverture – Ludwig van Beethoven – George Sand – Louise Michel – Arthur Rimbaud – Marie Curie – Marcel Duchamp*
Variez votre vocabulaire !

 Si j'étais rebelle...

Expliquez à votre voisin de quelle manière vous êtes un « rebelle » et quelles sont vos intentions et actions pour repenser le monde.

Provocations

Question de personnalité

- féroce
- caricatural
- rétif à toute forme d'autorité
- désobéissant
- hostile
- contestataire
- redoutable
- enragé
- furibard
- hargneux
- récalcitrant

 **À chacun son contraire**

Retrouvez dans la liste ci-contre le contraire des mots suivants (plusieurs réponses possibles) : *docile – doux – aimable – calme – discipliné – souple – inoffensif.*

Le procès

- Une des personnes de votre groupe choisit une personnalité de rebelle. Vous décidez ensemble des actions et actes de rébellion menés, en précisant les causes.
- Vous décidez ensuite de qui est avocat, juge et désignez plusieurs jurys.
- Jouez la scène du procès en veillant, surtout pour le rebelle, le juge et le jury, à nuancer vos propos.

La minute culturelle

Qui sont-elles ?

a. Célèbre intellectuelle française du XXᵉ siècle, elle a publié en 1949 un essai féministe historique qui a provoqué un scandale.

b. Née en 1879, cette militante féministe consacra toute son énergie à l'obtention du droit de vote des femmes en Suisse en devenant présidente d'une association pour le suffrage féminin de 1914 à 1928.

c. Courageuse avocate née en Tunisie, elle a fondé en 1971 le mouvement féministe Choisir la cause des femmes.

d. Née à Clermont-Ferrand dans une famille modeste, cette militante a œuvré dans des associations, présidant l'une d'elles au nom provocateur, avant de devenir secrétaire d'État chargée de la politique de la ville de 2007 à 2010.

e. Née à Blaton, en Belgique, cette linguiste, philosophe et psychanalyste féministe française appartient au courant de la déconstruction et a une grande influence sur le féminisme international contemporain.

Réponses :
a. Simone de Beauvoir – b. Emilie Gourd – c. Gisèle Halimi – d. Fadela Amara – e. Luce Irigaray

Détente lexicale

À bâtons rompus !

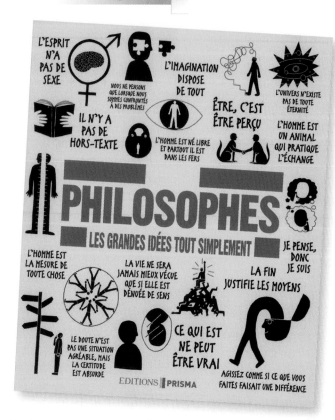

Choisissez une des pensées philosophiques ci-dessus et jouez au « rebelle révolté » en vous opposant fermement à l'idée proposée. Redéfinissez les termes utilisés afin de démontrer clairement votre perception.

Le mot juste

Trouvez le mot adapté à ces théories qui ont transformé la société et fait progresser la science.

1. Henri Wallon a donné son nom à de nombreux établissements scolaires en France, en réformant le système éducatif. Connu comme psychologue de l'enfant, il considère que l'être humain est un être social. En soulignant la nécessité pour le bébé d'établir des échanges avec autrui, il apparaît comme un précurseur de la théorie de :

a. l'attachement   b. la dépendance émotionnelle
c. l'incomplétude

2. La question à l'origine des travaux de Jean Piaget sur l'enfant porte sur les mécanismes généraux de l'intelligence permettant l'acquisition des savoirs. Ces travaux l'ont amené à créer, en 1955, le Centre international d'épistémologie génétique. Ici, le mot « génétique » fait référence :

a. à l'hérédité   b. au développement   c. à la biologie

Réponses : 1. a. – 2. b.

Jeux de mots, jeux de sons !

Devinette

La **charade** est une devinette fondée sur la prononciation identique (homophonie) de phrases.

Mon 1er est une note de musique, mon 2e est l'équivalent de la soif pour la nourriture, mon 3e est une boisson, mon 4e est la 19e lettre de l'alphabet, mon 5e signifie « cheveu » en style familier, mon 6e est une terre entourée d'eau, mon 7e est une conjonction de coordination, mon 8e veut dire « médiocre ». Mon tout est une pensée philosophique. Laquelle ?

À votre tour, créez une charade pour la citation « Je pense donc je suis. »

Réponse : La fin justifie les moyens. (la faim-jus- « s »-tif-île-et-moyen)

Reçu 5 sur 5 !

Dans cette unité, retrouvez :

1 **verbe** ayant piqué votre curiosité : ....
1 **chiffre** impressionnant : ....
1 **nom** propre : ....
1 **adjectif** séduisant : ....
1 **idée** intrigante : ....

Complétez et comparez avec votre voisin pour justifier vos choix.

À vous de décoder... une caricature

www.cartooningforpeace.org

o **Pour mieux comprendre cette caricature, ayez le déclic culturel !**

a. Quelle information la source vous donne-t-elle ?

b. Décrivez la caricature.

c. Qu'est-ce que la discrimination positive ?

d. Que signifie l'explication donnée par le père ?

C'EST À VOUS !

 o **En groupes, échangez !** Choisissez un article de la Déclaration des droits de l'homme et du citoyen (1789). Chacun explique comment il le comprend, les mises en application possibles et les limites à cet article.

 o **Ensemble, sur un forum, réagissez à l'idée de « discrimination positive »** en définissant votre point de vue et en mettant en valeur vos doutes, vos critiques ou bien vos souhaits et votre enthousiasme. Illustrez vos arguments d'exemples concrets.

▶❚❚
05

L'art et la manière

Adoptez de bons réflexes !

▶ Décrivez le visuel. Replacez-le dans un contexte culturel.

▶ Regardez la vidéo. Quelle est la question posée ? À quelle occasion ? Donnez quelques exemples de réponses.

Drôle d'expression !

▶ D'après les témoignages, qu'est-ce qui paraît indispensable pour que l'art existe ?

▶ Avec le visuel, on aurait envie de dire : « Non, mais vous voyez le tableau ! » Qu'est-ce que cela veut dire ?

Entre nous…

▶ Et pour vous, qu'est-ce que l'art ?

▶ D'après vous, que signifie « l'exploration des possibles » ? Quels sont-ils ?

Vous voyez le tableau !

1 (Cultures artistiques

Se repérer

- Donner accès à la culture
- Exporter la culture

Prendre position

- La culture à tout prix ?
- Comment financer la culture ?

S'exprimer

- Faire l'éloge de...
- Exprimer son indignation au courrier des lecteurs

2 (Tableau humain

Décrypter

- Si la France avait 100 habitants...
- La série, miroir de la société

Interpréter

- Le vécu dans un témoignage

S'exprimer

- Atelier culturel
  Décoder une sculpture

1 (Cultures artistiques

Donner accès à la culture

Doc. 1

Accessibilité culturelle

Toute personne a le droit de prendre part librement à la vie culturelle de la communauté, de jouir des arts et de participer au progrès scientifique et aux bienfaits qui en résultent.

Article 27 de la Déclaration universelle des droits de l'homme

L'ASBL Article 27 se donne la mission de sensibiliser, de faciliter la participation culturelle pour toute personne vivant une situation sociale et / ou économique difficile. Elle agit sur le coût de l'offre via un ticket modérateur valable à Bruxelles et en Wallonie et elle mise sur l'accompagnement pour encourager l'expression critique et / ou artistique. Son travail se développe en réseau avec des partenaires sociaux, culturels et les publics.

www.article27.be

Doc. 2

 Entretien avec Michel Zongo lors de la 24ᵉ édition du FESPACO

www.franceculture.fr

LE + INFO

Le **Festival panafricain du cinéma et de la télévision de Ouagadougou** (FESPACO) est l'un des plus grands festivals africains de cinéma qui a lieu tous les deux ans à Ouagadougou, la capitale du Burkina Faso.

1 Repérez les informations ! 🔊 39

Observez, lisez et écoutez les documents.

a. Qu'est-ce que la médiation ?

b. Quelles initiatives sont proposées ?

c. Quel est le lien avec le public ?

d. Qu'est-ce qui pourrait freiner l'accès à la culture ?

e. À quoi peut servir la culture ?

2 Soyez curieux !

a. Retrouvez les termes qui font écho au champ de la « médiation culturelle ».

b. Retrouvez, dans les documents, les adverbes et prépositions de lieu.

➤ Évoquer un lieu, p. 94

c. Expliquez la comparaison donnée par Michel Zongo entre un film et une lettre.

d. D'après vous, le public doit-il être impliqué dans la transmission des savoirs culturels ? À quelle fin ?

Doc. 3

Museomix invente la médiation de demain

Le Musée d'art et d'histoire accueille jusqu'à dimanche un marathon créatif pour imaginer
5 de nouvelles transmissions du savoir. Reportage.

Jouer à la machine à sous avec des œuvres
10 du Musée d'art et d'histoire (MAH), imiter les positions des personnages d'un tableau, se faire apostropher au
15 détour d'une rue par un des chefs-d'œuvre de l'institution...

Les propositions imaginées dans le cadre
20 de Museomix jouent la carte de l'insolite pour faire découvrir le musée.

De vendredi à dimanche, 48 médiateurs, codeurs, graphistes, communicants, fabricants et conserva-
25 teurs se sont réunis au MAH pour imaginer des dispositifs de médiation exploitant les nouvelles technologies. Le défi consistait à imaginer et réaliser un prototype autour d'un des thèmes proposés. Et ce en trois jours.

Muriel Grand, « Museomix a transformé le Musée d'art et d'histoire en laboratoire d'idées », www.tdg.ch, 10 novembre 2014.

Exporter la culture

Doc. 4

Au Grand Palais, l'art haïtien sort de son île

C'est la première fois que l'art haïtien est montré d'une manière exhaustive et contemporaine en France. 60 artistes contemporains participent à cette exposition qui célèbre jusqu'au 15 février « Haïti, deux siècles de création ». [...]

5 C'est tout un symbole quand on pense que cet événement se déroule 200 ans après la défaite des troupes napoléoniennes suivie de la proclamation de la première République noire dans l'histoire de l'humanité. [...]

Le vidéaste Maksaens Denis a développé en Haïti une dé-
10 marche novatrice dans le domaine de l'art numérique. Pour le Grand Palais, il a conçu un tableau-vidéo sur lequel défilent aussi bien des images idylliques que des barbelés : « *J'ai voulu parler de stéréotypes qui nous enferment dans les Caraïbes* [...] ».

15 Quelle est aujourd'hui la spécificité de l'art haïtien ? « *Nous voulons un peu casser la vision romantique qui est collée à Haïti* », affirme la commissaire Régine Cuzin. [...] Haïti était l'un des premiers pays de la Caraïbe à faire de l'art une profession. Mais la situation des artistes est devenue
20 très difficile après le tremblement de terre. [...] « *Vivre de son art, c'est quelque chose de très difficile en Haïti*, admet Maksaens Denis. *C'est un pays où il y a beaucoup de galeries, mais pas beaucoup qui sont dédiées à l'art contemporain. On n'a pas encore de très grands musées avec de belles*

25 *expositions en permanence.* »

« *Les femmes ont peuplé l'histoire de l'art haïtien de ces 50 ou 60 dernières an-*
30 *nées. Nous présentons ici des œuvres peu connues de Luce Turnier, une femme importante de cette époque. Et nous montrons le travail de plusieurs femmes très por-*
35 *teuses et très prometteuses qui ont fait carrière.* » Il y a la plasticienne Barbara Pré-
zeau-Stephenson qui partage sa vie entre Port-au-Prince et Perpignan et qui est aussi à l'origine de la Fondation AfricAmericA [...]. Et il y a l'installation mobile aussi féérique
40 qu'effrayante de la plasticienne Pascal Monnin qui s'est installée sur l'île à l'âge de 20 ans après avoir partagé son enfance entre la Suisse de sa mère et l'Haïti de son père.

Autant de raisons de partir de ces deux siècles de création artistique « *surpris et ravi* » selon le souhait cher aux deux
45 commissaires qui soulignent que « *l'enjeu de cette exposition est justement de remettre l'art haïtien sur la scène internationale et essayer de créer un réseau de collectionneurs, pour que ces artistes puissent vivre de leur art.* »

Siegfried Forster, www.rfi.fr, 12 décembre 2014.

1 Posez-vous les bonnes questions !

a. Quelles sont les informations pratiques liées à cette exposition ?

b. Quels sont les objectifs majeurs de cette exposition ?

c. Quels types d'œuvres peut-on y découvrir ?

2 Soyez curieux !

a. Trouvez tous les mots qui se rapportent aux personnes ou équipements artistiques et culturels.

b. « En Haïti », « à Haïti », « dans les Caraïbes » : quelle différence de structure observez-vous ?

➤ Évoquer un lieu, p. 94

c. Pourquoi est-ce que l'on quitte l'exposition « surpris et ravi » ?

d. Quel bout d'histoire d'Haïti est retracé dans cette exposition ?

Avez-vous l'esprit d'analyse ? 💬

➜ Vous allez poursuivre votre travail sur l'**exposé**. Lisez l'encadré ci-contre, puis suivez les étapes pour faire un exposé, par deux, sur le thème *Exporter la culture*.

① Par deux, choisissez un événement culturel francophone qui a eu / va avoir lieu dans votre pays.

Ensemble, cherchez des informations !

② Organisez vos informations. Décidez d'un plan en deux grandes parties.

Chacun choisit une partie et la présente !

③ Par deux, entraînez-vous. Corrigez-vous si besoin.

L'exposé

✓ Chercher des informations
✓ Apporter des données précises
✓ Penser à organiser ses idées

Pour se corriger / se rectifier :
• ... euh, non... / ... ou plutôt... / ... pardon... / Enfin...
• Plus précisément / exactement...
• ... je voulais dire...

➤ U2 : mettre en évidence
➤ U5 : se corriger / se rectifier
➤ U8 : ouvrir / fermer une digression
➤ Fiche pratique, p. 193

➤ 📖 Cahier d'activités, **unité 5**

La culture à tout prix ?

Doc. 1

Comment consomme-t-on la culture à l'heure d'Internet ?

Nous vivons une époque paradoxale. Alors qu'il n'a jamais été aussi simple, grâce au numérique, de réserver une place pour un concert, qu'il n'a jamais été aussi facile, grâce aux réseaux sociaux, de livrer son
5 avis, l'amateur de pratique culturelle se retrouve souvent… « e-perdu ». « L'hyper-choix culturel » à portée de clics s'avère « anxiogène » et « vécu par 80 % des personnes interrogées comme un frein ». Apparemment, les « freins majeurs » aux usages
10 culturels ne changent pas. Pour les musées, c'est la crainte de faire la queue qui arrive en tête (citée par 72 % des Français interrogés) ; pour les livres, le prix (69 %), la difficulté d'identifier des titres qui plairont (51 %) et le manque d'information (48 %) ; enfin, pour
15 les spectacles et le cinéma, c'est encore le prix (72 %) mais aussi le risque de séance complète qui font hésiter à sortir.

Sandrine Blanchard, www.lemonde.fr, 23 juin 2014.

Doc. 2

🔊 Amazon dézingue la filière culturelle

www.franceinter.fr

Doc. 3

Le monde de l'édition › Librairies › Actualité

La librairie Guivelle a lancé voilà un mois une campagne de communication un peu convenue, mais plutôt amusante : en référence à la citation de Lincoln, qui n'entendait pas sacrifier l'éducation de son
5 peuple, quand bien même celle-ci serait coûteuse, le libraire décline différents ouvrages, avec des titres alternatifs. Le genre de détournement que l'on prendrait volontiers pour des perles de clients étourdis. Ou ignorants.

Nicolas Gary, www.actualitte.com, 3 juillet 2013.

1 Posez-vous les bonnes questions ! 🔊 40

   a. Pourquoi la culture a-t-elle un prix ?

   b. Faudrait-il baisser le coût de l'offre culturelle ? Justifiez.

   c. Quels sont les autres freins à la consommation culturelle ?

   d. Quel petit mot permet, dans le document 1, d'illustrer les propos ?

2 Cap ou pas cap ? 💬 📝

   ○ En groupes, explorez l'idée suivante : jusqu'où faut-il aller pour se cultiver ? Illustrez vos propos.

   ○ Listez quelques idées folles et confectionnez une affiche à la manière du document 3 qui porterait le titre : « La culture à tout prix ».

Illustrer ses propos

Je vais prendre un exemple…

On peut prendre l'exemple de…

Pour…

C'est comme… qui…

En référence à…

Ça me fait penser à…

Imaginons que…

… illustre bien le fait que…

Comment financer la culture ?

Doc. 1

🔊 Qui dit mécénat dit contrepartie, quelle contrepartie et jusqu'où ?

www.dailymotion.com

Michaël Moreau
Raphaël Porier

MAIN BASSE SUR LA CULTURE

ARGENT, RÉSEAUX, POUVOIR

LA DÉCOUVERTE

1 Qu'avez-vous compris ? 🔊 41

a. D'après l'émission, que peut signifier l'expression « (faire) main basse sur la culture ».

b. Quel mot-clé vous permet de comprendre que l'invité est un écrivain ?

c. Par quoi les politiques culturelles ont-elles été remplacées ?

d. Quelle place occupe le mécénat aujourd'hui ?

e. Les expositions financées par les mécènes :

❏ privilégient le contenu culturel.

❏ visent une éducation culturelle.

❏ cherchent à atteindre le plus grand nombre.

f. La France est-elle pour ou contre le mécénat ?

g. À quel système avantageux fait-on référence ?

h. Quel intérêt pour les grandes marques que celui de devenir « mécène » ? Donnez un exemple.

2 Soyez curieux !

a. Quel équivalent, dans le texte, peut-on trouver au terme « blockbuster » ?

b. On fait référence à des « expositions moins exigeantes ». Qu'est-ce que cela signifie ? L'exemple donné est celui de Niki de Saint Phalle. Qui est-ce ?

c. Que répondriez-vous à la question ouverte posée à la fin : « *Comment les marques peuvent-elles influer sur les expositions ?* »

> **LE + INFO**
> Faites-vous la différence ?
> **Le mécénat** : soutien financier sans contrepartie.
> **Le sponsoring** : soutien financier pour afficher une marque.
> **Le parrainage** : soutien financier dans une démarche commerciale.

Ça se discute ! 📝

→ Vous allez poursuivre un travail d'argumentation pour construire un **essai**. Lisez l'encadré ci-contre, puis suivez les étapes pour **rédiger une introduction** sur le sujet : *Pensez-vous que le mécénat soit un dispositif approprié pour financer la culture aujourd'hui ?*

➡ ⌐Planifiez votre démonstration !⌐
▸ Posez-vous la question suivante : est-ce que je réponds oui ou non ?
▸ Pensez à des arguments et exemples selon un plan en causes / conséquences.
a) Pourquoi le mécénat ? b) Quelles conséquences sur la culture ? Comparez avec votre voisin.

➡ ⌐Rédigez votre introduction !⌐
▸ Amenez la question posée avec une phrase introductive.
▸ Proposez une réponse.
▸ Précisez l'organisation : un plan en deux parties (causes / conséquences)

> **L'essai argumentatif**
> ✓ Noter ses idées
> ✓ Différencier arguments et exemples
> ✓ Définir un plan
>
> **Pour annoncer :**
> • **une idée.** Reprenez avec vos propres mots le sujet ou dégagez une problématique. Pour cela, spécifiez le contexte (espace, temps) dans lequel traiter cette question.
> • **une organisation.** Utilisez une formulation du style : *Nous débuterons cette argumentation par... / Pour démontrer que... Enfin, nous nous pencherons sur...*
>
> ▸ U2 : différencier arguments et exemples
> ▸ U5 : rédiger une introduction
> ▸ U8 : rédiger une conclusion
> ▸ Fiche pratique, p. 192

📖 Cahier d'activités, **unité 5**

Grammaire

Évoquer un lieu

→ **Observez et relevez les éléments.**

> Cet été, après avoir vu une exposition d'art haïtien importé au Grand Palais, je suis allée à Haïti, dans les Caraïbes. Cela m'a fait du bien d'être ailleurs et de passer quelques jours sur l'île. En rentrant, je me suis dit que j'y retournerais !

Lisez les phrases, puis soulignez les mots et groupes de mots qui évoquent un lieu.

1 Écoutez et complétez ce tableau, comme dans l'exemple. 42

Un adverbe	Une préposition	Un verbe
là	dans	amener
...	...	...

2 Complétez chaque phrase avec les mots proposés. Conjuguez les verbes, si nécessaire.

a. *dans / à / sur / en*

Quand je vais .... la mer ou .... la montagne, j'aime me reposer. L'année dernière, je suis allé .... les Alpes en février et .... la Côte d'Azur en été. Moi qui habite .... ville, ça m'a fait du bien !

b. *ici / là / là-bas / ailleurs*

– Tu n'en as pas marre de vivre .... ? Tu ne voudrais pas partir .... ?

– Si, mais où ? Je pourrais rejoindre Max en Australie : ...., les gens sont très accueillants. C'est .... qu'il a rencontré Ludivine.

c. *venir / aller / revenir / retourner / rentrer*

Coucou, je suis .... hier de Montréal. C'était un beau voyage. Je voudrais y .... Toi qui m'as dit que tu y étais déjà ...., tu voudrais .... avec moi ? En tout cas, j'ai promis à mes amis québécois que je .... les voir. On se raconte ça demain ! A+

d. *en / dans / au / aux / à / sur*

Olivier est allé ... Costa Rica. L'année prochaine, il ira ... Cuba. Chaque année, il va ... un nouveau pays ou ... une île. Il est déjà allé ... Bahamas et ... Crète.

e. *rapporter / emporter / amener / emmener*

Alors, prête à partir ? Tu .... les enfants ? N'oublie pas de .... un souvenir ! Moi, quand je suis allée là-bas, je me souviens que j'avais .... beaucoup trop de vêtements. Surtout qu'il faisait très chaud, que j'ai eu une insolation et que Marc a été obligé de m'........ à l'hôpital.

3 L'île déserte

En groupes, vous partez sur une île déserte ensemble. Vous décidez où vous voulez aller, qui vous emmenez et ce que vous emportez. Échangez !

Pour évoquer un lieu, on peut utiliser :

• **une préposition :**

– **devant un nom de pays / ville / continent :** *à, au, aux, en.* EXEMPLE : *à Paris.*

– **pour précéder un lieu en général :** *en, au, à* **ou un espace particulier :** *dans, sur, chez.* EXEMPLES : *à l'école, en classe, chez ma mère, sur mon lit.*

• **un adverbe :** *ici, là, là-bas, ailleurs, loin, proche, autour, dedans, dehors, près, n'importe où, ...*

• **un verbe :** *venir, aller, revenir, retourner, rentrer, partir, s'en aller, emmener, apporter, emporter, amener...*

➤ **Précis de grammaire, p. 199**

Lexique

Une culture en danger

• à tout prix
• hors-de-prix
• faire main basse sur
• tous les coups sont permis
• faire pression sur
• une action en déliquescence
• tirer la sonnette d'alarme
• une situation critique
• mettre en garde contre
• être menacé / en danger
• fragiliser
• fragile, instable, précaire, vulnérable
• bazarder, dézinguer, brader
• C'est du grand art !

 4

Défendez la culture

Écrivez quelques slogans pour défendre des aspects culturels menacés de disparition dans votre pays.

Les pratiques culturelles

- la fréquentation d'équipements
- un lieu culturel : une bibliothèque, un théâtre, un musée, une salle de concert, une médiathèque, un cinéma, une galerie d'art, un atelier, un studio
- l'éducation / l'expression artistique
- un club, un atelier, un camp, un stage
- une manifestation, un événement
- une exposition permanente / temporaire
- une installation, une présentation
- une œuvre, une production
- un blockbuster
- l'industrie culturelle

L'accessibilité culturelle

- avoir le droit de, accéder à
- être privé / exclu de
- le public empêché / éloigné de l'offre
- la démocratisation culturelle
- la démocratie culturelle
- une politique culturelle
- transmettre / faire passer / sensibiliser à
- favoriser / faciliter l'accès aux œuvres
- soutenir la création artistique
- être mécène, sponsor, parrain
- le mécénat, le sponsoring, le parrainage

1 **Faites deviner le lieu.**

Par deux, définissez le plus rapidement possible un des lieux ci-dessus et faites en sorte que votre voisin trouve la réponse en une seule fois !

2 **À la recherche d'un mécène**

Vous constatez autour de vous qu'un public n'a pas accès à une offre culturelle. Vous contactez une entreprise pour lui proposer de devenir mécène. Exposez-lui la situation.

Le champ de la médiation

- un médiateur, un animateur
- un partenaire (social / culturel), un réseau
- un dispositif, une action de médiation
- un projet culturel
- une structure, une association
- établir des liens, mettre en relation
- prendre part / participer à
- grand public, usager, visiteur, spectateur, consommateur
- un artiste, un artisan, un acteur

La culture artistique

3 **Racontez une histoire.**

Cherchez un exemple d'action de médiation culturelle proche de chez vous. Décrivez-la à votre groupe. Celui-ci vous pose des questions pour avoir un maximum de détails.

ACTIVITÉ RÉCAP'

Proposer une sortie culturelle

- En groupes, vous décidez d'une sortie culturelle à organiser pour un public (enfants, touristes étrangers, danseuses, personnes âgées...). Vous préparez un programme détaillé de la sortie (exemple : visiter les coulisses d'un opéra, rencontrer les costumières, puis, aller à un spectacle). Votre programme doit être clair, bien articulé et réfléchi.

- Deux groupes présentent leur programme à un autre groupe de la classe qui choisit celui qui lui paraît le mieux organisé.

Faire l'éloge de... 💬

Dessin de Martin Vidberg, http://vidberg.blog.lemonde.fr, 26 mai 2013.

1 Vous en pensez quoi ?

a. Regardez et décrivez l'illustration.

b. Quel est le problème avec le festival de Cannes ? Expliquez les comparaisons avec le football et le repas.

c. Vous êtes-vous déjà retrouvé à regarder la télévision en pensant que cela ne faisait certainement pas le même effet de vivre l'événement en direct ? À quelle occasion ? Racontez !

2 C'est du vécu !

a. Écoutez ces différentes situations. 🔊 43
Pour chacune d'entre elles, identifiez le contexte et retrouvez ce qui provoque l'admiration.

b. Pour chaque situation, relevez l'expression utilisée pour faire l'éloge de quelqu'un.

c. Question de son, question de style !

– Écoutez et concentrez-vous sur 🔊 44
la prononciation de « oui » et de « non ». Qu'en déduisez-vous à propos du style familier ?

– Écoutez ces expressions. 🔊 45
Puis, répétez-les avec le style qui convient.

> ### « Oui » ou « non » ?
> Dans le style familier, on relâche la prononciation : « oui » devient « ouais » et « non » devient « nan ».

3 En situation ! 💬

→ Sélectionnez l'une des situations suivantes et imaginez ce que vous diriez.

○ À un groupe de touristes : vous vantez le site que vous êtes sur le point de visiter avec eux.

○ Lors d'un vernissage : vous faites l'éloge d'un artiste qui crée des œuvres contemporaines tout à fait exceptionnelles.

○ Lors d'un dîner-concours : vous exprimez votre enthousiasme face au repas que l'on vous sert et vantez l'originalité d'un plat.

○ À votre meilleur(e) ami(e) : vous ne tarissez pas d'éloge sur une personne que vous venez de rencontrer.

LE + EXPRESSION

- Ça en vaut la peine ! C'est magique, incroyable, sensationnel, exceptionnel, fantastique, remarquable !

- C'est original, unique. Ça sort de l'ordinaire. C'est hors du commun. C'est tout à fait singulier. C'est vraiment particulier. Ça change. Ce n'est pas banal. C'est inattendu.

- Je vous recommande ce plat. Ce restaurant a bonne réputation. Tout le monde en dit du bien.

- Je suis fan. Je suis dingue de ce truc ! C'est une merveille. C'est sensationnel.

- ✗ C'est trop bien ! C'est top ! C'est le pied ! C'est génial ! C'est trop cool ! C'est explosif !

Exprimer son indignation au courrier des lecteurs

Doc. 1

Paris, le 24 novembre 2014

Madame,

Je viens de lire dans le *Vanity Fair* du mois de novembre un article sur *La Reine Margot* dans lequel je suis incriminée pour le rôle que j'aurais joué à Cannes pendant le festival, empêchant mademoiselle Adjani d'être nommée pour le prix d'interprétation féminine.

C'est me prêter beaucoup de pouvoirs.

J'ai déjà souffert à l'époque de ces rumeurs et je pense que vingt ans après, il aurait été souhaitable de s'informer davantage, pour un article de cette importance, de la véracité de cette accusation.

J'aime les actrices et j'aime Isabelle Adjani.

Je vous laisse imaginer combien, à l'époque, cette mesquinerie a pu me toucher : c'est pourquoi je vous demande de publier cette lettre.

Catherine Deneuve

Vanity Fair, numéro 20, février 2015.

Doc. 2

Dessin de Plantu, www.festival-cannes.com, 25 mai 2013.

1 Vous en pensez quoi ?

a. À qui s'adresse ce courrier (document 1) ? Qui l'a écrit ? Quel est le ton général ?

b. Relisez-le et retrouvez la référence à l'article, la manière dont l'auteure indique qu'elle n'est pas d'accord, la raison pour laquelle elle écrit, sa conclusion.

c. Que pensez-vous de cette lettre ? À la place de l'auteure, l'auriez-vous écrite ?

2 C'est écrit noir sur blanc !

→ Vous venez de voir cette caricature (document 2) issue du blog du festival de Cannes.

○ Vous êtes choqué que l'on puisse comparer ainsi le cinéma à la réalité.

○ Vous écrivez une lettre au courrier des lecteurs pour montrer votre indignation.

LE + EXPRESSION

Pour vous aider à faire référence à un article que vous avez lu, utilisez :
En référence ... En ce qui concerne l'émission de... Au sujet de... À la suite de l'article publié dans... intitulé... Suite à... concernant... Après avoir entendu / lu... J'ai entendu une émission / lu un article / vu un dessin humoristique concernant... L'émission, l'article, le dessin du... m'a intéressé / choqué.

💬 **DÉCRYPTER**

Si la France avait 100 habitants...

Doc. 1

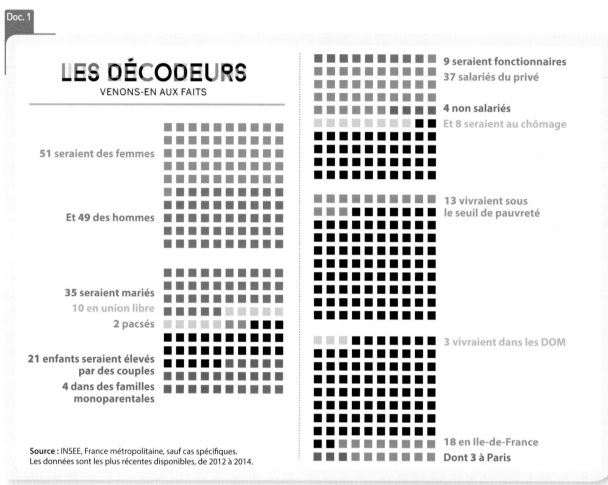

LES DÉCODEURS
VENONS-EN AUX FAITS

51 seraient des femmes

Et 49 des hommes

35 seraient mariés
10 en union libre
2 pacsés

21 enfants seraient élevés par des couples
4 dans des familles monoparentales

9 seraient fonctionnaires
37 salariés du privé

4 non salariés
Et 8 seraient au chômage

13 vivraient sous le seuil de pauvreté

3 vivraient dans les DOM

18 en Ile-de-France
Dont 3 à Paris

Source : INSEE, France métropolitaine, sauf cas spécifiques.
Les données sont les plus récentes disponibles, de 2012 à 2014.

www.lemonde.fr

1 Ouvrez l'œil !

Lisez l'infographie et cochez les bonnes réponses.

❑ La pauvreté touche moins d'1/5 de la population.

❑ La France compte plus d'hommes que de femmes.

❑ Le PACS représente peu d'engagements de couple.

❑ Un peu moins de la moitié des Français n'est pas représentée dans la population active.

❑ La majorité de la population vit en province métropolitaine.

❑ 21 personnes sur 100 vivent à Paris ou en Île-de-France.

2 Info ou intox ?

a. D'où vient ce document ? Qui sont les « décodeurs » ? Que font-ils ?

b. Quel mot pourriez-vous remplacer par « de » ? Reformulez.

c. Quelles expressions se rapportent à un engagement entre deux personnes ?

3 Entre nous...

Quel tableau graphique feriez-vous de votre propre pays si celui-ci avait 100 habitants ?

LE + INFO

Le **PACS** (pacte civil de solidarité) est un contrat conclu entre deux personnes majeures (de même sexe ou de sexe différent) pour organiser leur vie commune. Votée en 1999, cette loi place le couple dans un cadre juridique précis instituant des obligations, à la différence du concubinage. Le nombre de PACS signés chaque année est proche de celui du mariage civil. Ce pacte peut être rompu à tout moment. On ne parle alors pas de divorcer mais de se dépacser.

La minute grammaticale

« Dont » est un pronom relatif qui permet de remplacer un complément introduit par « de ». Ce complément peut être un complément de nom, de verbe ou d'adjectif.

La série, miroir de la société

Doc. 1

 Les séries télé : entre fiction et réalité

www.rfi.fr

Doc. 2

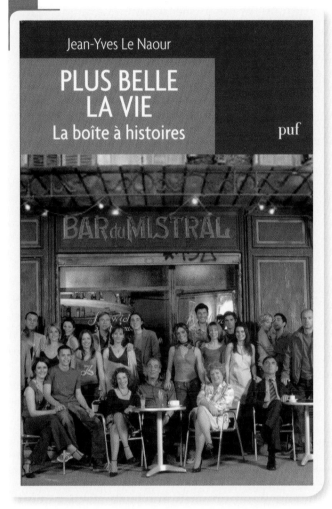

Jean-Yves Le Naour

PLUS BELLE LA VIE
La boîte à histoires

puf

1 De l'image au son ! 46

a. Regardez le visuel (document 2). De quoi s'agit-il ?

b. Écoutez le document 1. Quel est le lien avec la photo ?

c. Qui sont les deux invités ? Pourquoi sont-ils invités ?

d. Donnez des détails pratiques concernant la série *Plus belle la vie* : jours et horaires de diffusion, durée de vie, ville de tournage, thèmes abordés, public visé.

e. Qu'incarne cette série ? En quoi ?

2 À demi-mot...

a. Qu'est-ce qui est sous-entendu dans la phrase « *Elle est audacieuse pour la télévision française* » ?

b. Comment décririez-vous la télévision française d'autrefois, quand elle était « en noir et blanc » ?

c. Quels sont les éléments manquants dans la série ? Comparez avec les séries télévisées de votre pays et dites si ce sont les mêmes.

Autrement dit...

→ Vous allez poursuivre un travail sur le **résumé**. Lisez l'encadré ci-contre, puis suivez les étapes pour **reformuler les idées** du document 1 ci-dessus.

① Lisez la transcription et repérez les idées principales. *Comparez avec votre voisin !* **②** Seul, reformulez ces idées avec vos mots à vous. Écrivez-les. *Échangez avec la classe !* **③** Ensemble, discutez des reformulations possibles. Écrivez-en plusieurs.

Le résumé

✓ Repérer le thème et les mots-clés
✓ Entourer les articulateurs
✓ Suivre l'ordre des idées

Pour reformuler des idées, on peut utiliser :

• **des expressions :** *c'est-à-dire, autrement dit, plus précisément, en somme, en d'autres termes, dans le sens où...*

• **des modifications grammaticales :** passer du discours direct au discours indirect, varier les pronoms (exemple : *une femme → cette femme → elle*)

• **des modifications lexicales :** utiliser un synonyme, un hyperonyme (exemple : *le chien → l'animal*), une nominalisation (exemple : *manifester → la manifestation*)

▶ U2 : isoler des parties
▶ U5 : reformuler des idées
▶ U8 : rédiger un plan détaillé
▶ Fiche pratique, p. 190

▶ Cahier d'activités, **unité 5**

Le vécu dans un témoignage

Écrivains, cinéastes ou comédiens : à quoi ressemble leur famille ? Qu'ont-ils à en dire ? Points de vue d'artistes.

Dessin de Pierre Mornet

« Les Deschiens viennent de ma famille »

Jérôme Deschamps, 66 ans, comédien, metteur en scène, directeur de l'Opéra-Comique.

« Ma famille est un monde. Bourgeoise (désargentée), catholique, traditionaliste. Côté paternel, un grand-père médiéviste, Paul Deschamps, académicien à 40 ans, premier rénovateur du musée des Monuments historiques au palais de Chaillot, où il habitait ; un père secrétaire général à l'Aviation civile, resté chef scout
5 jusqu'à 35 ans. Côté maternel, un grand-père directeur des maisons de couture Jacques Fath, puis Schiaparelli. Je suis l'aîné de six enfants, le numéro 27, selon ma grand-mère paternelle, qui avait nommé numéro 1 son mari, Paul, père de ses onze enfants. C'est par ces numéros qu'elle nous nommait, dans le château de l'Yonne où nous passions nos vacances et où je servais la messe chaque matin
10 à la chapelle. La famille au complet réunissait deux cents personnes. Mais comment ressembler aux aïeuls si brillants ? Nos parents se raccrochaient à la vie comme des chiens perdus. Les enfants sentaient leur désarroi. Pas drôle de voir son père en scout à 35 ans. Les Deschiens viennent de là, de cette tribu de gens perdus que nous avons imaginée au théâtre avec Macha Makeïeff, la mère de mes
15 quatre enfants. Et le côté rituel de nos spectacles a été nourri des messes à la chapelle. Et incarner, déguisé en femme, la méchante mère qui faisait exploser des poussettes réglait mes comptes avec ma mère, que je détestais. On fait sa cuisine comme on peut. Il n'y a pas de modèle. M'émerveillent tous les chemins que l'on peut prendre pour être heureux… Moi, j'ai besoin de complicité dans ce que
20 j'entreprends. La famille, c'est surtout ceux qui vous aident à vous construire, au sens large. Je suis proche de mes enfants, de ma femme. Mais ce qui m'émeut surtout, ce sont nos différences acceptées. »

« J'ai une vision très maternante de la famille »

Véronique Ovaldé, 42 ans, romancière.

« L'intimité familiale est un lieu parfait pour l'exercice de la cruauté. Ce n'est pas pour rien qu'on parle de "cellule" familiale, terme organique et lié à l'emprisonnement. Quel que soit le chemin que l'on suit, le désir de perdre son "air de famille", les efforts pour se construire autrement et ne pas être captif, il suffit
5 qu'on retourne dix minutes dans la maison familiale pour que tout soit anéanti. Ce lieu d'enfermement et de cruauté est donc un cadre idéal pour envisager un roman. C'est vrai que dans mes livres – *Ce que je sais de Vera Candida, La Grâce des brigands…* –, ce sont les grands-mère, mères et filles, qui s'expriment.

Ce sont les femmes qui parlent dans les familles. Je parle de ce que je connais, de
10 l'endroit d'où je viens. Je suis la fille de quelqu'un, d'une mère, et bien entendu
j'ai été élevée d'une façon que je n'ai pas choisie. Il y a une terrible ambiguïté
vis-à-vis de ce cadre imposé, cette cohabitation difficile entre personnes qui n'ont
pas décidé d'être ensemble.

J'ai passé mon enfance à me dire que j'avais été adoptée. En créant à mon tour
15 une famille, j'ai tenté d'être moins dans la fatalité du premier choix. Aujourd'hui
j'ai trois enfants, ma famille est recomposée. En fait, j'ai toujours imaginé cette
situation. Bien avant d'être mère, je voulais créer une fratrie, élever des enfants
non biologiques. J'ai construit cette famille avec peu de modèles. Ma sœur et
moi vivions dans une structure familiale très conservatrice et puritaine, où le
20 rôle dévolu aux femmes était étriqué, insatisfaisant. Aussi ai-je voulu créer un
lieu d'amour entre les enfants, exempt de rivalités, fonder une fratrie liée par la
tendresse et la bienveillance. Je n'ai pas une vision très positive de la famille, j'ai
donc souhaité en faire un lieu recours en toutes circonstances, une cohabitation
douillette. J'ai, comme on peut le lire dans *Ce que je sais de Vera Candida*, une
25 vision très "maternante" de la famille : les enfants et la mère d'un côté avec les
pères qui tournent autour, et le couple de l'autre. »

Fabienne Pascaud et Nathalie Crom, « La famille, inspiration d'artistes », www.telerama.fr, 1er mars 2014.

1 À première vue !

Regardez l'article.

a. Lisez le chapeau : quel est ce type d'article ?

b. En quoi, à regarder les deux paragraphes, pouvez-vous affirmer que ce sont des propos ? Qu'est-ce qui les caractérise ?

2 Posez-vous les bonnes questions !

a. Qui sont les deux personnes interviewées ? Que sait-on sur elles ?

b. Quel portrait les deux auteurs donnent-ils de leur famille d'aujourd'hui ?

c. Quel est leur point commun en ce qui concerne leur enfance ?

d. Quel mot dans le texte a pour double signification : la « prison » et la « famille » ?

La minute phonétique

« Côté père », « côté mère » : quels accents met-on ?

Les accents peuvent changer la prononciation des lettres, comme l'accent aigu ou grave sur « e » *(été, très)* et l'accent circonflexe sur « e » *(tête)* et « o » *(hôtel)*.

---

e. Dans le deuxième propos, quel est l'adjectif verbal utilisé pour caractériser la vision de la famille ?

➤ Caractériser, p. 102

3 Entre les lignes...

a. Quels sont les sentiments éprouvés par chacun au fil des propos ?

b. Que doit-on comprendre avec la phrase « *On fait sa cuisine comme on peut* » ?

c. Qui des deux auteurs semble davantage être dans un imaginaire familial ?

C'EST À VOUS !

○ Sur une feuille, faites trois colonnes : 1. mon enfance ; 2. mes sentiments ; 3. ma famille de demain.

○ Prenez le temps de réfléchir à ce qui fait votre famille et écrivez quelques mots-clés liés à des personnes, des souvenirs ou des actions (exemples : mon père = autoritaire ; jeux avec mes cousins...). Complétez les colonnes.

○ Passez la feuille à votre voisin qui va écrire un article de 250 mots sur votre famille en utilisant vos mots-clés et son imagination.

○ Lisez l'article que vous avez écrit sur la famille de votre voisin. Discutez !

Grammaire

Caractériser

Lexique

→ **Observez et analysez.**

| J'ai une vision très <u>maternante</u> de la famille.
J'ai rencontré une femme <u>maternant</u> encore ses enfants âgés d'une vingtaine d'années.

Lisez les phrases. Quelle différence voyez-vous entre les mots soulignés ?

1 **Participe présent ou adjectif verbal ? Complétez avec la terminaison correcte.**

a. Il n'est pas commun de voir une série télévisée intéressant... une si grande audience qui ne soit pas complètement inintéressant... .

b. J'aime les œuvres d'art provocant... provocant... ainsi des débats animés.

c. Dans les couples communiquant... peu, les opinions peuvent être divergent... mais les intérêts convergent... .

d. « Donnant...-donnant... », c'est une expression courant... en français qui signifie que l'on effectue un échange réciproque équivalent... .

2 **Posez-vous les bonnes questions pour reconnaître le participe présent (1) de l'adjectif verbal (2) et choisir la bonne orthographe. Faites l'accord, si nécessaire.**

a. Mon ophtalmologue m'a interdit les travaux .... les yeux. (1.fatiguant 2. fatigant)

b. Je n'ai pas trouvé sa démonstration tellement ...., et toi ? (1. convainquant 2. convaincant)

c. Si tu avais fait cela la semaine .... ton anniversaire, tu aurais eu plus de monde ! (1. précédant 2. précédent)

d. Le climat du Sud de la France .... beaucoup de celui du Nord, je vous conseille de prévoir des vêtements légers. (1. différant 2. différent)

e. Aujourd'hui, il y a assez peu de pays .... dans le monde. (1. émergeant 2. émergent)

3 **Créez une phrase à trous à partir des mots suivants. Utilisez une seule des deux formes et le plus de mots possibles. Une fois que vous aurez créé votre phrase, passez-la à votre voisin qui essaiera de trouver la solution !** 📝

adhérant / adhérent – communiquant / communicant – excellant / excellent – influant / influent – fabriquant / fabricant

---

Pour caractériser, on peut utiliser :

• **un participe présent :**

– Il peut avoir une **forme composée** (« ayant » ou « étant » + participe passé) qui indique une **antériorité**. EXEMPLE : *Nos voisins étant partis en vacances, nous ne pourrons pas les inviter.*

– Il est surtout utilisé **à l'écrit**, dans la presse, la correspondance ou la langue administrative.

– Il peut remplacer la **relative avec « qui »**. EXEMPLE : *C'est un homme ayant (qui a) des qualités insoupçonnées.*

– Il peut aussi exprimer la **cause**. Dans ce cas, il remplace « comme » ou « étant donné que ». EXEMPLE : *Ayant travaillé à Montréal, elle a déjà plusieurs expériences d'actions de médiation.*

• **un adjectif verbal :**

– Il est formé à partir d'un verbe et **s'accorde**, comme un adjectif, avec le nom qu'il qualifie. EXEMPLE : *des enfants charmants.*

– Il peut quelquefois s'écrire différemment du participe présent. EXEMPLE : *En Asie, il fait parfois une chaleur suffocante.*

➤ Précis de grammaire, p. 198

Les relations familiales en expression

• avoir un air de famille
• se ressembler comme deux gouttes d'eau
• être chien et chat
• laver son linge sale en famille
• régler des comptes en famille
• C'est son père tout craché !
• Tel père, tel fils !
• être un bon père de famille
• la famille tuyau de poêle
• être frère de sang
• être un frère pour quelqu'un

4

Dessinez !

a. Par deux, choisisse[z] une expression et dessinez-la de manièr[e] amusante.
b. Écrivez un exemple pour aider à la compréhension.
c. Partagez vos expressions et formez un recueil.

La vie sociétale

- un habitant, un ménage, une ménagère
- une société, une communauté, une collectivité
- résider, habiter, demeurer, vivre, loger
- l'habitat, le logement, l'hébergement
- le miroir de / le reflet de (la société)
- être actif, non actif, diplômé, ouvrier, salarié, chômeur, SDF, riche, pauvre, fonctionnaire
- un emploi précaire, la précarité
- vivre en-dessous du seuil de pauvreté
- vivre au-dessus de ses moyens
- être conditionné par son niveau de vie
- un statut, un rang social, une classe sociale, une catégorie professionnelle
- le surendettement, un minimum social

La vie familiale

- un mari, une femme, un époux, une épouse
- être fiancé, marié, pacsé, concubin, en union libre
- les fiançailles, l'union, le mariage, le PACS
- être divorcé, séparé, dépacsé, veuf
- la séparation, la rupture, le divorce
- avoir un lien de parenté, être parent
- être l'aîné, le cadet, le benjamin (de)
- faire partie d'une tribu, d'une fratrie
- une famille monoparentale, recomposée, homoparentale
- le modèle, la cellule, la structure familiale
- élever, éduquer, nourrir
- aimer, admirer, aduler
- haïr, déplaire, mépriser, détester

1 Décrivez votre société.

a. Par deux, cherchez quelques statistiques pour décrire votre société.
b. Puis, rédigez un court article en utilisant un maximum de mots ci-dessus.

2 Synonymes

a. Dans la liste ci-contre, retrouvez les mots synonymes de :
– apprivoiser
– un conjoint
– une dissolution
– un peuple
– un mannequin
b. Expliquez les différences de contexte en donnant des exemples.

Les normes et les cadres

- une institution, un système, une règle
- le « vivre ensemble », la conscience collective
- un cadre imposé, une conduite fixée
- un comportement, une attitude, des manières
- un habitus, une habitude, un usage, une coutume, un rite, une pratique, un mode
- une loi, un principe, un ordre, un règlement
- transgresser, franchir, outrepasser
- aller au-delà de, enfreindre, dépasser les limites / les bornes (fam.)
- l'étiquette, la politesse, la bienséance
- la civilité, le respect, la convenance
- incarner des valeurs
- se raccrocher à des valeurs

3 Classez les valeurs.

a. Par deux, échangez autour des valeurs de votre société.
b. Faites deux colonnes : indiquez des comportements que vous acceptez et d'autres qui dépassent ces valeurs.

Les structures sociétales

Caractériser une société imaginaire

○ En groupes, vous inventez une société imaginaire dont les comportements et les codes vous paraissent « anormaux ». Vous caractérisez leur mode de vie en donnant des informations précises sur leurs relations sociales et familiales. Vous pouvez interviewer certains membres de cette communauté.

La minute culturelle

1. Chanson, roman, série ou film ? Attribuez à chaque titre sa catégorie.

a. *La Famille Bélier*   b. *Toute une famille*
c. *La Haine de la famille*   d. *Famille*

2. Que trouve-t-on dans ces musées à Paris ?

a. le musée du quai Branly   b. le musée Carnavalet
c. le musée d'Orsay

3. Qu'ont-ils peint ? Donnez le titre d'une œuvre pour chacun de ces artistes.

a. Henri Matisse   b. Claude Monet
c. René Magritte   d. Paul Gauguin

4. À votre avis ?

L'artiste Michel Paysant et les physiciens Giancarlo Faini et Christian Ulysse (CNRS) ont créé un art nouveau et microscopique : la lithographie électronique haute résolution. Le principe était de créer des œuvres (sculptures, reproductions, lithographies, etc.) pouvant tenir sur un grain de sable, voire plus petit ! Ce qui a vite été un petit musée des poussières itinérant dans le monde entier (notamment au Louvre ou à Pékin en 2014) a permis aux visiteurs d'observer les plus petites œuvres du monde. Quel était l'ordre de grandeur ?

a. le centimètre   b. le millimètre
c. le micromètre

Réponses :
1. a. film français – b. série québécoise – c. roman de Catherine Cusset – d. chanson de Jean-Jacques Goldman
2. a. C'est le musée des arts et civilisations d'Afrique, d'Asie, d'Océanie et des Amériques. – b. C'est le musée de l'histoire de la ville de Paris. – c. C'est un musée de peintures. On y trouve beaucoup de peintures impressionnistes.
3. a. *La Danse* ; *La Musique* ; *Fenêtre à Tahiti* – b. *Impression, soleil levant*; *Nymphéas* – c. *Les Amants*; *La Trahison des images* – d. *Vairumati*; *Portrait de l'artiste au Christ jaune*
4. c.

Détente lexicale

Avec le jeu *d'Art d'Art*, découvrez le monde de l'art ! À la fois amusant et instructif, ce jeu permet à tous, amateurs et néophytes, de découvrir les œuvres comme les artistes !

Vous êtes ici en charge d'une collection de précieuses œuvres d'art qu'il va falloir préserver et enrichir. Cependant, le but du jeu n'est pas seulement d'accumuler les tableaux de maîtres, mais aussi d'acquérir un maximum de popularité. Astuce et stratégie seront les atouts de votre réussite pour devenir le plus célèbre des conservateurs de musée.

Attention, c'est votre tour !

Le mot juste

> Décrivez de façon précise une peinture ou œuvre d'art que vous connaissez bien. Utilisez le lexique adapté.
> Exemples : tons, abstrait, contrastes...

Le préfixe

Sur une feuille, écrivez le plus de mots commençant par le « art »...
Exemples : artichaut, artistique...

Le petit BAC

> Trouvez des prénoms ou noms d'artiste qui commencent par chaque lettre de l'alphabet.
> Exemple : A comme Auguste Renoir.

Jeux de mots, jeux de sons !

« D'art d'art »

Trouvez le **calembour** ! Ici, c'est une expression qui signifie « très vite ».

Créez des calembours à partir des phrases suivantes.

a. *L'été était très chaud.* – b. *Son jeu nous plaît.* – c. *Mon frère est masseur.* – d. *Il accepte les chèques.* – e. *Le chat sera battu.*

Réponses : a. Les thés étaient très chauds. – b. Son genou plaît. – c. Mon frère et ma sœur. – d. Il accepte l'échec. – e. Le chasseur abattu.

Reçu 5 sur 5 !

Dans cette unité, retrouvez :

1 **verbe** troublant : ....
1 **chiffre** qui vous a laissé perplexe : ....
1 **mot** gênant : ....
1 **artiste** qui vous a interpellé : ....
1 **adverbe** surprenant : ....

Complétez et comparez avec votre voisin pour justifier vos choix.

À vous de décoder... une sculpture

JOURNEE DE LA FEMME
Au musée du Louvre-Lens
1 jour, 1 œuvre

Belle et intelligente, raffinée, humaniste et cultivée, c'est une femme de son temps que nous donne à voir et admirer le sculpteur Augustin Pajou.

www.facebook.com

○ **Pour mieux comprendre cette sculpture, ayez le déclic culturel !**

  a. Qui est-ce ?

  b. Pour quelle raison représente-t-elle « la journée de la femme » ?

  c. Êtes-vous d'accord avec la description proposée ? Que changeriez-vous ?

  d. Connaissez-vous d'autres sculptures de femmes qui auraient pu représenter une telle journée ?

C'EST À VOUS !

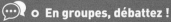 ○ **En groupes, débattez !**
Selon vous, l'art doit-il s'impliquer dans les grandes causes du monde ? Peut-il servir à symboliser un événement ? Exprimez votre point de vue et complétez ou illustrez les arguments des uns et des autres.

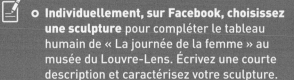 ○ **Individuellement, sur Facebook, choisissez une sculpture** pour compléter le tableau humain de « La journée de la femme » au musée du Louvre-Lens. Écrivez une courte description et caractérisez votre sculpture.

C'est pas du luxe !

06

Adoptez de bons réflexes !

▶ Décrivez la photo. Vous fait-elle rêver ?

▶ Regardez la vidéo. Quel est le quotidien de Benjamin Lesage : que fait-il ? où vit-il ? pourquoi ?

Drôle d'expression !

▶ Pour vous, qu'est-ce qui rime avec « argent » ? Et dans la vidéo ?

▶ Diriez-vous que cette personne a « les pieds sur terre » ?

Entre nous...

▶ Benjamin dit qu'il a décidé de « vivre son utopie ». Qu'est-ce que cela signifie ? Est-ce votre vision de l'utopie ?

▶ D'après vous, la simplicité a-t-elle des vertus ? lesquelles ?

106

Les pieds sur terre

1 (Réalités

Se repérer
- La France, championne du luxe

Prendre position
- L'envers du décor
- Une affaire de goût ?

S'exprimer
- Exprimer le dégoût, l'écœurement
- Évaluer un produit, un service

2 (Utopies

Décrypter
- Retour à la terre
- Dans tes rêves !

Interpréter
- Les sentiments dans un texte littéraire

S'exprimer
- Atelier culturel
  Décoder un poème

1(Réalités

La France, championne du luxe

Doc. 1

 Le Comité Colbert

www.rtl.fr

Doc. 2

L'argent secret du luxe

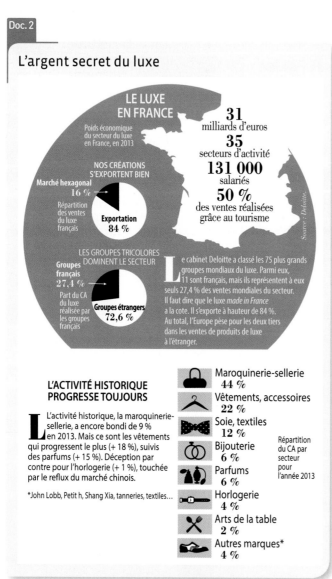

LE LUXE EN FRANCE

Poids économique du secteur du luxe en France, en 2013

31 milliards d'euros
35 secteurs d'activité
131 000 salariés
50 % des ventes réalisées grâce au tourisme

Source : Deloitte.

NOS CRÉATIONS S'EXPORTENT BIEN

Marché hexagonal **16 %**

Répartition des ventes du luxe français

Exportation 84 %

LES GROUPES TRICOLORES DOMINENT LE SECTEUR

Groupes français **27,4 %**

Part du CA du luxe réalisée par les groupes français

Groupes étrangers 72,6 %

Le cabinet Deloitte a classé les 75 plus grands groupes mondiaux du luxe. Parmi eux, 11 sont français, mais ils représentent à eux seuls 27,4 % des ventes mondiales du secteur. Il faut dire que le luxe *made in France* a la cote. Il s'exporte à hauteur de 84 %. Au total, l'Europe pèse pour les deux tiers dans les ventes de produits de luxe à l'étranger.

L'ACTIVITÉ HISTORIQUE PROGRESSE TOUJOURS

L'activité historique, la maroquinerie-sellerie, a encore bondi de 9 % en 2013. Mais ce sont les vêtements qui progressent le plus (+ 18 %), suivis des parfums (+ 15 %). Déception par contre pour l'horlogerie (+ 1 %), touchée par le reflux du marché chinois.

*John Lobb, Petit h, Shang Xia, tanneries, textiles...

Maroquinerie-sellerie **44 %**

Vêtements, accessoires **22 %**

Soie, textiles **12 %**

Bijouterie **6 %**

Parfums **6 %**

Horlogerie **4 %**

Arts de la table **2 %**

Autres marques* **4 %**

Répartition du CA par secteur pour l'année 2013

D'après *Hors-série Capital* – janvier-février 2015.

Doc. 3

Le luxe alimentaire, une singularité française

À l'heure où la France connaît une grave crise économique, les filières d'ex-
5 cellence restent pourvoyeuses de richesses et d'emplois. Tel est le cas du luxe ali-
10 mentaire, rassemblant un ensemble de métiers [...] qui se distinguent par la recherche de l'excellence gastronomique pour satisfaire la demande d'une clientèle de gourmets.

15 [...] À travers cet ouvrage, il s'agit de mieux comprendre ce qui apparaît [...] comme une évidence : la singularité française en matière de luxe alimentaire.

Ce secteur est aujourd'hui confronté à un
20 ensemble de défis [...].

Dans le contexte de la mondialisation éco-nomique, la France et les entreprises fran-çaises peuvent tirer leur épingle du jeu en jouant sur la valeur culturelle des produits
25 d'exception, dont l'ancrage historique et géographique apparaît comme un gage de qualité. Ainsi, la valorisation patrimoniale et touristique des lieux de production contri-bue aujourd'hui à la reconnaissance de l'ori-
30 ginalité, de la rareté et de l'excellence des produits alimentaires de luxe. Le luxe ali-mentaire français devient alors un véritable outil de développement territorial.

Vincent Marcilhac, *Le Luxe alimentaire. Une singularité française*, Presses Universitaires de Rennes, 2012.

Le lu...
alimenta...
Une singularité f...

Préface de Jean-Rol...

1 Repérez les informations ! 47

Observez, lisez et écoutez les documents.

a. Le luxe est-il définissable ?

b. Quels sont les produits de luxe ?

c. Comment se porte l'industrie du luxe actuellement ?

d. À quoi se rapportent les chiffres des documents ?

e. Quels secteurs d'activités favorisent la vente de produits de luxe ?

2 Soyez curieux !

a. Citez les termes qui traduisent la stratégie des entreprises françaises dans l'industrie du luxe.

b. Quels sont les produits qui connaissent la meilleure progression ? Justifiez.

c. Les symboles du luxe sont-ils partagés par tous les pays ?

d. D'après vous, quelle peut être la singularité française en matière de luxe alimentaire ?

➤ La comparaison, p. 112

Doc. 4

Les tendances actuelles

Que nous révèle l'étude sur la santé du secteur du luxe ?

L'étude montre que tous ces groupes du luxe résistent très bien à une consommation en repli et
5 particulièrement les groupes français. [...]

La place de la France dans l'industrie du luxe est-elle menacée ?

Vu les mastodontes que nous possédons en France, les conglomérats qu'ils représentent en nombre de
10 marques, et la quantité de barrières à l'entrée sur ces marchés-là [...], je ne pense pas que la France puisse être détrônée dans les années qui viennent.

Quelles sont les grandes tendances qui animent le secteur du luxe au niveau mondial ?

15 La première, c'est que le marché est très porté par le tourisme. Pour la France, la moitié des ventes de biens de luxe vient du tourisme et dans ces touristes viennent en premier les Chinois [...] et en deuxième les Russes.

20 Autre grande tendance corrélée à la première : sachant que la consommation de luxe est principalement portée par les BRICS (Brésil, Russie, Inde,

1. Note de la rédaction.

Chine et Afrique du Sud, ndlr[1]), les groupes de luxe ont tendance à aller ouvrir des magasins localement
25 dans ces pays, car ils se sont rendu compte que cela augmente la consommation des touristes. Mais ce qui a changé au cours des dernières années dans leur approche des pays émergents, c'est qu'avant ils mettaient en place des ouvertures globales (par
30 exemple, ils se disaient : *« On ouvre en Chine »*) alors que maintenant ils suivent une approche personnalisée ville par ville, en différenciant par exemple la stratégie mise en place à Shanghai, et celle mise en place à Pékin. [...] De la même façon, les marques
35 adaptent leurs produits aux coutumes locales. [...]

La troisième tendance, c'est qu'il y a de la part des marques grand public une propension à vendre de plus en plus de produits en adoptant les codes et les attributs du luxe. Donc les grandes marques de
40 luxe sont obligées de se différencier en proposant des produits ou des services exclusifs, comme la customisation. Ainsi, Louis Vuitton a lancé la Maison du luxe à Shanghai, dans laquelle les consommateurs se rendent sur invitation et ont l'opportunité
45 d'acheter des sacs designés comme ils le souhaitent.

Claire Bouleau, « Pourquoi la France est championne du luxe et continuera de l'être », www.challenges.fr, 16 mai 2014.

1 Posez-vous les bonnes questions !

a. D'après l'interview, peut-on être confiant quant à l'avenir du luxe en France ?

b. Quel est le marché porteur du luxe français ?

c. Quelle est la stratégie des groupes français ?

2 Soyez curieux !

a. Trouvez un verbe et un nom qui montrent la force du luxe français.

b. Comment les marques grand public réussissent-elles à faire preuve de singularité ?

c. Comment comprenez-vous cette expression « la quantité de barrières à l'entrée sur ces marchés-là » (l. 10-11) ? Donnez des exemples.

d. Quel est le lien entre tourisme et luxe ? Le constatez-vous dans votre pays ?

➤ La comparaison, p. 112

Avez-vous l'esprit d'analyse ?

→ Vous allez poursuivre un travail sur le **commentaire**. Lisez l'encadré ci-contre, puis suivez les étapes pour commenter les documents 1 et 2 et **comparer les données** (entre et au sein des documents).

❶ Seul, repérez les données, statistiques et valeurs (euros, pourcentages...) de chaque document.

À deux, échangez !

❷ Comparez le traitement de ces données (différences, similitudes).

En classe, échangez !

❸ Expliquez et classez ces données (évolutions, etc.).

Le commentaire

✓ Lire les informations satellites
✓ Décrire des données
✓ Expliquer des données

Pour noter des évolutions :
- la hausse : *augmenter, s'élever, progresser, s'accroître*
- la baisse : *fléchir, diminuer, baisser, décroître, décliner*
- la variation / l'évolution : *varier, évoluer*

▶ U3 : formuler des hypothèses
▶ U6 : comparer des données
▶ U9 : organiser un plan détaillé
▶ Fiche pratique, p. 194

➤ Cahier d'activités, **unité 6**

L'envers du décor

Doc. 1

La face cachée du luxe

Le langage utilisé par les marques pour qualifier le luxe – qualité, créativité, patrimoine, exclusivité, pour ne citer que quelques qualificatifs –
5 se contente de décrire ses contours. Aucun de ces termes n'explique d'où vient précisément le luxe. Aucun ne parvient à saisir la vision et l'engagement, la recherche d'excellence et
10 d'innovation qui sont justement l'apanage du secteur. Et c'est là que le bât blesse : le luxe n'est pas une étiquette, il est le fruit d'un processus, celui de se montrer à la fois le meilleur de sa
15 catégorie et de chercher à sortir de l'ordinaire.

Il est littéralement l'« extra-ordinaire » ou plus simplement un antidote au quotidien de nos vies.

20 Pour le client, le luxe se vit par contraste. Sa rareté ne réside pas seulement dans son approvisionnement limité et son accès exclusif, mais aussi dans la rareté de notre expérience à
25 son égard.

Palgrave Macmillan, *Real Luxury: How Luxury Brands Can Create Value for the Long Term,* août 2014.

Doc. 2

Où finissent les invendus du luxe ?

Jetés dans une gigantesque fosse, les vêtements ou chaussures du sellier, vite recouverts d'immondices venus d'ailleurs, sont brûlés. Aucune photo n'atteste de cette scène : les collaborateurs d'Hermès sont tenus au secret. Le sujet est un tabou de l'industrie du
5 luxe. Qui comprendrait qu'à l'heure du développement durable, et alors que la France traverse une crise économique, la maison procède ainsi pour se débarrasser de ses stocks ? Pourtant, elle n'a pas le choix. *« C'est la solution ultime quand toutes les autres ont été épuisées,* confirme un ancien dirigeant. *Hermès a*
10 *conscience qu'en termes d'image, c'est délicat, mais c'est la seule façon de conserver l'exclusivité de la marque. »*

Hermès n'est d'ailleurs pas le seul grand nom du luxe à détruire ses stocks. Chanel, Vuitton, Dior ou encore Prada font de même. [...]

Avant d'en arriver à cette étape spectaculaire, les marques de l'ul-
15 traluxe ont d'autres options, moins extrêmes, pour évacuer leurs marchandises. [...]

Les ventes privées restent pour les grandes marques, le meilleur moyen de déstocker massivement. [...] Ainsi Chanel enferme durant deux ans ses collections de prêt-à-porter et d'accessoires
20 dans un entrepôt, tenu secret, près de Chantilly, dans l'Oise. Les articles sont donc vieux de plusieurs saisons quand ils sont proposés à l'Espace Champerret, en novembre, à une liste de VIP prêtes à faire des heures de queue pour un sac à quelques centaines d'euros. [...] À ce tarif, la clientèle d'un jour accepte tout,
25 y compris de se changer en public faute de cabines d'essayage !

Thiébault Dromard, www.challenges.fr, 7 septembre 2013.

Doc. 3

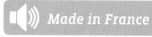 *Made in France ?*

http://download.arteradio.com

1 Posez-vous les bonnes questions ! 48

a. Quels sont les tabous du luxe ?

b. Le luxe est-il à la hauteur de sa réputation ?

c. Quelle est la finalité des pratiques de cette industrie ?

d. De quelle manière les propos de l'ancien dirigeant d'Hermès sont-ils introduits ?

2 Cap ou pas cap ? 💬

○ En groupes, vous faites un reportage sur le Comité Colbert. Chacun d'entre vous s'intéresse à un secteur précis du luxe (maroquinerie, parfums, automobile...).

○ Vous rapportez les propos des personnes que vous avez interrogées pour dénoncer les faces visibles et cachées du luxe à la française.

Rapporter des propos

Il dit / écrit / affirme / déclare / admet / certifie / révèle / constate que...

Il estime / prétend / pense / croit / considère / démontre que...

Il espère / regrette / déplore / avoue / avertit / insinue que...

Une affaire de goût ?

Doc. 1

Doc. 1

 L'esprit de la mode

www.franceculture.fr

1 Qu'avez-vous compris ? 49

a. Qu'est-ce que le luxe ?

b. Quel sentiment lui est souvent rattaché ?

c. Quelle est la question soulevée par la journaliste ?

d. Comment s'appellent les deux logiques qui s'opposent ? Que sont-elles ?

e. Au XVIIIe siècle, qu'implique l'« Empire des modes » ?

f. Qu'est-ce que Gustave Flaubert considère comme une « catastrophe » ? Pourquoi ?

g. Quelle est la problématique actuelle ?

h. Expliquez le phénomène de « course interminable ».

2 Soyez curieux !

a. Citez tout ce qui définit le rapport au luxe.

b. Quelle image avez-vous du *made in France* ?

c. « *Le goût, c'est ce qui est à la marge.* » Donnez des exemples et dites si vous êtes d'accord avec cette affirmation.

d. Quel serait pour vous « l'Empire des modes » d'aujourd'hui ?

LE + INFO

Dans le document, on utilise les deux adjectifs « **valorisé** » et « **valorisable** ».

Comment se forment-ils ? Qu'est-ce qui les distingue ? Pourquoi ?

Citez d'autres exemples.

Ça se discute !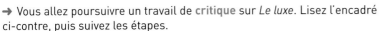

→ Vous allez poursuivre un travail de **critique** sur *Le luxe*. Lisez l'encadré ci-contre, puis suivez les étapes.

🡒 ⟮ Repérez les informations ! ⟯

▸ Lisez la transcription du document 1 ci-dessus et repérez l'objet et les auteurs de la critique, ainsi que l'élément précis critiqué.

🡒 ⟮ Repérez les éléments linguistiques ! ⟯

▸ Entourez les adjectifs qui permettent de critiquer.
▸ Comparez avec votre voisin !

🡒 ⟮ Rédigez ! ⟯

▸ Pour un journal hebdomadaire, rédigez une critique avec des éléments positifs et négatifs portant sur *Le luxe*. Employez des procédés impersonnels et utilisez des adjectifs.

La critique

✓ Comprendre l'objet critiqué
✓ Choisir l'élément à critiquer
✓ Définir l'implication de l'auteur

Pour critiquer, on peut utiliser des adjectifs à valeur :

• **positive :** *gigantesque, colossal, génial, sensationnel, exceptionnel, original, unique, audacieux, splendide...*

• **négative :** *grotesque, ridicule, lamentable, désastreux, immoral, indécent, indigne, excessif, superflu, inutile...*

▸ U3 : comparer des éléments
▸ U6 : utiliser des adjectifs
▸ U9 : opposer des termes

▸ 📖 Cahier d'activités, **unité 6**

Grammaire

La comparaison

→ Observez et relevez les éléments.

> Il s'agit de mieux comprendre le luxe. Il y a de la part des marques grand public une tendance à vendre de plus en plus de produits. Les ventes privées restent pour les grandes marques le meilleur moyen de déstocker massivement. On considérera Bailly comme une marque de luxe.

a. Lisez les phrases et soulignez toutes les formes de comparaison.

b. Dites si la comparaison porte sur un nom, un verbe, un adjectif ou un adverbe.

1 Mieux, meilleur, mauvais ou pire ? Faites l'accord, si nécessaire.

a. Les produits de luxe français ou étrangers ? Qu'est-ce qui se vend .... ?

b. Hermès résiste .... que ses concurrents au ralentissement du secteur du luxe.

c. Les employés des usines où l'on fabrique des produits de luxe travaillent parfois dans de très .... conditions.

d. Mais il semblerait que ce soit .... dans certaines usines de vêtements bon marché.

e. Internet permet au luxe de .... se vendre.

f. Les .... boutiques de Paris sont répertoriées dans ce guide.

2 **Par deux, exprimez des comparaisons à partir du document ci-contre.** 💬

3 Rédigez un texte court (80 mots) pour donner votre avis sur les habitudes de consommation en ligne : comparez les utilisateurs, les différences selon les époques, la progression des moyens de vente, etc.

Pour comparer :

• **On peut utiliser :**

– un **adjectif** / un **adverbe** : *plus / davantage – moins – aussi* + adjectif / adverbe + *que*

– un **nom** : *plus / davantage de – moins de – autant de* + nom + *que*

– un **verbe** : verbe + *plus – moins – autant* + *que*

– Avec le **superlatif**, on exprime une intensité qui porte sur un **adjectif** / un **adverbe** → *le / la / les + plus / moins* + adjectif / adverbe (+ *de* + une catégorie / un groupe) ; un **nom** → *le plus de / le moins de* ; un **verbe** → *le plus / le moins*

• **Il est possible d'exprimer une progression dans la comparaison :**

– *de plus en plus (de) / de moins en moins (de) ; toujours plus (de) / moins (de)*

• **Attention aux cas particuliers :**

– *bon → meilleur que* (comparatif de supériorité), *le meilleur* (superlatif)

– *bien → mieux* (comparatif de supériorité), *le mieux* (superlatif)

– *mauvais → plus mauvais que / pire que* (comparatif de supériorité), *le plus mauvais / le pire* (superlatif)

➤ Précis de grammaire, p. 200

Lexique

Le luxe en expression

- avoir des goûts de luxe
- se payer le luxe de
- être tendance
- se mettre sur son 31
- être tiré à quatre épingles
- mettre les petits plats dans les grands
- faire / voir les choses en grand
- C'est du luxe ! / Ce n'est pas du luxe !
- L'habit ne fait pas le moine.
- Des goûts et des couleurs, on ne dispute / discute pas.

4 Placez-en une !

Improvisez une conversation à deux, dans laquelle vous devrez placer un maximum de ces expressions le plus naturellement possible. Celui qui a utilisé le plus d'expressions a gagné !

L'industrie du luxe

- le monde, le champ, le secteur du luxe
- un marché
- une filière
- un conglomérat
- une marque
- un mastodonte
- une vente privée (en ligne)
- une délocalisation, délocaliser
- une sous-traitance, sous-traiter
- un stock
- la saison, la tendance, les nouveautés

1

Jeu des définitions !
Par deux, trouvez à quel mot ci-dessus correspond chaque définition.

a. C'est un ensemble d'entreprises ayant des activités diverses, ce qui leur assure une certaine sécurité financière.
b. Il s'agit de la vente, de l'achat de marchandises.
c. C'est le signe distinctif écrit, entre autres, sur l'étiquette d'un vêtement.
d. On peut y acheter des produits de luxe à des prix beaucoup moins élevés.

Les secteurs du luxe

- le prêt-à-porter
- la chaussure
- l'accessoire
- la maroquinerie
- la sellerie
- la soie, le textile
- la bijouterie
- le parfum
- l'horlogerie
- les arts de la table
- l'orfèvrerie

2

Top chrono !

En groupes, vous avez 3 minutes pour trouver un maximum de produits associés aux secteurs du luxe ci-dessus.

Qualifier le luxe

- appartenir à une filière d'excellence
- assurer la qualité
- développer un savoir-faire
- générer la singularité / la rareté
- faire preuve d'originalité
- proposer un service exclusif / l'exclusivité
- un produit d'exception
- une customisation
- le luxe authentique
- le luxe alimentaire, l'excellence gastronomique
- être un fin gourmet / gastronome

3

Dites le contraire !

Par deux, trouvez un ou plusieurs contraires pour les mots suivants :
– la rareté
– l'originalité
– l'excellence
– d'exception
– exclusif

Réalités

DÉJÀ ENFANT, IL ÉTAIT GAUCHER.

C. Beaunez

ACTIVITÉ RÉCAP'

Expérience mondaine

○ En groupes, vous racontez un dîner mondain, une exposition, un vernissage ou un défilé de mode. Chacun qualifie l'ambiance, le style, les invités, les vêtements et raconte une gaffe ou une anecdote. Comparez vos expériences !

Exprimer le dégoût, l'écœurement 💬

Jean-Yves Ferri et Manu Larcenet, *Le Retour à la terre*, tome 1 : *La Vraie Vie*, 2002.

1 Vous en pensez quoi ?

a. Décrivez la planche ci-dessus. Expliquez le contexte ainsi que les titres de la série et du tome.

b. D'après l'échange, qu'est-ce qui provoque ce sentiment de dégoût de vivre à la campagne ? D'après vous, quels sont les autres éléments qui peuvent dégoûter quelqu'un de vivre à la campagne ?

2 C'est du vécu !

a. Écoutez ces différentes situations. 🔊 50 Pour chacune d'entre elles, identifiez le contexte et dites sur quoi porte l'appréciation négative.

b. Pour chaque situation, relevez l'expression utilisée pour porter ce jugement négatif.

c. Question de son, question de style !
– Écoutez et concentrez-vous sur 🔊 51 la prononciation des pronoms « il », « ils » et « elle ». Qu'en déduisez-vous à propos du style familier ?
– Écoutez ces expressions. 🔊 52 Puis, répétez-les avec le style qui convient.

> **« Il » et « elle »**
> Dans le style familier, « il » et « elle » deviennent « i' » et « è' » devant une consonne ; « ils » et « elles » deviennent « i' » et « è' » devant une consonne et avec [z] de liaison devant une voyelle.

LE + EXPRESSION

- Ça ne sert à rien. C'est inutile / superflu.
- C'est répugnant / ignoble / abject / abominable / déplorable.
- Ça m'écœure / me dégoute / me répugne.
- C'est exagéré / excessif / de la folie / de l'abus. Ils abusent.
- C'est immoral / indécent / méprisable.
- ✗ C'est (trop) nul / pourri.
- ✗ Ça m'emballe pas.
- ✗ C'est pas génial / pas terrible.
- ✗ C'est dégueulasse* / dégueu*.

* grossier

3 En situation ! 💬

→ Sélectionnez l'une des situations suivantes et imaginez ce que vous diriez.

○ Au travail : un employé avec 30 ans d'expérience dans votre entreprise a été licencié en moins de 24 heures.

○ Dans votre immeuble : votre voisine de 90 ans a reçu la résiliation de son bail et est contrainte de quitter son appartement sous une semaine pour cause d'impayés.

○ Dans une boutique : vous êtes surpris par le prix excessif d'une paire de chaussures. Votre ami vous apprend en outre que cette marque exploite ses ouvriers. Vous réagissez auprès du vendeur.

Évaluer un produit, un service

Évaluation récente :

5 sur 5 : « Envoi hyper rapide et soigné. »
William, 10 juillet 2015

5 sur 5 : « Produit conforme et en parfait état, je recommande ce vendeur. »
Justine, 10 juillet 2015

4 sur 5 : « Bonjour, livre conforme, bonne réception. Merci. »
Fab1985, 9 juillet 2015

5 sur 5 : « Merci pour le livre reçu en très bon état et dans les délais. »
David Martin, 9 juillet 2015

4 sur 5 : « Un peu déçu. Livre arrivé *in extremis* et abîmé, à cause de la Poste, en raison d'un emballage insuffisant pour protéger l'ouvrage (enveloppe plastifiée sans bulles). Merci tout de même de votre service, de votre accueil courtois et de votre entreprise de recyclage des livres pour une bonne cause. »
Frédéric2005, 8 juillet 2015

1 Vous en pensez quoi ?

a. Qu'est-ce que les consommateurs évaluent ?

b. Observez la structure des phrases de chaque commentaire. Quel est le style adopté ?

c. Commandez-vous des produits sur Internet ? En général, êtes-vous satisfait de vos commandes ?

LE + EXPRESSION

- C'est parfait. Je suis très satisfait / content de…
- C'est ce que je voulais / espérais / attendais.
- Ça me convient / Ça me va parfaitement.
- Je suis déçu / Je ne suis pas (du tout) satisfait du service.
- Ça me gêne / me pose problème.
- Je suis (très) mécontent / furieux / hors de moi.
- Ce n'est pas ça. C'est nul / mauvais / insuffisant / insupportable.
- C'est un / le comble !
- J'ai à me plaindre de / Je voudrais me plaindre de…
- produit en (très) bon état ≠ produit en (très) mauvais état

3 internautes sur 5 ont trouvé ce commentaire utile.

★★★★★ **Splendide**

Par Véronique, le 14 mai 2015

Format : Broché | Achat vérifié

Très bel ouvrage, 45 €, pour les adeptes d'Yves Saint Laurent, magnifiquement fait. Un plaisir supplémentaire si, comme moi, on a vu l'exposition lui ayant été consacrée au Petit Palais il y a quelques années (2008 je crois). Splendides photos de toute la collection de l'exposition, croquis… Pour les inconditionnels de la mode et d'YSL.

Remarque sur ce commentaire | Avez-vous trouvé ce commentaire utile ? **Oui** **Non**

2 internautes sur 3 ont trouvé ce commentaire utile.

★★★★☆ **Complet**

Par Malik, le 12 juin 2015

Format : Broché | Achat vérifié

C'est très complet, un « beau livre » par sa présentation et sa qualité. Une biographie assez complète. Un excellent livre sur le sujet, bien illustré. Une base, un indispensable sur Yves Saint Laurent.

Remarque sur ce commentaire | Avez-vous trouvé ce commentaire utile ? **Oui** **Non**

2 C'est écrit noir sur blanc !

→ Vous avez commandé deux produits de luxe sur deux sites Internet différents.

○ Vous êtes enthousiasmé par le produit reçu, qui correspond exactement à la description faite en ligne. Vous êtes toutefois un peu déçu de la lenteur du service de livraison.

○ Vous êtes mécontent car le deuxième produit ne correspond pas au descriptif. La qualité est médiocre et le produit est arrivé dans un emballage en mauvais état.

→ Écrivez une évaluation sur chaque site Internet avec des commentaires précis.

Retour à la terre

Doc. 1

LES VILLES
LES PLUS VERTES
DE FRANCE

PALMARES 2014

Expert jardins | UNEP les entreprises du paysage

1 Ouvrez l'œil !

Cochez les phrases correctes et justifiez avec les éléments de l'infographie.

❏ La région française qui préserve le mieux la biodiversité est la région Sud-Ouest.

❏ C'est dans le Sud de la France que le nombre d'espaces verts par habitant est le plus important.

❏ Nantes est la ville la plus verte de France, après Angers.

❏ Quatre villes ont reçu plus de ¾ des points au palmarès.

❏ Dans chaque grande ville, il y a moins d'un arbre par habitant.

❏ Le budget annuel moyen par ville consacré aux espaces verts est inférieur à 4 millions d'euros.

2 Info ou intox ?

a. Qui a publié cette infographie ? Dans quel but, selon vous ?

b. Qu'est-ce que l'éco-pastoralisme ? Donnez d'autres exemples.

c. Quels sont les mots qui introduisent une individualité ?

3 Entre nous...

Si votre pays faisait un tel classement, qu'en serait-il pour votre ville ? Illustrez vos idées par des exemples précis. Pensez-vous qu'une ville doive être riche en espaces verts ? Pourquoi ?

La minute grammaticale

« Chaque » devant un nom exprime une individualité.
Exemple : chaque habitant, chaque personne, etc.

Pour exprimer une division, on utilise la préposition « par ».
Exemple : par habitant, par personne, etc.

#PALMARÈS
TOP 10 des villes les plus vertes de France
1. ANGERS 95.5*
2. NANTES 83*
3. LIMOGES 77*
4. LYON 76.5*
5. METZ 74.5*   8. REIMS 72*
6. BREST 73.5*   9. NANCY 69.5*
7. AMIENS 73*   10. STRASBOURG 68.5*
*note obtenue sur un barème de 100 points

#EN SYNTHÈSE
5 chiffres-clés à retenir

5 millions d'€
C'est la somme que chaque grande ville investit chaque année, en moyenne, dans la création et l'aménagement de nouveaux espaces verts.

31 m²
C'est la superficie moyenne d'espaces verts par habitant dans les 50 + grandes villes de France.

47€
C'est le budget moyen par habitant consacré aux espaces verts (création + entretien) par les 50 + grandes villes de France.

540 ha
C'est la surface moyenne d'espaces verts urbains dans les 50 + grandes villes de France.

0,2
C'est le nombre moyen d'arbre par habitants au sein des 50 + grandes villes de France.

#PATRIMOINE VERT
Les 10 villes disposant du plus important « patrimoine vert » accessible au public
1. ANGERS   4. DIJON
                   5. CAEN
2. LIMOGES   6. NANTES
                   7. AMIENS
                   8. CRÉTEIL
3. BREST   9. MONTPELLIER
                   10. LE HAVRE

La densité d'espaces verts par habitant va de 3 m² à 60 m² par habitant selon les villes !
Les moins bien loties sont les villes méridionales.

#BIODIVERSITÉ
Les 10 villes les plus exemplaires en matière de préservation de la biodiversité
1. BORDEAUX   4. NANCY
                   5. METZ
2. ANGERS   6. BREST
                   7. VILLEURBANNE
                   8. NANTES
3. MARSEILLE   9. LYON
                   10. REIMS

L'éco-pastoralisme est en plein essor : cette démarche consiste à remplacer les tondeuses... par des moutons ou des vaches !
11 grandes villes s'y essayent déjà avec succès, en particulier dans le grand Ouest.

#DÉCHETS VERTS
Les 10 villes championnes du traitement des déchets verts
1. BREST   4. NANCY
                   5. RENNES
                   6. ANGERS
2. PARIS   7. NANTES
                   8. LYON
                   9. AMIENS
3. METZ   10. BORDEAUX

À Brest, la distribution de composteurs aux associations et aux particuliers a donné naissance à un réseau de citoyens s'échangeant trucs et astuces. Metz, quant à elle, s'est spécialisée dans le développement de composteurs aux pieds des immeubles collectifs.

D'après http://lesclesdedemain.lemonde.fr

Dans tes rêves !

Doc. 1

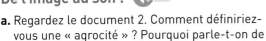
Je fais des rêves de résistance

www.franceinter.fr

Doc. 2

JEUDI 9 JUILLET 2015

R-URBAN
- présente -

JARDIN PLANÉTAIRE / JARDIN CITOYEN // ECO COMMUN //
À 18:30
À L'AGROCITÉ
4-12 rue Jules Michelet, Colombes

JARDIN PLANÉTAIRE
L'ÉCONOMIE DU VIVANT

Discussion à 3 voix avec

//Gilles CLÉMENT
Jardinier, Botaniste, Paysagiste partisan d'une écologie humaniste et défenseur de l'idée de jardin planétaire

//coloco
Collectif qui réunit Paysagistes, Urbanistes, Botanistes, Jardiniers et Artistes en un atelier des paysages contemporains

//aaa
(atelier d'architecture autogérée)
Initiateur de R-Urban

R-URBAN

1 De l'image au son ! 🔊 53

a. Regardez le document 2. Comment définiriez-vous une « agrocité » ? Pourquoi parle-t-on de discussion à trois voix ? Écoutez le document 1. Quels sont ses liens avec l'affiche ?

b. Qui est le 1er invité ? Donnez un maximum d'informations à son sujet.

c. Quelle conception du jardin cette personne a-t-elle ?

d. Qui est le 2e invité ? Que savez-vous de lui ?

e. Expliquez le titre de cette émission : « Je fais des rêves de résistance ».

2 À demi-mot...

a. Les deux invités sont-ils utopistes ?

b. Qu'est-ce qui suscite le fait d'être « en mouvement » ?

c. Comment, d'après l'invité principal, sommes-nous des « jardiniers planétaires » ? Qu'en pensez-vous ?

Autrement dit... 💬

→ Vous allez poursuivre votre travail sur le **compte-rendu** du document 1 ci-dessus. Lisez l'encadré ci-contre, puis suivez les étapes pour **construire un plan détaillé.**

① À partir de la transcription, surlignez le thème et les mots-clés.

② Relevez les informations essentielles et les idées secondaires liées à ces informations.

Vérifiez que les idées essentielles sont liées au thème !

③ organisez votre plan : thème + 2 idées essentielles + 2 idées secondaires par idée essentielle.

Comparez avec votre voisin !

Le compte-rendu

✓ Relever le thème général
✓ Dégager les idées essentielles et secondaires
✓ Lier des mots-clés aux idées

Pour construire un plan détaillé, il faut :

• se détacher de l'organisation du texte d'origine

• nominaliser et répartir, en suivant sa propre logique, les idées essentielles et secondaires

• présenter son plan clairement : détacher l'introduction, sauter une ligne à la fin de chaque partie

▸ U3 : rédiger une introduction
▸ U6 : construire un plan détaillé
▸ U9 : rédiger une des deux parties
▸ Fiche pratique, p. 191

➤ 📖 Cahier d'activités, **unité 6**

Les sentiments dans un texte littéraire

Un pas de côté

Je m'étais promis avant mes quarante ans de vivre en ermite au fond des bois.
Je me suis installé pendant six mois dans une cabane sibérienne sur les rives
du lac Baïkal, à la pointe du cap des Cèdres du Nord. Un village à cent vingt
kilomètres, pas de voisins, pas de routes d'accès, parfois, une visite. L'hiver,
5 des températures de – 30 °C, l'été des ours sur les berges. Bref, le paradis.
J'y ai emporté des livres, des cigares et de la vodka. Le reste – l'espace,
le silence et la solitude – était déjà là.
Dans ce désert, je me suis inventé une vie sobre et belle, j'ai vécu une existence
resserrée autour de gestes simples. J'ai regardé les jours passer, face au lac
10 et à la forêt. J'ai coupé du bois, pêché mon dîner, beaucoup lu, marché dans les
montagnes et bu de la vodka, à la fenêtre. La cabane était un poste d'observation
idéal pour capter les tressaillements de la nature.
J'ai connu l'hiver et le printemps, le bonheur, le désespoir et, finalement, la paix.
Au fond de la taïga, je me suis métamorphosé. L'immobilité m'a apporté ce que
15 le voyage ne me procurait plus. Le génie du lieu m'a aidé à apprivoiser le temps.
Mon ermitage est devenu le laboratoire de ces transformations.
Tous les jours j'ai consigné mes pensées dans
un cahier.
Ce journal d'ermitage, vous le tenez dans les mains.

S. T.

Sylvain Tesson
Dans les forêts de Sibérie

9 février

Je suis allongé sur mon lit dans la maison de Nina, rue
des Prolétaires. J'aime les noms de rues en Russie. Dans
les villages, on trouve la « rue du Travail », la « rue de la
5 révolution d'Octobre », la « rue des Partisans » et, parfois,
la « rue de l'Enthousiasme » où marchent mollement de
vieilles Slaves grises.

Nina est la meilleure logeuse d'Irkoutsk. Autrefois, pia-
niste, elle se produisait dans les salles de concerts de
10 l'Union soviétique. À présent, elle tient une maison d'hôte.
Hier elle m'a dit : « Qui eût cru que je me transformerais
un jour en usine à crêpes ? » Le chat de Nina ronronne sur
mon ventre. Si j'étais un chat, je sais le ventre où je me
réchaufferais.

15 Je suis au seuil d'un rêve vieux de sept ans. En 2003, je sé-
journai pour la première fois au bord du Baïkal. Marchant
sur la grève, je découvris des cabanes régulièrement espa-
cées, peuplées d'ermites étrangement heureux. L'idée de
m'enfouir sous le couvert des futaies, seul, dans le silence,
20 chemina en moi. Sept ans plus tard, m'y voilà.

Il faut que je trouve la force de repousser le chat. Se lever
de son lit demande une énergie formidable. Surtout pour
changer de vie. Cette envie de faire demi-tour lorsqu'on
est au bord de saisir ce que l'on désire. Certains hommes
25 font volte-face au moment crucial. J'ai peur d'appartenir
à cette espèce.

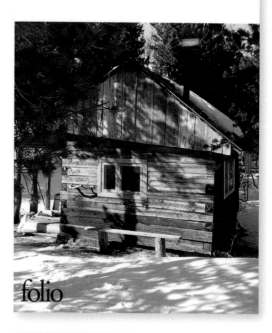

folio

LE + INFO

Sylvain Tesson est un écrivain et un voyageur
français. Il voyage la plupart du temps par
ses propres moyens, c'est-à-dire sans
le soutien de la technique moderne, en totale
autonomie. Ses expéditions sont financées
par la réalisation de documentaires, par
des conférences et par la vente de ses récits
d'expédition.

Le camion de Micha est chargé ras la gueule. Pour atteindre le lac, cinq heures de route à travers des steppes englacées : une navigation, par les som-
30 mets et les creux d'une houle pétrifiée. Des villages fument au pied des collines, vapeurs échoués sur des hauts-fonds. Devant pareilles visions, Malevitch écrivit : « Quiconque a traversé la Sibérie ne pourra plus jamais prétendre au bonheur. » Au
35 sommet d'une croupe, le lac apparaît. On s'arrête pour boire. Cette question après quatre rasades de vodka : par quel miracle la ligne du littoral épouse-t-elle aussi parfaitement les contours de l'eau ?

Sylvain Tesson, *Dans les forêts de Sibérie*, Gallimard, 2011.

1 À première vue !

a. Regardez la première de couverture. À votre avis, de quoi parle le livre ?

b. Observez les deux textes. Que sont-ils ? Selon vous, où sont-ils placés dans le livre ?

2 Posez-vous les bonnes questions !

a. Quelle expérience le narrateur a-t-il vécue en 2003 et en 2010 ? Pourquoi ?

b. Quelle est sa vision du « paradis » ?

c. Comment envisage-t-il l'ermitage ?

d. Que fait-il chez Nina ? Qui est-elle ? Que fait-elle ?

e. Que ferait-il s'il était un chat ?

➤ Exprimer des hypothèses et des conditions, p. 120

3 Entre les lignes...

a. Quels sont les sentiments que cette expérience procure au narrateur ?

b. Citez les passages qui évoquent une vision poétique de l'espace. Relevez une personnification.

c. Que signifie cette phrase : « *L'immobilité m'a apporté ce que le voyage ne me procurait plus.* » Êtes-vous du même avis ?

La minute phonétique

On dit « vodka » ou « votka » ?

Quand deux consonnes de nature différente (sourde et sonore) se touchent, l'une influence l'autre : c'est l'assimilation.

Comment prononcez-vous le « d » de « vodka » et le « g » de « des villages fument » ?

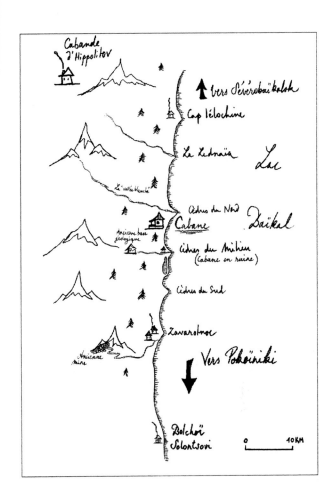

La minute lexicale

Une personnification

C'est attribuer des caractéristiques humaines à une chose inanimée.

➤ Fiche pratique, p. 195

C'EST À VOUS !

○ Par deux, reprenez les mots du texte qui décrivent un environnement calme et paisible.

○ Puis, choisissez un lieu qui évoque le bien-être. Décrivez-le, à la manière de Sylvain Tesson, en utilisant au moins une personnification.

REPÈRES LINGUISTIQUES

➤ ☐ Cahier d'activités, **unité 6**

Grammaire | **Exprimer des hypothèses et des conditions** | **Lexique**

→ **Observez et analysez.**

> « *Qui eût cru que je me transformerais un jour en usine à crêpes ?* »
> « *Si j'étais un chat, je sais le ventre où je me réchaufferais.* »
> « *L'artillerie russe pilonnerait le lac, la cabane n'en vibrerait pas plus.* »
> « *Il ne serait pas nécessaire de choisir entre notre faim de progrès technique et notre soif d'espaces vierges.* »

a. Relevez les verbes.

b. Qu'expriment-ils ?

1 **Aidez ce professeur à exprimer des conditions ou des hypothèses auprès de son étudiant.**

a. .... que tu fasses encore quelques efforts, tu finiras ton travail à temps.

b. .... lire cet ouvrage, tu ne comprendras jamais la théorie dont je te parle.

c. .... tu serais intéressé par un stage, fais-le moi savoir.

d. Si ton dossier était accepté, tu .... passer un entretien.

e. .... que ton projet de recherche soit retenu, tu recevrais une bourse.

2 **Répondez aux questions suivantes.**

a. Qu'auriez-vous fait si vous n'aviez pas décidé d'apprendre le français ?

b. Que feriez-vous si vous deviez vivre un mois sans argent ?

c. Si vous pouviez réaliser un de vos rêves, lequel choisiriez-vous ?

d. Retour dans le passé : qu'auriez-vous fait différemment ?

e. Changement d'identité : quelle nationalité auriez-vous voulu avoir à votre naissance ?

f. Aimeriez-vous ne jamais vous séparer d'un objet ? lequel ?

g. Quel serait votre plus grand moment de bonheur ?

3 **Écrivez un message à un ami en lui donnant tous les points positifs qu'il y aurait à partir marcher une semaine en forêt avec vous.**

Pour exprimer des hypothèses et des conditions, on peut utiliser :

• **le conditionnel pour une action imaginaire, éventuelle :**

– un rêve   – un souhait

• **certaines locutions pour exprimer des nuances d'hypothèse :**

– hypothèse avec une idée principale d'**opposition** : *quand bien même* + conditionnel / *même si* + indicatif

– condition **nécessaire** : *à condition que / pourvu que* + subjonctif

– hypothèse d'une **restriction** : *à moins que* + subjonctif

– hypothèse **douteuse** : *si tant est que* + subjonctif

– condition **minimale suffisante** : *pour peu que* + subjonctif

– hypothèse **choisie par le locuteur** : *en admettant que / en supposant que* + subjonctif

– *au cas où / pour le cas où / dans le cas où* + conditionnel

– *sans* (hypothèse niée) / *avec* + nom, pronom ou infinitif

• **dans les phrases avec « si », le conditionnel présent ou passé exprime :**

– une hypothèse **non réalisée** (conditionnel passé)

– une hypothèse **difficilement réalisable** ou **irréalisable** (conditionnel présent)

➤ Précis de grammaire, p. 201

L'espace naturel

• le désert
• la colline
• la steppe
• le sommet
• la taïga
• la futaie
• le littoral
• la berge, la rive
• le cap
• la grève
• les arbres centenaires
• les herbes folles
• la flore, la faune

1

Décrivez la nature.

a. Choisissez un espace naturel.

b. Imaginez une description de ce lieu.

c. Faites-le deviner à votre voisin.

Préserver l'environnement

- résister, sauvegarder, protéger
- se mettre en mouvement
- le développement durable
- les énergies renouvelables
- l'engrais naturel, le fumier, le compost
- un composteur
- l'élimination des déchets
- le traitement des déchets
- le recyclage, (se) recycler
- la qualité de l'eau
- l'éco-pastoralisme
- le jardin propre
- le reboisement
- le tri sélectif

Rêver d'ailleurs

- rêver de, aspirer à, songer à
- s'inventer / se créer une nouvelle vie
- changer de vie
- se métamorphoser, se transformer
- apprivoiser le temps
- regarder les jours passer
- consigner ses pensées
- se perdre dans ses pensées
- se promettre de
- faire volte-face, demi-tour

2 **Arrêtez les dégâts !**

Vous écrivez un court article sur les dégâts écologiques causés par l'homme. Pour cela, trouvez les problèmes aux solutions suivantes : *le reboisement, le recyclage, les énergies renouvelables, protéger*.

 Le rêve du citadin

Par deux, continuez cette histoire en ajoutant une action chacun votre tour. *Il se réveillerait un matin, n'irait pas travailler car il aurait décidé de changer de vie...*

Environnements utopiques en expression

- couper l'herbe sous le pied de quelqu'un
- battre la campagne
- se mettre au vert
- construire des châteaux en Espagne
- être au sommet de son art
- connaître une ville comme sa poche
- promettre monts et merveilles
- être dans les nuages
- Ce n'est pas la mer à boire !
- Il n'y a pas le feu au lac !

Utopies

 Qu'est-ce que ça signifie ?

Retrouvez l'expression dont il s'agit :
- aller à la campagne pour se reposer, changer d'air
- divaguer
- faire espérer des choses extraordinaires
- avoir le temps de faire quelque chose
- faire des plans impossibles ou irréalisables

ACTIVITÉ RÉCAP'

La rencontre improbable

○ Par deux, imaginez un dialogue entre un ermite qui n'a jamais mis un pied en ville et un citadin qui a toujours vécu en ville et déteste la nature. Les deux se rencontrent. Chacun émet des hypothèses ou des souhaits sur les choix de vie de l'autre.

La minute culturelle

Êtes-vous un expert du luxe ?

1. Lequel de ces trois parfumeurs n'a pas donné lieu à un film ?

a. Christian Dior   b. Coco Chanel
c. Pierre-François-Pascal Guerlain

2. Quelle chanteuse critique le luxe dans sa chanson « Je veux » ?

a. Anaïs   b. Zaz   c. Rose

3. Louis Vuitton, fondateur de la maison du même nom, était promis à un avenir de :

a. paysan   b. maréchal ferrant
c. menuisier

4. En quelle année a ouvert la première épicerie Fauchon, située place de la Madeleine à Paris ?

a. 1886   b. 1896   c. 1906

5. Quel célèbre joaillier a réalisé l'épée d'académicien de Jean Cocteau en 1955 ?

a. Chaumet   b. Chopard   c. Cartier

6. Quels sont les deux traditionnels cépages de la prestigieuse cuvée Dom Pérignon ?

a. chardonnay et pinot noir
b. cabernet sauvignon et merlot
c. chenin et syrah

Réponses : 1. c. – 2. b. – 3. c. – 4. a. – 5. c. – 6. a.

Détente lexicale

Racines morphologiques

Tous ces mots contiennent l'élément « di » (= jour). Associez-les à leur signification.

1. diurne
2. méridional
3. méridienne
4. jadis
5. quotidien

a. qui se fait tous les jours
b. autrefois
c. du Sud de la France
d. qui a lieu le jour
e. l'heure de midi

Réponses : 1. d. – 2. c. – 3. e. – 4. b. – 5. a.

 **caché**

Complétez ce texte et échangez avec votre voisin. Plusieurs propositions sont possibles.

Le 13 novembre 2014, un espace dédié à l'univers du .....(a)..... Pierre Cardin ouvrira ses portes dans le .....(b)..... du Marais, à Paris.

En 1970, le .....(c)..... – et accessoirement homme d'affaires – Pierre Cardin .....(d)..... l'Espace Cardin, un complexe devenu depuis un haut lieu où toutes les activités artistiques sont mises à l'honneur. Aussi, le .....(e)..... a annoncé l'ouverture imminente d'un musée réunissant quelques 200 modèles .....(f)..... de sa création, des accessoires de mode mais aussi du mobilier design, emblématiques de son œuvre.

Tout comme le premier musée ouvert en 2006 à Saint-Ouen, ce nouvel espace de 2000 m² sera baptisé « Passé-Présent-Futur ». Il *« retracera la .....(g)..... créatrice du grand couturier à travers la mode, les accessoires, les bijoux et le design et restituera l'élan avant-gardiste toujours en mouvement du célèbre couturier et son goût pour l'expérimentation »*, précise le communiqué envoyé par la .....(h)..... .

www.journaldesfemmes.com

Réponses : a. créateur – b. quartier – c. couturier – d. inaugure – e. styliste – f. haute-couture – g. passion – h. griffe

À chacun sa citation !

Avec qui êtes-vous le plus d'accord ? Pourquoi ? Par deux, échangez !

Coco Chanel
« Le luxe, ce n'est pas le contraire de la pauvreté mais celui de la vulgarité. »

Romain Duris
« Le luxe, c'est la liberté. »

Sylvain Tesson
« Vivre dans les futaies au bord de la plus grande réserve d'eau douce du monde est un luxe. »

Jeux de mots, jeux de sons !

« Coco Chanel » ou « choco canelle » ?

La **contrepèterie** est un jeu de mots qui consiste à permuter les sons dans une phrase afin de créer une autre phrase, souvent grivoise.

Trouvez les phrases cachées !

a. *Ce soir : airs à la mode !* – b. *Une femme qui s'endort...* – c. *C'est un sinistre mot.* – d. *Mieux vaut tard que jamais !*

Réponses : a. Ce soir : ode à la mer ! – b. Une dame qui sent fort... – c. C'est un ministre sot. – d. Vieux motard que j'aimais !

Reçu 5 sur 5 !

Dans cette unité, retrouvez :

1 chiffre qui vous a éberlué : ....

1 mot déconcertant : ....

1 exemple qui vous a fait sourire : ....

1 idée agaçante : ....

1 structure qui a attiré votre attention : ....

Complétez et comparez avec votre voisin pour justifier vos choix.

À vous de décoder... un poème

Cris sur le bayou[1]

Comme si c'est trop tard,
Comme si la bataille était perdue,
Tout le monde proche de
S'retourner de bord et
Courir se cacher dans le grand bois.
Comme si aucune graine
Poussait dans cette terre
Sèche et poussiéreuse
Et que la Saint-Médard s'annonçait
Sans pitié.
Comme si rien
Même bien amarré
Pouvait résister
De se faire garocher
D'un bord à l'autre
Dans ce vent grand comme
Le Plus Gros Ouragan.
Comme si la charité et l'espoir
Nous avaient abandonnés
Et que ni les hommes,
Ni les animaux, ni les plantes,
Ni les pierres, ni les microbes,

Ni les atomes, ni les soupçons
S'entendaient, mais se lançaient
Des grimaces et des insultes,
Des trahisons et des injures et
Des coups de poing dans le noir, [...]
Quand le vent est tombé brut, [...]
J'ai entendu un cri.

Un cri sur le bayou
Comme j'avais jamais entendu.
Fort et résonnant
Comme un cocodris au fond du marais,
Comme le roi des cocodris,
Ses poumons remplis de musique,
Splendide comme le cri d'un feurset
Courtisant le soir,
Comme un marlion
Au fin fond du ciel,
Un cri fier et beau, [...]
Un cri venant de
Loin, loin là-bas,
Loin, loin dans bayou.

Et mon cœur s'est mis
À battre comme pour

Casser ma poitrine.
Et sans faire le moindre petit train,
J'ai regardé autour de moi,
Furtif, me demandant si
Quelqu'un d'autre
L'aurait entendu

Aussi.

Aux éxilés de Chignectou venus jusqu'à la Pointe de Repos, 29 janvier, North Scott Ghetto.

Zachary Richard, « Cris sur le bayou », Faire récolte, UL Press, 2014.

1. Marécage du Sud de la Louisiane

o Pour mieux comprendre ce poème, ayez le déclic culturel !

a. Qui est l'auteur ? De quelle région vient-il ? Pour quoi est écrit ce poème ?

b. Relevez le lexique relatif à la nature et à l'environnement.

c. D'où vient le mot « garocher » ? Que signifie-t-il ?

d. Quels sentiments sont véhiculés dans ce poème ? Comment les percevez-vous ?

C'EST À VOUS !

 o Par deux, racontez !
Vous est-il déjà arrivé de vous cacher ? Quand ? Où ? Pourquoi ? Racontez cette histoire (vraie ou fausse) à votre voisin qui vous pose des questions pour obtenir un maximum de détails.

 o Individuellement, créez un poème à partir des informations précédentes. Décrivez l'environnement sonore et visuel. Coupez votre poème en deux : 1. la tension 2. le soulagement. Donnez-lui un titre.

PARTIE 1 — COMPRÉHENSION DE L'ORAL

Vous allez entendre deux fois un enregistrement sonore de 5 minutes environ. Lisez les questions, écoutez le document puis répondez en cochant (☑) la bonne réponse. 🔊

1. Quel est le thème de l'émission du jour ?
- ❏ les festivals culturels pour les enfants
- ❏ l'enseignement de la culture aux enfants
- ❏ la médiation culturelle pour les enfants

2. Qu'est-ce qui motive l'invité dans ses activités au sein de l'association ?
- ❏ transmettre sa passion
- ❏ parler de sa profession
- ❏ parler de ses goûts

3. Quelle est la spécificité du public enfant ?
....

4. Pour l'invité, qu'est-ce qui est décevant avec les adultes ?
....

5. Quels types de films peut-on montrer aux enfants ?
- ❏ n'importe quel film
- ❏ pratiquement tous les films
- ❏ seulement quelques films

6. Quel est l'objectif recherché par l'invité en proposant des films aux enfants ?
....

7. Quelle est la principale précaution prise par l'invité dans ses actions auprès du jeune public ?
- ❏ communiquer avec les enfants
- ❏ ne pas tout montrer aux enfants
- ❏ choisir les films à montrer aux enfants

8. Quels films l'invité refuse-t-il de montrer aux enfants ?
- ❏ les films qu'il ne montre pas non plus aux adultes
- ❏ les films non adaptés à leur âge
- ❏ les films pour adultes

9. À quel public l'invité propose-t-il des films présentant des stéréotypes ?
- ❏ aux jeunes enfants   ❏ aux lycéens
- ❏ aux étudiants

10. Qu'est-ce qu'il est possible de faire avec des films traitant de stéréotypes ?
- ❏ un travail sur les personnages
- ❏ un travail d'éducation à l'image
- ❏ un travail sur les faits historiques

11. Citez trois thématiques qui peuvent être abordées en étudiant les stéréotypes dans un film.
....
....
....

12. Selon l'invité, que peut-on éviter en éduquant très tôt les jeunes aux images ?
....

PARTIE 2 — COMPRÉHENSION DES ÉCRITS

Lisez le texte puis répondez aux questions.

Aurore Avarguès-Weber, un regard sur les abeilles

Charline Zeitoun : Vous avez reçu, en décembre dernier, une bourse L'Oréal-Unesco « Pour les femmes et la science » pour vos travaux sur la cognition des abeilles et pour votre capacité à transmettre votre passion pour la science. Que pensez-vous de ces prix réservés aux femmes ?

Aurore Avarguès-Weber[1] : C'est une bonne chose car, de manière générale, on constate toujours que plus on monte en responsabilité, plus les femmes sont rares dans la recherche scientifique. Ces récompenses, attribuées à des doctorantes et post-doctorantes, sont aussi très encourageantes à ce moment clé de nos parcours, si l'on souhaite, comme moi, passer les concours pour intégrer la recherche publique. En tant que lauréates, nous devons par ailleurs ambassadrices d'un programme qui me tient à cœur : « Pour les filles et la science ». Nous allons notamment dans les lycées pour lutter contre les vieux stéréotypes qui font croire aux étudiantes que les métiers des sciences ne sont pas pour elles. [...]

C. Z. : Comment cette bourse de 20 000 euros va-t-elle faciliter vos recherches ?

A. A.-W. : Je vais pouvoir prendre des étudiants en stage rémunéré et financer notamment une nouvelle mission en Australie. Aller là-bas permet de profiter d'une seconde période d'observation des abeilles chaque année, au moment de la saison chaude, puisqu'elle correspond à l'hiver dans notre hémisphère.

C. Z. : Vos travaux ouvrent aussi des perspectives pour développer des robots miniatures...

A. A.-W. : Cette stratégie – privilégier la vision globale à la vision locale – pourrait inspirer de nouveaux logiciels de reconnaissance visuelle. Actuellement, ils ne fonctionnent qu'en faisant de l'analyse pixel par pixel. Or cette approche est coûteuse en temps de calcul et peu robuste vis-à-vis de certaines variations de contraste ou d'angle de vue dans les images. Les connaissances à venir sur le cerveau de l'abeille pourraient aider les informaticiens à mettre au point une vision artificielle capable d'analyser les images de manière globale. Puisque l'abeille y arrive avec seulement 950 000 neurones – les humains en ont 100 milliards ! –, on peut imaginer réaliser un jour des systèmes assez petits pour équiper des robots miniatures.

1. Post-doctorante au Centre de recherches sur la cognition animale (CNRS / université de Toulouse III – Paul Sabatier).

Propos recueillis par Charline Zeitoun, *CNRS Le journal,* trimestriel n° 279, hiver 2015.

1. Qu'est-ce qui a été attribué à la chercheuse ?
   - ❏ un prix
   - ❏ une médaille
   - ❏ une somme d'argent

2. Pour quelles raisons a-t-elle été récompensée ? Citez-en deux.

   ....

   ....

3. Selon elle, les récompenses attribuées aux femmes sont :
   - ❏ indispensables.   ❏ rares.   ❏ stimulantes.

4. Quelle difficulté les femmes rencontrent-elles dans leur carrière scientifique ?

   ....

5. Quel stéréotype subsiste aujourd'hui concernant les femmes et la science ?

   ....

6. Par quel moyen la chercheuse pourra-t-elle enrayer ce stéréotype ?

   ....

7. Que va-t-elle faire de sa récompense ?
   - ❏ acheter de nouveaux logiciels
   - ❏ embaucher des assistants
   - ❏ développer un robot

8. Quel est l'objet d'études de la chercheuse ?
   - ❏ les abeilles   ❏ les robots   ❏ les logiciels

9. Vrai ou faux ? Cochez (☑) la bonne réponse et recopiez la phrase ou la partie du texte qui justifie votre réponse.

   Les travaux de la chercheuse vont aider les informaticiens.
   - ❏ Vrai   ❏ Faux

   ....

   Grâce à ses recherches, la chercheuse a créé un robot miniature.
   - ❏ Vrai   ❏ Faux

   ....

PARTIE 3 PRODUCTION ÉCRITE

Le directeur de votre entreprise vient d'annoncer la création d'un nouveau poste destiné à un homme. Vous souhaitez lui recommander une amie très compétente et qui possède tous les critères requis. Vous écrivez un email au directeur pour le convaincre. (250 mots minimum)

PARTIE 4 PRODUCTION ORALE

VOYAGER : COMMENT CONCILIER LUXE ET DÉVELOPPEMENT DURABLE ?

Dans l'imaginaire collectif, luxe rime avec bien-être, séjour de rêve, villa somptueuse avec piscine et voiture haut de gamme... tout ce qui, en théorie, contribue au bonheur de l'individu.

Mais cette vision idyllique n'est que la face cachée de l'iceberg. À une échelle plus globale, la réalité est tout autre : l'incidence environnementale peut être dramatique et on préfère bien souvent faire l'autruche. Pourtant, selon certains spécialistes, il serait désormais tout à fait possible de concilier luxe et écologie. Voyage haut de gamme près de chez soi, train 5 étoiles... Faire cohabiter luxe et écologie ? Rien de plus simple !

Et vous, qu'en pensez-vous ?

Vidéo 07

Même pas peur !

Adoptez de bons réflexes !

▶ Décrivez la photo. À votre avis, en quoi ces deux personnes sont-elles liées ?

▶ Regardez la vidéo. Qu'est-ce que la Légion étrangère ? Qui en fait partie ? Quelles seront leurs missions ?

Drôle d'expression !

▶ Qu'est-ce qui rassemble ces hommes ?

▶ Quelle relation pourriez-vous faire avec le titre de cette unité ? Justifiez votre choix.

Entre nous...

▶ Qu'est-ce qui explique le succès de la Légion étrangère ?

▶ Aimeriez-vous vous engager pour une telle cause ? Pourquoi ?

Trait pour trait

1 Migrations

Se repérer

- En mouvement
- L'immigration,
  toute une histoire...

Prendre position

- Vivre ensemble ?
- Ça veut dire quoi,
  être intégré ?

S'exprimer

- Proférer des insultes
- Écrire une lettre
  de présentation

2 Fraternité

Décrypter

- L'engagement bénévole
- La solidarité
  intergénérationnelle

Interpréter

- Le langage familier
  en littérature

S'exprimer

- Atelier culturel
  *Décoder une campagne
  publicitaire*

En mouvement

Doc. 1

Immigrés et étrangers en 2008* en France

Immigrés : **5, 34 millions**

Étrangers : **3,72 millions**

Dont
3,17 millions
nés à l'étranger

Immigrés
Français par acquisition
(nés à l'étranger) :
2,17 millions

Étrangers nés en France :
550 000

*derniers chiffres de l'INSEE disponibles

Selon la définition adoptée par le Haut Conseil à l'intégration, un immigré est une personne née étrangère à l'étranger et résidant en France. Les personnes nées françaises à l'étranger et vivant en France ne sont donc pas comptabilisées. À l'inverse, certains immigrés ont pu devenir fran-
5 çais, les autres restant étrangers. Les populations étrangère et immigrée ne se confondent pas totalement : un immigré n'est pas nécessairement étranger et réciproquement, certains étrangers sont nés en France (essentiellement des mineurs). La qualité d'immigré est permanente : un individu continue à appartenir à la population immigrée même s'il devient
10 français par acquisition. C'est le pays de naissance, et non la nationalité à la naissance, qui définit l'origine géographique d'un immigré.

www.insee.fr

Doc. 2

Allons-nous perdre tous nos jeunes talents ?

www.franceinfo.fr

Doc. 3

Des chiffres surprenants

La France a enregistré 64 310 demandes d'asile en 2014.

C'est beaucoup moins que l'Allemagne (202 815). « *La France*
5 *est donc loin de ployer sous le poids des demandes et des réfugiés, comme on l'entend très souvent. Cessons de nous fantasmer en forteresse assié-*
10 *gée ; cela ne correspond tout simplement pas à la réalité* », a déclaré Bernard Cazeneuve lors de la présentation du projet de loi portant la réforme de
15 l'asile à l'Assemblée nationale.

En 2014, 105 613 personnes ont acquis la nationalité française.

C'est plus qu'en 2013 (95 196), mais moins qu'en 2011 (112 447)
20 et qu'en 2010 (140 806).

www.gouvernement.fr, 17 décembre 2014.

1 Repérez les informations ! 54

Observez, lisez et écoutez les documents.

a. Qu'est-ce qui différencie un étranger d'un immigré ?

b. Quel est le discours dominant sur les demandes d'asile ? Correspond-il à la réalité ?

c. D'après les documents, quels sont les chiffres en hausse ? À quoi correspondent-ils ? Comment cette hausse est-elle relativisée ?

d. Quel est le profil type des Français qui émigrent ?

e. Quelles sont les raisons évoquées à l'émigration française ?

2 Soyez curieux !

a. Repérez les mots associés à un mouvement migratoire.

b. Bernard Cazeneuve a déclaré que... Complétez cette phrase et observez les transformations effectuées.

➤ Rapporter des propos au passé, p. 132

c. « *Cessons de nous fantasmer en forteresse assiégée.* » Que symbolise la forteresse ? De quel fantasme est-il question ? Quelle est la réalité ?

d. D'après vous, quelles peuvent être les causes et les conséquences des mouvements migratoires ?

L'immigration, toute une histoire...

Doc. 4

Cette Cité est devenue aujourd'hui musée de l'Histoire de l'immigration. Pourquoi ?

Sans doute parce que le terme de musée est plus académique, et inscrit d'emblée le lieu dans une tra-
5 dition culturelle bien établie. Personnellement j'ai toujours soutenu la notion de cité. Elle donne l'idée d'un espace de débat, d'intervention citoyenne. Dans « cité », il y a un côté iconoclaste, hors zone, à l'image de ce qu'est l'histoire de l'immigration. Il
10 ne faut pas oublier que le projet s'est construit au moment des émeutes dans les cités. C'est important. Avec le titre de musée, on est tranquille... J'arrive, je ne vais donc pas m'opposer à cela.

Ce musée est-il nécessaire ?

15 Oui, indispensable. La France est marquée par des vagues migratoires et on doit assumer cette his-
toire. Il faut donc un endroit pour en faire le récit. L'idéal serait que ce récit particulier se fonde dans le récit national. Mais commençons par construire ici
20 ce récit particulier. Sinon, qui va le faire ? Ce musée doit être vivant et ancré dans l'actualité afin de par-
tir du présent pour aller à l'histoire.

Quel public at-tendez-vous avec
25 **« Repères », la nouvelle présentation de l'expo permanente ?**

Il y a trois publics.
30 Les Français qui ne se voient pas comme une na-
tion de migrants et à qui on dit « *Votre histoire n'est pas celle que vous croyez.* » Ensuite, la première
35 génération d'immigrés qui a cherché toute sa vie à se fondre dans la société française et à qui on rap-
pelle, ici, le traumatisme qu'elle a vécu ; pas facile pour ceux-là d'aller dans un musée de l'immigration. Enfin, les enfants et petits-enfants d'immigrés qui,
40 compte tenu de la crise, sont dans une recherche de filiation communautaire et non pas de perspective nationale. Comment faire pour que ces trois publics se rencontrent ? C'est mon travail. Mais, d'abord, l'État doit inaugurer officiellement ce musée !

Propos de Benjamin Stora recueillis par Frédérique Chapuis, *Télérama Sortir,* 1er octobre 2014.

1 Posez-vous les bonnes questions !

a. De quoi parle-t-on ? Retracez son histoire.

b. Pourquoi Benjamin Stora accorde-t-il de la valeur à ce lieu ?

c. Quel est son objectif ?

2 Soyez curieux !

a. Quels termes lient « le national » à « l'étranger » ?

b. Pourquoi Benjamin Stora préfère-t-il le mot « cité » au terme « musée » ?

c. Résumez ce texte en utilisant un maximum de verbes déclaratifs : *Benjamin Stora a confirmé que l'existence du musée de l'Histoire de l'immigration...*

➤ Rapporter des propos au passé, p. 132

d. Pourquoi et comment la première génération d'immigrés a-t-elle voulu « se fondre dans la société française » ?

LE + INFO

Ouverte depuis 2007, la **Cité nationale de l'Histoire de l'immigration** n'a été officiellement inaugurée par un chef de l'État qu'en décembre 2014.

Avez-vous l'esprit d'analyse ? 📝

➔ Vous allez poursuivre votre travail sur la **synthèse** à partir des documents 1, 3 et 4. Lisez l'encadré ci-contre, puis suivez les étapes pour **rédiger une introduction**.

① Identifiez la nature des documents et le thème commun.

② Formulez la problématique posée par les documents.

À deux, comparez !

③ Comparez les idées communes et divergentes avant de synthétiser les trois idées essentielles.

Échangez avec la classe !

La synthèse

Pour articuler les idées, il faut d'abord repérer les idées communes et divergentes aux documents, puis les classer en parties et sous-parties.

Pour rédiger une introduction :
• annoncer le thème et ses enjeux : *Les documents abordent..., L'ensemble des documents traitent de...*
• annoncer le plan général : *Nous verrons d'abord... Puis, nous développerons... Enfin, nous nous interrogerons sur...*

▶ U1 : élaborer un plan simple
▶ U4 : articuler des idées
▶ U7 : rédiger une introduction
▶ Fiche pratique, p. 189

➤ 📖 Cahier d'activités, **unité 7**

Vivre ensemble ?

Doc. 1

La cour de Babel

On se laisse happer, dès les premières images, par la chronique de cet attachant melting-pot juvénile qui devient, jour après jour, un groupe soudé, cohérent, une petite république de l'espoir. Dans cette salle ordinaire, la planète entière s'engueule. Brésiliens, Irlandais, Africaines débattent de politique ou de religion, piquent des fous rires... Chacun s'efforce de prendre un élan vers l'avenir. C'est moins un processus d'acculturation qu'une formidable thérapie de l'exil que montre Julie Bertuccelli. [...]

Les conditions de vie de chaque adolescent restent hors champ. Ce qu'on en devine, en assistant aux réunions avec les familles (une mère surmenée, une tante d'adoption...) n'en est que plus fort. Pas de discours démonstratif : il suffit de quelques mots pour suggérer, avec tact, tous les spasmes de la vie, les séparations, les douleurs, les problèmes d'argent, de famille, les difficultés dans le pays d'origine : pauvreté, menace d'excision, persécutions politiques...

Entre septembre et juin, la cour de Babel change d'aspect. Ses « habitants » grandissent, apprennent d'eux-mêmes et des autres. Ils sont prêts à affronter l'inconnu. Ils réalisent même un court métrage, qu'ils accompagnent dans un festival de films scolaires. Et Julie Bertuccelli réussit un tour de force : nous offrir une vraie grande aventure dans ce tout petit espace où la France est encore un pays d'accueil.

Cécile Mury, www.telerama.fr, 31 janvier 2015.

Doc. 2

Expatriés français : le rêve canadien

www.franceinter.fr

Doc. 3

Identités en jeu

Dans le cadre des « Controverses du Monde en Avignon », en partenariat avec le Festival, l'essayiste, réalisatrice et militante associative Rokhaya Diallo et l'ethnologue Jean-Louis Amselle, directeur d'études à l'EHESS, débattent des multiples quêtes et querelles identitaires françaises.

Comment, Rokhaya Diallo, la question de l'identité est-elle devenue centrale dans vos réflexions théoriques et vos engagements politiques ?

Rokhaya Diallo : Je suis noire et née à Paris, dans un environnement où la plupart de mes camarades d'école et de jeux avaient des parents d'origine étrangère. Dans cet univers métissé, la question de mes origines africaines ne se posait pas. Elle ne s'est posée que très tardivement à moi, avec les effets de la ségrégation sociale, ressentie davantage à l'université. Plus j'avançais dans mes études, moins il y avait de Français d'origine africaine ou maghrébine autour de moi. En maîtrise de droit international et européen, j'étais même la seule Noire. Tout le monde me demandait d'où je venais. Je répondais : « Paris. » Mais ce n'était pas satisfaisant, on voulait savoir d'où je venais avant d'être parisienne. J'avais beau dire qu'avant, je n'étais pas née, ces questions revenaient sans cesse. Aujourd'hui encore, il arrive que l'on me complimente sur mon français de très bon niveau alors que c'est ma langue maternelle.

Nicolas Truong, www.lemonde.fr, 9 juillet 2014.

1 Posez-vous les bonnes questions ! 🔊 55

a. Relevez les différents processus d'intégration.

b. Pourquoi parle-t-on de « cour de Babel » ? et de « nouvelle terre promise » ?

c. Quels peuvent être les freins au « vivre ensemble » ? et les accélérateurs ?

d. De quelle manière Marie-Anne Bouygues précise-t-elle ses propos en ce qui concerne « le manque de préparation » ?

2 Cap ou pas cap ?

Vous décidez de créer une « auberge espagnole ». En groupes, décidez des étapes nécessaires à une intégration réussie afin de bien vivre ensemble. Expliquez ensuite ces étapes au groupe voisin en précisant vos propos, si nécessaire.

Préciser ses propos
(Plus) précisément / exactement...
Pour être (plus) précis / clair,...
Je veux dire...
Ce que je veux dire par là, c'est que...
Je m'explique...
... autrement dit...
... ce qui signifie / veut dire...
... c'est-à-dire...

Ça veut dire quoi, être intégré ?

Doc. 1

 Va te faire intégrer !

www.arteradio.com

1 Qu'avez-vous compris ? 56

a. Qui sont les personnes qui témoignent tout au long
du document ?

b. De quel organisme parle-t-on ? Qu'est-ce ?

c. À quoi correspond le CAI ?

d. Qu'est-ce que *Le club Dorothée*, *Antenne 2*, *Charles Aznavour* ?
Quel rapport ont-ils avec le sujet ?

e. Une personne aborde son origine algérienne. Comment
la perception de sa culture évolue-t-elle ?

f. Pour quelle raison une des personnes parle-t-elle
d' « adoption » ?

g. Pourquoi parle-t-on de « bidonville » ?

h. Quelles sont les représentations de la France à l'étranger ?

2 Soyez curieux !

a. Quels sont les mots liés aux « démarches » d'intégration ?

b. Une des personnes évoque la notion de « vraie intégration ».
Pour vous, qu'est-ce que l'intégration ?
Diriez-vous qu'il y a une « vraie » et une « fausse » intégration ?

c. « *Moi je ne crois pas que ce soit ça la France !* »
Êtes-vous d'accord avec cette contestation ? Et pour vous,
c'est quoi la France ?

Ça se discute ! 💬

→ Vous allez poursuivre votre travail d'argumentation pour participer
au **débat** suivant : *Intégration et vivre ensemble : une utopie ?*
Lisez l'encadré ci-contre, puis suivez les étapes.

➡ ⎰Organisez votre argumentation !⎱

▸ Individuellement, commencez par jeter vos idées sur une feuille
de papier.
▸ Pensez à différencier vos arguments et vos exemples.

➡ ⎰Contre-argumentez !⎱

▸ En groupes, commencez à débattre, sans modérateur.
▸ À chaque argument proposé, essayez de contre-argumenter
en changeant de point de vue. Observez ce qui se passe !

➡ ⎰Affirmez-vous !⎱

▸ Désignez un « maître du temps » : il devra comptabiliser le nombre
de fois où vous aurez pris la parole.
▸ Pour cela, affirmez-vous au maximum. Empêchez les autres
de parler et pensez à reprendre la parole, tout en restant pertinent
dans vos arguments.

Le débat

✓ Faire bouillir ses idées
✓ Organiser ses arguments
✓ Savoir s'affirmer

Pour empêcher quelqu'un de parler :
• *Chut ! Silence ! Tais-toi, s'il te plaît !*
• *Ce n'est pas à toi de parler !*
• *Ce n'est pas ton tour !*
• *Ferme-la ! / La ferme ! (fam.)*

Pour reprendre la parole :
• *Je n'ai pas terminé.*
• *Un instant.*
• *S'il vous plaît.*
• *Euh, vous permettez ?*
• *Laisse-moi parler.*
• *Dis-donc, tu m'as interrompu !*

▸ U1 : prendre la parole
▸ U4 : s'assurer d'être compris / de comprendre
▸ U7 : empêcher quelqu'un de parler /
de reprendre la parole

➤ 📖 Cahier d'activités, **unité 7**

REPÈRES LINGUISTIQUES

📖 Cahier d'activités, **unité 7**

Grammaire

Rapporter des propos au passé

Lexique

→ **Observez et analysez.**

> Lors de la conférence, quelques intervenants ont proclamé qu'être une femme migrante était un obstacle au sein d'une entreprise. Les témoignages d'immigrées ont démontré, au contraire, que leurs ressources identitaires influaient positivement sur leurs engagements professionnels. Le lendemain, quand j'ai raconté cela à mon collègue, il m'a demandé s'il ne serait pas plus simple de supprimer les frontières.

Lisez les phrases. Entourez les verbes introducteurs. Repérez les temps des verbes. Puis, transformez les phrases du texte au discours direct. Que remarquez-vous ?

1 **Écoutez ces situations et choisissez un verbe dans la liste pour remplacer le verbe « dire ».** 🔊 **57**

Avouer	Situation n° ...
Avertir	Situation n° ...
Répondre	Situation n° ...

Informer	Situation n° ...
Ordonner	Situation n° ...
Crier	Situation n° ...

2 **Transformez ces phrases prononcées lors du discours inaugural du Mémorial ACTe, ou « Centre caribéen d'expressions et de mémoire de la traite et de l'esclavage » (Guadeloupe), au discours indirect au passé en choisissant un verbe introducteur. Attention à la concordance des temps !** 🔊 **58**

3 **La revue de presse**

En groupes, rapportez les propos de personnes influentes ou célèbres pour proposer une revue de presse sur l'actualité de la semaine qui vient de s'écouler.

Clichés en expression

- parler une langue comme une vache espagnole
- une auberge espagnole
- une douche écossaise
- le téléphone arabe
- filer à l'anglaise
- être fort comme un Turc
- boire comme un Polonais
- avoir un oncle d'Amérique
- Ce n'est pas le Pérou !

4

Retrouvez le sens de ces expressions.

a. avoir une mauvaise surprise
b. mal s'exprimer dans une langue étrangère
c. s'éclipser sans s'excuser
d. obtenir une information par le bouche à oreille
e. une personne très riche

Existe-t-il des expressions de ce type dans votre langue

Pour rapporter des propos au passé, il faut :

• utiliser un verbe introduisant :

– une **affirmation** : *affirmer, annoncer, assurer, avouer, certifier, constater, déclarer, expliquer, préciser, promettre, souligner...*

– une **question** : *(se) demander, (s')interroger, questionner, demander, chercher à savoir, savoir, indiquer...*

– un **ordre** : *ordonner, exiger, commander, recommander, supplier...*

– une **réponse** : *répondre, répéter, rétorquer, ajouter, riposter, répliquer, objecter...*

– une **tonalité** : *crier, hurler, murmurer, bredouiller, bougonner, gémir, ronchonner...*

• faire attention :

– à la **concordance des temps** :
EXEMPLE : *Où vas-tu ?* → *Il m'a demandé où j'allais.*

– aux **indicateurs temporels** :
EXEMPLE : *Hier, j'ai été au théâtre.* → *Il m'a dit que la veille, il avait été au théâtre.*

– aux **changements de syntaxe** :
EXEMPLE : *Qu'est-ce qui se passe ?* → *Il m'a demandé ce qui se passait.*

– aux **changements de pronoms** :
EXEMPLE : *Où vas-tu ?* → *Il m'a demandé où j'allais.*

➤ **Précis de grammaire, p. 205**

Des populations en mouvement

- un migrant, un immigré, un immigrant, un émigré
- un étranger, un expatrié, un ressortissant
- une communauté d'expats (fam.)
- un réfugié (politique), un demandeur d'asile
- demander / obtenir l'asile politique
- une vague migratoire / d'immigration
- un exode, un exil
- la fuite des cerveaux
- un pays d'immigration, une terre d'émigration
- une nation de migrants
- un immigré clandestin, un clandestin

Les migrations en action

- entrer dans un pays / sur un territoire
- quitter / fuir son pays, s'exiler
- se fondre dans la masse , s'immerger
- s'insérer dans la société, adopter un pays
- l'intégration, l'assimilation, l'insertion
- le processus d'acculturation
- le communautarisme, vivre en communauté
- une filiation communautaire
- un melting-pot, un métissage
- des quêtes / des querelles identitaires
- la ségrégation sociale

1 Complétez les phrases.

a. De nombreux jeunes chercheurs s'installent aux USA, c'est une vraie ....

b. L'Europe doit faire face à l'arrivée massive de .... par la Méditerranée.

c. Les Français vivant au Mexique constituent .... de 20 000 personnes environ.

d. Forum réfugiés est une association qui accompagne les personnes pour l'obtention de ....

2 Nuances

Quelle différence faites-vous entre :

a. les termes « intégration » et « acculturation » ?

b. « se fondre dans la masse » et « s'immerger dans une culture » ?

Migrations et administration

- une carte / un titre / un permis de séjour
- obtenir son permis de séjour
- avoir un visa de résident
- un document provisoire
- déposer une demande
- l'Office français de l'immigration et de l'intégration (OFII)
- (signer) le contrat d'accueil et d'intégration (CAI)
- la naturalisation, être naturalisé
- acquérir la nationalité / la double nationalité
- remplir un dossier à la préfecture
- effectuer des démarches pour obtenir des droits
- demander un acte de naissance

3 ABÉCÉDAIRE

En groupes, créez un abécédaire à mettre à la fin d'une brochure intitulée « Accueil et intégration ».

Migrations

ACTIVITÉ RÉCAP'

Effectuer des démarches administratives

○ Se joue à trois. Vous vous rendez à la préfecture pour connaître les démarches à effectuer pour acquérir la nationalité française. La personne au guichet vous répond avec hésitation et vous demande de prendre contact avec sa collègue, absente ce jour-là. Le lendemain, vous revenez à la préfecture et rapportez les propos de la veille à la collègue en question. Celle-ci répond à vos questions.

Proférer des insultes 💬

1 Vous en pensez quoi ?

a. Décrivez les personnages et la situation générale. En groupes, imaginez ce qui a pu se passer.

b. Quels symboles sont utilisés dans les bulles ? et dans votre culture ?

c. Connaissez-vous l'expression « Ta mère ! » ? Que signifie-t-elle ? Quel public l'utilise généralement ? Connaissez-vous d'autres expressions familières ?

2 C'est du vécu !

a. Écoutez ces différentes situations. 🔊 **59**
Pour chacune d'entre elles, identifiez le contexte, retrouvez la raison qui a conduit à l'injure et relevez l'expression utilisée. Dites si l'injure est très forte ou non.

b. Question de son, question de style !

– Écoutez et concentrez-vous sur 🔊 **60** la prononciation des pronoms relatifs. Qu'en déduisez-vous à propos du style familier ?

– Écoutez ces expressions. 🔊 **61**
Puis, répétez-les avec le style qui convient.

> **« Qui »**
>
> Dans le style familier, le « i » du pronom relatif « qui » disparaît devant une voyelle.
> Attention à ne pas confondre avec l'élision correcte de « que » devant une voyelle.

3 En situation ! 💬

→ Sélectionnez l'une des situations suivantes et imaginez ce que vous diriez.

○ **Au restaurant** : le serveur se moque de vos voisins qui essaient de parler français. Le lendemain, vous racontez la scène à un ami et donnez votre opinion sur l'attitude du serveur.

○ **Devant la télévision** : vous regardez l'intervention d'un homme politique qui exprime des avis opposés aux vôtres. Vous commentez son discours avec un ami à vous.

○ **Au travail** : un collègue tient des propos racistes durant le repas. Vous revenez à votre poste de travail très énervé et racontez la scène à vos collègues.

○ **Dans un magasin** : une vendeuse vous parle très mal, sans aucune raison, et vous accuse d'être désagréable. Vous essayez de discuter calmement avec elle, mais le ton monte très vite et les insultes fusent.

LE + EXPRESSION

Réagir à une situation ou à un propos :
- C'est (complètement) débile / stupide !
- ✗ C'est con* !

Insulter quelqu'un pour ses propos ou pour son manque d'intelligence :
- ✗ Pauvre mec ! Pauvre tâche !
- ✗ Mais tu es bête / débile / con* ou quoi ?
- ✗ T'es le roi / la reine des imbéciles / des crétins !
- ✗ Espèce d'abruti / d'imbécile / d'idiot !
- ✗ Quel con* / abruti !
- ✗ T'es con* !
- ✗ Mais qu'il est con* ! Quelle conne* !
- ✗ Connard** / connasse** !

Insulter quelqu'un en raison de son comportement :
- ✗ Quel sale type ! Quelle ordure ! Quel salaud** ! Quelle salope** ! Quel fumier ! Quel gros con* !

Les Français ont souvent recours à des mots placés devant l'insulte comme « Espèce de … », « Pauvre … », « Petit … », « Gros … », etc.

* grossier   ** très grossier

Écrire une lettre de présentation 🖊

Pauline, jeune française installée au Québec depuis un an grâce à un Permis Vacances-Travail cherche une nouvelle expérience de stage dans une entreprise culturelle à Montréal. Lisez sa lettre de présentation et répondez aux questions.

Montréal, le 15 mai 2015,

Monsieur Pierre Simard
Directeur du Festival des Francofolies de Montréal
120, boulevard De Maisonneuve Est
5 Montréal (Québec) H2L 4L8

Objet : candidature au poste de stagiaire au service communication

Monsieur,

Suite à l'annonce parue dans le journal en date
10 du 5 avril 2015 concernant le poste de stagiaire
en communication pour l'édition 2015 du festival
des Francopholies de Montréal, je vous transmets ma
candidature. Vous trouverez ci-joint mon curriculum
vitae.

15 Comme vous le constaterez à la lecture de celui-
ci, je détiens une formation en communication
événementielle et médiation culturelle. Je possède
également plusieurs expériences dans le domaine
de la musique auprès de labels ou de festivals en
20 France. Je suis bilingue français-anglais et connais
bien les équipes de travail au Québec en raison de
mon expérience de plus d'un an dans la région. Enfin,
par mon dynamisme, mon esprit d'équipe et ma
disponibilité, je pourrai remplir efficacement les tâches
25 qui me seront confiées.

Votre festival est un événement incontournable sur la
scène musicale mondiale et constitue au niveau local
une opportunité de développement pour la ville.
Je souhaite donc participer à mon tour au
30 développement et au bon déroulement de cet
événement et vous propose de mettre mes
compétences à votre service.

En espérant pouvoir vous rencontrer lors d'un
entretien, veuillez recevoir, Monsieur, mes sincères
35 salutations.

Pauline Damins
10 montée Sainte-Catherine
Montréal, Québec

1 Vous en pensez quoi ?

a. Observez la forme de cette lettre. Quelles différences et quels points communs notez-vous entre la lettre de présentation au Québec et la lettre de motivation en France ?

b. Quel est l'objectif de chaque partie constituant le corps du texte ?

2 C'est écrit noir sur blanc ! 🖊

→ À vous d'écrire une lettre de présentation pour répondre à l'annonce suivante. Soyez le candidat parfait !

L'agence de publicité 4A installée à Québec recherche une collaboratrice ou un collaborateur chargé(e) du suivi du site Internet de l'entreprise et de la diffusion de ses campagnes sur les réseaux sociaux. Nous recherchons une personne dynamique, maîtrisant plusieurs langues et prête à s'investir pour l'entreprise.

Contactez M. Dubois, directeur marketing.

> **LE + INFO**
>
> Si les Français on tendance à utiliser de nombreuses **nominalisations** dans leurs lettres formelles, les Québécois préfèrent des structures plus dynamiques en privilégiant le recours aux **verbes d'action**.
>
> Exemple :
> En France : *« Titulaire d'un master en gestion, je connais bien ce domaine. »*
> Au Québec : *« Je détiens un master en gestion et connais bien ce domaine. »*

DÉCRYPTER

2 (Fraternité

L'engagement bénévole

Doc. 1

Le bénévolat au Canada et en France (chez les 15 ans et plus)

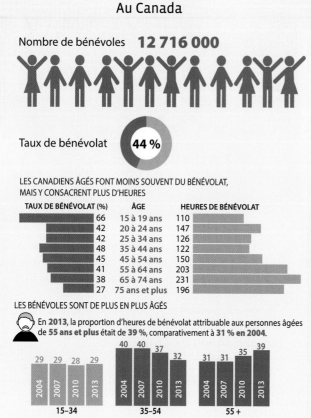

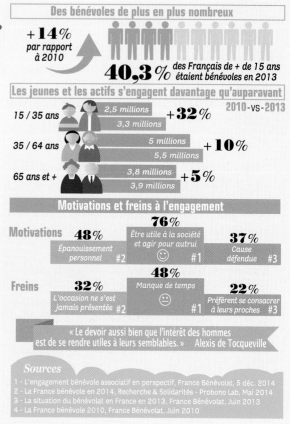

D'après www.statcan.gc.ca et www.facilien.fr

1 Ouvrez l'œil !

Lisez l'infographie et cochez les bonnes réponses. Indiquez la partie de l'infographie qui vous a permis de répondre.

❑ Au Canada comme en France, le nombre de bénévoles a augmenté depuis 2010.

❑ Dans les deux pays, les actifs sont les personnes les plus impliquées dans le bénévolat.

❑ En France, un quart de la population préfère passer du temps en famille plutôt que faire du bénévolat.

❑ Au Canada, l'engagement des jeunes est relativement stable dans le temps.

❑ ¾ des bénévoles français se sentent utiles grâce à leur implication.

❑ Au Canada, le taux d'engagement croît avec l'âge.

2 Info ou intox ?

a. Quelles sont les sources ayant servi à la réalisation des documents ? Que pensez-vous de la fiabilité de ces infographies ?

b. Quels mots sont suivis de la préposition « à » ?

c. Quelle différence faites-vous entre « s'engager » et « faire du bénévolat ? »

3 Entre nous...

Que pensez-vous de la phrase d'Alexis de Tocqueville ? Le bénévolat est-il très développé dans votre pays ? En avez-vous fait l'expérience ? Racontez.

La minute grammaticale

La préposition « à » peut introduire un complément de lieu (« au Canada ») ; un complément d'un verbe ou d'un adjectif qui exprime une tendance (« se consacrer à... », « être utile à... ») ; un complément de nom (« un frein à l'engagement »).

La solidarité intergénérationnelle

Doc. 1

www.ensembledemain.com
ensembledemain1999@gmail.com

Doc. 2

Jeunes et vieux sous le même toit, un nouveau mode de vie ?

www.franceinter.fr

1 De l'image au son ! 🔊 62

a. Regardez l'illustration : qu'est-ce qui est comique dans cette situation ?

b. Écoutez les premières secondes. Que symbolise l'extrait de *Tatie Danielle* ? Quel est le lien avec le titre du document ?

c. Pourquoi faut-il, aujourd'hui encore plus qu'hier, penser à rapprocher les générations ?

d. Quels sont les éléments positifs d'un tel rapprochement ?

e. Quelles sont les différentes idées proposées et les moyens d'y arriver ?

2 À demi-mot...

a. « *Chacun réapprend à vivre ensemble* », dit la journaliste. Qu'est-ce que cela sous-entend ?

b. Quel sentiment semble-t-il nécessaire d'éprouver quand on est sénior ? Pourquoi ?

c. Diriez-vous que votre société a tendance à « *valoriser l'émancipation individuelle* » ? Qu'en est-il de la solidarité ?

Autrement dit... 🖉

→ Vous allez poursuivre un travail sur la **prise de notes** à partir du document 2 ci-dessus. Lisez l'encadré ci-contre, puis suivez les étapes.

➡ Faites un schéma clair !

▸ Seul, écoutez et notez les mots-clés, une idée essentielle et deux idées secondaires.
▸ Ajoutez-y des formes pour synthétiser.

➡ Pensez à vous relire !

▸ Réécoutez votre document et complétez votre prise de notes.
▸ Rectifiez, si nécessaire, ce qui ne semble pas clair.

➡ Faites-vous relire !

▸ Passez votre feuille à votre voisin. Vérifiez qu'il comprend votre prise de notes.
▸ Proposez et discutez d'améliorations possibles.

La prise de notes

✓ Repérer des mots-clés (dates, chiffres, etc.)
✓ Lister les idées essentielles
✓ Être clair et concis

Pour apprendre à se relire :
• **Pour rectifier :** ajouter ou supprimer des mots / des idées ; modifier l'organisation
• **Pour clarifier :** être plus précis dans le choix du vocabulaire ; apporter quelques commentaires en marge ; compléter quelques informations
• **Pour synthétiser davantage :** ajouter des formes, des abréviations ou des symboles

▸ U1 : découvrir des abréviations
▸ U4 : découvrir des formes
▸ U7 : apprendre à se relire

➤ 📖 Cahier d'activités, **unité 7**

Le langage familier en littérature

Deux amis s'évertuent à transgresser la littérature classique en lui donnant un coup de frais. En résumant des grands textes avec un langage pour le moins châtié, toujours beaucoup d'humour et une oralité très moderne et très fructueuse, ils prouvent non seulement qu'ils ont saisi le sens profond de ces œuvres mais qu'ils savent, chose rare de nos jours, s'en amuser, et tentent même de les rendre plus accessibles.

Entretien avec les Boloss des Belles Lettres

Avez-vous une idée du public de votre ouvrage, les boloss ou les bobos ?

Le spectre est extrêmement large : ça va de l'élève de 4ᵉ complètement écoeuré par les textes classiques qu'on lui
5 propose au collège, au sexagénaire plutôt littéraire qui y voit un décalage intéressant (sans pour autant saisir toutes les références). On n'est pas dans la case « boloss », ni « bobos », on touche surtout les personnes de 16 à 25, parce qu'elles saisissent le mieux toutes les références,
10 tout en ayant une idée vague de la plupart des œuvres (ce qui est tout aussi important pour trouver les textes drôles). [...]

En dehors de la partie très ludique (et très réussie), vos « traductions » s'appuient-elles sur un maté-
15 **riel ethnographique et sociologique fondé sur une longue immersion ?**

Pas vraiment, parce qu'on ne baigne pas dans ce milieu. On se nourrit beaucoup d'Internet, et de ce qu'on peut entendre autour de nous (dans les transports en commun
20 notamment). Mais Internet a amené une vraie culture du détournement, et du côtoiement, si bien que certaines expressions sont réutilisées et détournées par nous.

Propos recueillis par Loïc Di Stefano, http://salon-litteraire.com, décembre 2013.

Quentin Leclerc
Michel Pimpant

Les Boloss des Belles Lettres

La littérature pour tous les waloufs

« Attention bonhomme
là c'est du sérieux
on touche à tonton Balzac
le Tupac tourangeau
le gros tarba
qui bâfrait comme douze
et sniffait son p'tit expresso
par citernes. »

Éditions J'ai lu

Madame Bovary
Gustave Flaubert

C'est l'histoire d'un keum pas trop bien dans sa peau à l'école il est absent et tout tu sens le malaise en lui il s'appelle Charbovari c'est pas le héros de l'histoire mais bon il est assez important tu le vois tout le livre ensuite il rencontre une petite zouz campagnarde pas dégueulasse elle s'appelle Emma c'est elle
5 le héros c'est Madame Bovary voilà là tu as résolu la première énigme à savoir qui c'est Madame Bovary ben c'est elle.

Ensuite ils se marient asmeuk et puis ils vont habiter dans une petite bourgade bien paumée Emma elle se fait chier [...] elle kiffe le luxe elle commence à acheter des p'tites Louboutin izi et aussi du Cacharel des polos Lacoste et

> **La minute lexicale**
>
> Le verlan
>
> C'est l'utilisation d'un langage de rue et de banlieue. Exemple : un keum.

➤ Fiche pratique, p. 195

10 Tommy Hilfiger enfin des trucs de luxe sauf que Charbovari il a pas une thune du coup ils font des prêts à un keum genre voilà et sauf que après ils sont endettés mais Charbovari il sait pas mais Emma elle s'en met plein les fouilles lol la salope.

Après Emma elle se fait jeter de tous ses keums [...] bon après elle est trop 15 déprimée elle a le seum de la vie elle se suicide et du coup Charbovari il a tellement le seum il crève aussi il reste juste la gosse qui fait du tricot pour la fin de sa vie bref une putain de vie de merde [...].

Quentin Leclerc et Michel Pimpant, *Les Boloss des Belles Lettres, La littérature pour tous les waloufs*[1], J'ai lu, 2013.

1. walouf : nul

1 À première vue !

a. Regardez la couverture du livre et faites des hypothèses sur son contenu.

b. Quels types de textes vous sont présentés sur cette double page ?

2 Posez-vous les bonnes questions !

a. Lisez l'entretien et résumez le projet des auteurs. À qui s'adressent leurs textes ?

b. Relisez cette phrase de l'entretien : « *Certaines expressions sont réutilisées et détournées par nous* (l. 21-22) ». Que comprenez-vous ?

c. Lisez l'extrait « Madame Bovary » : qui sont les personnages présents dans l'histoire ? Quelle est la situation initiale et quelle est la situation finale ?

d. Qu'apprenez-vous sur Emma Bovary ?

e. Relevez dans « Madame Bovary » les structures qui marquent des traits d'oralité.

➤ Mettre en avant un élément, p. 140

3 Entre les lignes...

a. Retrouvez, dans le texte, les mots familiers qui correspondent à ces mots en langage standard.

– un garçon	– se débarrasser de	– être triste
– aimer	– mourir	– une enfant
– s'ennuyer	– une jolie fille	– comme ça
– l'argent	– gagner beaucoup d'argent	

b. Que pensez-vous de cette initiative de réécriture des classiques littéraires ? Pensez-vous que le langage familier ait sa place dans la littérature ? Discutez.

LE + INFO

« **Boloss** » est au départ un mot utilisé dans les banlieues et qui contient un sens péjoratif comme « pigeon » au sens de « celui qui se fait avoir ». On lui confère même au départ un sens raciste anti-blanc. Avec le temps, le terme s'est répandu dans un langage familier plus large et semble aujourd'hui signifier « bouffon » ou « abruti ». Il serait la contraction de « bourgeois » et « lopette » !

La minute phonétique

« Bourgeois »,
« lopette », ou les deux ?

Un mot-valise est un mot formé par le mélange de deux mots qui ont généralement un point commun dans leur prononciation.

Comment s'est formé le mot-valise « adulescent » ?

BIEN. POUR VOUS BALZAC EST, JE CITE: "UN RELOU TAILLE DE BEAU QUI ME FILE LE SEUM" POURRIEZ-VOUS DÉVELOPPER?

C'EST À VOUS !

○ Par deux, choisissez le résumé d'une œuvre francophone que vous aimez particulièrement.

○ Travaillez ce résumé de sorte à le décaler de son langage standard. Pour cela, proposez quelques transformations lexicales (langage familier, vulgaire) et syntaxiques (phrases courtes...).

○ Lisez-le à la classe et enregistrez-vous avec vos téléphones !

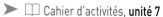
| Grammaire |

Mettre en avant un élément

| Lexique |

→ Observez et analysez.

> La jeunesse est souvent perçue à tort comme désengagée. Au contraire, de nombreuses associations sont créées par ces jeunes générations qui croient en la solidarité. Les jeunes subissent cette mauvaise image, mais ne se laissent pas démoraliser par une société qui ne leur fait pas confiance.

a. Soulignez les verbes du texte et déterminez l'élément qui réalise l'action.

b. Transformez ces phrases à la forme active.

1 Écoutez ces situations et relevez l'élément qui subit l'action, 63 **celui qui réalise l'action ainsi que la structure grammaticale utilisée.**

Élément subissant l'action	Élément effectuant l'action	Structure utilisée
...	...	...

2 Transformez ces phrases pour mettre en avant celui qui subit l'action.

a. Les dirigeants politiques ont collé une étiquette à la jeune génération sans réfléchir aux conséquences.

b. La crise n'épargne pas la jeunesse actuelle qui devient de plus en plus précaire.

c. Une maison de disque a découvert ce groupe de musique électro dans un festival local et a décidé de leur proposer un contrat.

d. La mairie a attribué une subvention à l'association de tennis de la ville pour la construction d'un nouveau terrain.

3 Imaginez un entretien pour faire partie d'une association. Décrivez qui vous a accueilli, et racontez vos impressions. Utilisez la forme passive.

Pour mettre en avant un élément :

• **On peut utiliser :**
  – la mise en relief
  – la forme passive   ➤ Unité 1

• **La forme passive sert à :**

  – insister sur le **sujet** qui subit l'action ;
  EXEMPLE : *La souris est mangée par le chat.*

  – mettre un **fait** en avant même si on ne connaît pas le sujet.
  EXEMPLE : *Des tableaux ont été volés hier soir au musée.*

• **Pour accentuer la responsabilité ou la passivité du sujet, on peut utiliser :**

  – *se laisser* + infinitif
  EXEMPLE : *La souris s'est laissé manger.* (= cette idiote n'a rien fait pour se défendre !)

  – *se faire* + infinitif
  EXEMPLE : *La souris s'est fait manger.* (= elle n'avait qu'à courir plus vite !)

  D'autres structures sont aussi possibles (*se voir / s'entendre* + infinitif...).

➤ Précis de grammaire, p. 209

Les âges et les générations

• un enfant, un adolescent, un jeune, un jeune adulte, un actif, un senior, une personne âgée
• un retraité
• génération X, Y, Z
• la jeune génération
• le conflit de générations
• une tranche d'âge
• grandir, vieillir
• un sexagénaire, un trentenaire
• être dans la fleur de l'âge
• être dans la force de l'âge
• l'âge de raison, le bel âge, l'âge con
• cohabiter, vivre ensemble
• les solidarités entre générations
• la séniorisation de la société
• la transmission
• une mécanique / un axe / un projet / un atelier intergénérationnel
• rapprocher les générations

4

Mimez !

a. Dans la liste ci-dessus, choisissez une expression que vous devez faire deviner à un binôme en mimant.

b. Par deux, donnez ensuite une définition.

S'engager

- s'engager au service des autres
- donner de son temps
- aimer son prochain
- être bénévole, le bénévolat
- un engagement associatif / politique / syndical
- le désengagement
- s'entraider
- s'engager, s'impliquer dans
- faire des doubles journées
- une pratique d'engagement
- donner un coup de pouce
- donner du sens à sa vie
- se sentir utile à la société
- apporter quelque chose à quelqu'un
- s'épanouir
- agir pour autrui
- une motivation / un frein à l'engagement
- confronter ses idées

Le secteur associatif

- une organisation sans but lucratif
- une ONG (organisation non gouvernementale)
- le service civique
- être dans / faire partie d'une association
- une association sportive / culturelle / sociale
- un bénéficiaire, un bénévole, un salarié
- la loi 1901
- un centre social
- une subvention, un financement public

2 En connaissez-vous ? Citez.

a. une association sportive
b. une ONG
c. une association culturelle
d. une association sociale

1 Complétez.

a. Aider « un peu » une personne c'est ....
b. Avoir deux emplois ou deux activités oblige à ....
c. On peut participer financièrement à une association ou ....

Langages

- le langage soutenu, courant, familier
- un langage châtié
- l'oralité
- un boloss, un bobo
- une zouz, une meuf
- un mec, un keum
- kiffer, kiffer le swag, c'est swag
- la thune, le fric, l'oseille, le blé
- crever, clapser
- s'en mettre plein les fouilles
- un gosse, un môme
- un keuf, un flic
- avoir le seum
- c'est chanmé
- tej
- asmeuk

3 Parlez le langage familier !

a. Par trois, choisissez 4 mots familiers de la liste que vous écrivez sur papier et que vous donnez à un autre groupe.
b. Vous avez 5 minutes pour inventer et raconter ensuite une anecdote à la classe en y introduisant votre liste.

Fraternité

ACTIVITÉ RÉCAP'

Créer un projet intergénérationnel

○ Sur un blog associatif, vous écrivez un article décrivant un projet intergénérationnel. Expliquez le projet dans les grandes lignes (origines, fonctionnement, personnes, ressources…) et les apports aux différentes générations. Donnez-lui un titre et quelques mots-clés pour faciliter le référencement sur Internet. Vous pouvez avoir recours au langage familier !

La minute culturelle

Que savez-vous
de l'immigration
en France ?

1. L'immigration désigne :

a. le départ d'un pays d'une population vers
un pays étranger
b. le déplacement d'une population d'un pays vers
un autre
c. l'entrée, dans un pays, d'une population étrangère

**2. À quand remonte la première grande
vague d'immigration en France ?**

a. à la Révolution française (1789)
b. à la révolution industrielle (à partir de 1830)
c. à la Première Guerre mondiale (1914-1918)

**3. Pendant cette première vague, quelle
était la nationalité la plus représentée ?**

a. belge   b. espagnole   c. italienne

**4. À partir de 1930, au moment de la crise
économique, les immigrés sont rejetés par
les Français qui craignent une occupation
de leurs postes. On commence à parler de :**

a. pantophobie   b. xénophobie   c. tératophobie

**5. À quelle période la France connut-elle
une forte main-d'œuvre maghrébine ?**

a. pendant la Seconde Guerre mondiale (1939-1945)
b. pendant les Trente Glorieuses (1945-1974)
c. à partir des années 2000

**6. Depuis dix ans, combien d'étrangers la
France accueille-t-elle environ chaque
année ?**

a. 200 000   b. 300 000   c. 400 000

Source : http://www.elysee.fr

Réponses :
1. c. (la. = émigration, b. = migration) – 2. b. (même si le droit
d'asile apparaît dans la Constitution de 1793) – 3. a. (viennent
ensuite les Italiens, majoritaires dès 1911) – 4. b. – 5. b. (les
Algériens étaient des citoyens français jusqu'en 1962, date de
l'indépendance de l'Algérie) – 6. a. (c'est la proportion la plus
faible d'Europe, rapportée à la population ; aujourd'hui, la
population immigrée représente environ 8,5 % de la population
française)

Détente lexicale

 à l'envers

Pouvez-vous retrouver
la signification des mots
soulignés dans ces
expressions familières ?

a. J'ai pas de zeillo, c'est relou !
b. Ma reum est vénère.
c. Franchement, tu me fais ièche !
d. T'es complètement ouf !
e. Fais gaffe ! Les keufs vont te pécho.
f. Le tromé arrive pas, c'est zarbi.
g. Il a une voix de stromae !

Réponses : a. oseille = argent ; lourd – b. mère, énervée – c. chier –
d. fou – e. flics, choper – f. métro, bizarre – g. maestro

C'est dans l'air !

Dans son *Dictionnaire du nouveau
français* (2014), Alexandre Des
Isnards recense les mots dont
l'usage s'est répandu et dont le
sens s'est stabilisé, avant qu'ils
n'entrent dans les dictionnaires
plus traditionnels.

En groupes, testez vos connaissances et
soyez les premiers à trouver des définitions
aux mots soulignés ci-dessous.

a. Ça passe crème !
b. T'es vraiment un kikoolol ☺
c. J'ai fait deux jours de vélo mais j'avais pas la caisse.
d. Je te réponds asap.

Réponses : a. bien – b. personne qui s'exprime en langage SMS –
c. capacité – d. le plus tôt possible (as soon as possible)

À chacun sa citation !

En groupes, choisissez une de ces expressions
et débattez !

Philippe Geluck
« Si on payait mieux
les bénévoles, ça
donnerait peut-être
envie à plus de
gens de travailler
gratuitement. »

**Jean-Jacques
Rousseau**
« Il n'y a point
de véritable
action sans
volonté. »

Les Enfoirés, La Chanson des Restos
« Aujourd'hui, on n'a plus le droit Ni
d'avoir faim, ni d'avoir froid. Dépassé
le chacun pour soi Quand je pense à toi,
je pense à moi »

Jeux de mots, jeux de sons !

« *unkikoololèkoulalékol* »

Un **trompe-oreilles**, ou **vire-oreilles**, est une phrase qui donne l'impression d'être en langue étrangère. Il est souvent composé de mots d'une syllabe avec des sonorités similaires et d'enchaînements consonantiques. Mais pas de confusion ! Comme leur nom l'indique, le vire-oreilles est difficile à comprendre et le **virelangue** est difficile à prononcer.

Retrouvez la phrase cachée derrière le titre !

Réponse : Un kikoolol est cool à l'école.

Reçu 5 sur 5 !

Dans cette unité, retrouvez :

1 **chiffre** déstabilisant : ....
1 **date** inconnue : ....
1 **adjectif** incongru : ....
1 **idée** embarrassante : ....
1 **mot familier** kiffant : ....

Complétez et comparez avec votre voisin pour justifier vos choix.

À vous de décoder... une campagne publicitaire

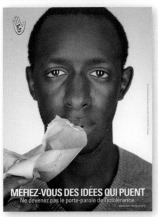

o **Pour mieux comprendre cette campagne publicitaire, ayez le déclic culturel !**

a. Décrivez les photos. Comment expliquez-vous le slogan ?

b. Quel est le logo en haut à gauche des affiches ? Quelle association symbolise-t-il ?

c. Êtes-vous d'accord avec le slogan ? Donnez des exemples de situations pour illustrer votre point de vue.

d. Que pensez-vous de cette campagne publicitaire ?

C'EST À VOUS !

 o **En groupes, créez une campagne publicitaire !**
Choisissez une cause que vous souhaitez défendre et imaginez une campagne publicitaire. Mettez-vous d'accord sur un visuel et sur un slogan. Présentez votre affiche à la classe en justifiant vos choix de façon précise.

 o **Individuellement, rapportez des faits sur un blog.** Vous avez été victime ou connaissez une personne qui a été victime de propos racistes ou d'un acte de discrimination. Écrivez un court article sur le blog d'une association pour rapporter les faits et exposer la situation rencontrée. Situez les circonstances de l'action et exprimez ce que vous avez ressenti.

L'habit ne fait pas le moine

Adoptez de bons réflexes !

▶ Regardez la photo. Qui est-ce ?
Quels sont ses pouvoirs ?
ses missions ?

▶ Écoutez la vidéo. Vincent est-il
déconnecté de la réalité ? Quelles
sont ses caractéristiques ?

Drôle d'expression !

▶ Pourquoi le réalisateur a-t-il
choisi de ne pas faire de trucages ?

▶ « Être super-héros, c'est pas
humain ! » Que pensez-vous
de cette affirmation ?

Entre nous...

▶ Qu'est-ce qui fait la différence
entre Vincent et un super-héros
américain ?

▶ Quel super-héros seriez-vous ?

Unité 8

C'est pas humain !

1 (Nation

Se repérer

• Vive la politique !

Prendre position

• Qu'est-ce qu'une nation ?
• Qu'attendre d'une supra-nation ?

S'exprimer

• Éviter de répondre
• Écrire un discours pour convaincre

2 (Exploits

Décrypter

• Mission spatiale : exploit historique
• Une overdose d'exploits ?

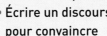

Interpréter

• L'opinion dans un texte explicatif

S'exprimer

• Atelier culturel
  Décoder une lettre

Vive la politique !

Doc. 1

La Belgique, c'est...

Compliqué... voici pour les nuls :-)

UN ÉTAT INDÉPENDANT
Depuis 1830, depuis qu'on a « gentiment » mis les Hollandais dehors !

UNE MONARCHIE CONSTITUTIONNELLE
Notre roi règne mais ne prend pas de décisions seul.
Il n'a pas beaucoup de pouvoir réel.

UNE DÉMOCRATIE PARLEMENTAIRE REPRÉSENTATIVE
Le peuple gouverne en choisissant ses représentants.
Ceux-ci prennent des décisions au Parlement et défendent les libertés de l'individu.

LE SUFFRAGE UNIVERSEL
Tout le monde peut voter mais cela n'a pas toujours été le cas !

LE PLURIPARTISME
Plusieurs partis négocient. Cela s'appelle les coalitions.

LA SÉPARATION DES POUVOIRS

LÉGISLATIF	EXÉCUTIF	JUDICIAIRE
Rédige et vote les lois PARLEMENT	Met la loi en application GOUVERNEMENT	Contrôle l'application de la loi

C'est pour éviter de tomber dans une dictature

État Fédéral
L'État central délègue certains de ses pouvoirs à différentes parties (régions, communautés, provinces, communes). Cet État a un Parlement fédéral (composé du Sénat et de la Chambre des représentants) et du gouvernement.
Sénat — Chambre des représentants
4 ans

R. flamande
R. wallone
R. de Bruxelles-Capitale

3 Régions
Chaque région a son Parlement et son gouvernement.
5 ans

D'après Latitude Jeunes, www.ifeelgood.be

Doc. 2

Constitution de la République française

Titre I – De la souveraineté

Article 1. – La France est une République indivisible, laïque, démocratique et sociale.

Article 3. – La souveraineté nationale appartient au peuple français.
Aucune section du peuple ni aucun individu ne peut s'en attribuer l'exercice.
Le peuple l'exerce, en matière constitutionnelle, par le vote de ses représentants et par le référendum.
En toutes autres matières, il l'exerce par ses députés à l'Assemblée nationale, élus au suffrage universel, égal, direct et secret.

Article 4. – Sont électeurs, dans les conditions déterminées par la loi, tous les nationaux et ressortissants français majeurs des deux sexes, jouissant de leurs droits civils et politiques.

www.assemblee-nationale.fr

Doc. 3

🔊 **Ça veut dire quoi, droite et gauche en politique ?**

---

1 Repérez les informations ! 🔊 64

Observez, lisez et écoutez les documents.

a. Quelles différences institutionnelles voyez-vous entre la France et la Belgique ?

b. Peut-on parler de suffrage universel dans les deux pays ?

c. D'après l'article de la Constitution, peut-on voter si l'on est étranger ?

d. D'où vient la distinction « gauche » / « droite » en France et que signifie-t-elle ?

e. Quelles différences sont notables entre « gauche » et « droite » ? Justifiez par des exemples précis.

2 Soyez curieux !

a. Que signifie le terme « coalition » ? Diriez-vous qu'il est équivalent à « cohabitation » ?

b. Dans le titre de la page, à quel temps est le verbe ?

➤ Le subjonctif, p. 150

c. Diriez-vous, comme le document 1 l'indique, que « *la Belgique, c'est compliqué* » ? En quoi ? Connaissez-vous un système politique qui ne le soit pas ?

d. Êtes-vous d'accord avec cette phrase du document 3 : « *Tous les partis ont le même objectif : faire en sorte que le pays se porte bien !* » ? Justifiez votre opinion.

Doc. 4

Des signes d'un bon gouvernement

Quand donc on demande absolument quel est le meilleur gouvernement, on fait une question insoluble comme indéterminée ; ou, si l'on veut, elle a autant de bonnes solutions qu'il y a de combinaisons possibles dans les positions ab-
⁵ solues et relatives des peuples. Mais si l'on demandait à quel signe on peut connaître qu'un peuple donné est bien ou mal gouverné, ce serait autre chose, et la question de fait pourrait se résoudre.

Cependant on ne la résout point, parce que chacun veut la
¹⁰ résoudre à sa manière. Les sujets vantent la tranquillité publique, les citoyens la liberté des particuliers ; l'un préfère la sûreté des possessions, et l'autre celle des personnes ; l'un veut que le meilleur gouvernement soit le plus sévère, l'autre soutient que c'est le plus doux ; celui-ci veut
¹⁵ qu'on punisse les crimes, et celui-là qu'on les prévienne ; l'un trouve beau qu'on soit craint des voisins, l'autre aime mieux qu'on en soit ignoré ; l'un est content quand l'argent circule, l'autre exige que le peuple ait du pain.

Quand même on conviendrait sur ces points et d'autres
²⁰ semblables, en serait-on plus avancé ? Les qualités morales manquant de mesure précise, fût-on d'accord sur le signe, comment l'être sur l'estimation ?
²⁵ Pour moi, je m'étonne toujours qu'on méconnaisse un signe aussi simple, ou qu'on ait la mauvaise foi de n'en pas convenir. Quelle est la fin de l'association politique ? C'est la conservation et
³⁰ la prospérité de ses membres. Et quel est le signe le plus sûr qu'ils se conservent et prospèrent ? C'est leur nombre et leur population. N'allez donc pas chercher ailleurs ce signe si disputé. Toute chose d'ailleurs égale,
³⁵ le gouvernement sous lequel, sans moyens étrangers, sans naturalisation, sans colonies, les citoyens peuplent et multiplient davantage, est infailliblement le meilleur. Celui sous lequel un peuple diminue et dépérit est le pire. Calculateurs, c'est maintenant votre affaire ; comptez,
⁴⁰ mesurez, comparez.

Jean-Jacques Rousseau, *Du contrat social*, 1762.

LE + INFO

Écrivain, philosophe et musicien genevois, **Jean-Jacques Rousseau** poursuit une réflexion sur le fonctionnement d'une société démocratique, fondée sur un contrat social dans lequel le peuple souverain organise la vie collective.

1 Posez-vous les bonnes questions !

a. Sur quel postulat s'appuie Jean-Jacques Rousseau pour répondre à la question ?

b. Quels exemples donne-t-il pour évoquer les « signes d'un bon gouvernement » ?

c. Quel signe majeur donne l'indication d'un gouvernement en pleine santé ?

2 Soyez curieux !

a. Trouvez tous les mots qui se rapportent au gouvernement.

b. Relevez tous les verbes aux subjonctifs présent et imparfait. Justifiez leur utilisation.

➤ Le subjonctif, p. 150

c. Comment comprenez-vous la dernière phrase du texte ?

d. Selon vous, qu'est-ce qui fait un « bon gouvernement » ?

Avez-vous l'esprit d'analyse ? 💬

→ Vous allez poursuivre un travail sur l'**exposé**. Lisez l'encadré ci-contre, puis suivez les étapes pour faire un exposé, en groupes, sur le thème *Les signes d'un bon système politique*.

① Seul, cherchez des informations sur un système politique autre que celui de votre pays (fonctionnement et qualités).

Par deux, comparez les systèmes !

② Par deux, décidez du plan en trois parties de votre exposé.

Préparez un power point comme support visuel !

③ En groupes, présentez votre exposé. Ouvrez et fermez des digressions.

L'exposé

✓ Chercher des informations
✓ Apporter des données précises
✓ Penser à organiser ses idées

Pour ouvrir / fermer une digression :
• *Ouvrons une / fermons la parenthèse.*
• *Entre parenthèses,...*
• *J'ajouterai / Je signalerai que...*
• *Reprenons. / Continuons.*
• *Bon. Revenons à nos moutons.*
• *Pour revenir à...*

▶ U2 : mettre en évidence
▶ U5 : se corriger / se rectifier
▶ U8 : ouvrir / fermer une digression
▶ Fiche pratique, p. 193

➤ 📖 Cahier d'activités, **unité 8**

Qu'est-ce qu'une nation ?

Doc. 1

La nation, selon Ernest Renan

« Une nation est une âme, un spirituel. Deux choses qui, à vrai dire, n'en font qu'une, constituent cette âme, ce principe
5 spirituel. L'une est dans le passé, l'autre dans le présent. L'une est la possession en commun d'un riche legs de souvenirs ; l'autre est le consentement actuel, le désir de vivre ensemble, la volonté de
10 continuer à faire valoir l'héritage qu'on a reçu *indivis*[1]. »

« Une nation est donc une grande solidarité, constituée par le sentiment des sacrifices qu'on a faits et de ceux qu'on est disposé à faire encore. Elle suppose un passé ; elle se résume pourtant dans le pré-
15 sent par un fait tangible : le consentement, le désir clairement exprimé de continuer la vie commune. L'existence d'une nation est (pardonnez-moi cette métaphore) un plébiscite de tous les jours, comme l'existence de l'individu est une affirmation perpé-
20 tuelle de vie. »

1. *Bien commun, collectif.*

Ernest Renan, « Qu'est-ce qu'une Nation », conférence à la Sorbonne, 11 mars 1882.

Doc. 3

 Nos ancêtres, les Gaulois

www.franceculture.fr

Doc. 2

Pierre Nora : « la France n'a plus de grand projet national »

Vous avez publié vos célèbres *Lieux de mémoire* à partir de 1984. Ne sont-ils pas arrivés à un moment où disparaissait une certaine relation à la mémoire et à la France ?

5 Plus qu'à la mémoire, c'est un rapport à l'histoire qui s'est clos. Jacques Le Goff avait écrit : « Ce n'est pas une histoire de France, mais c'est l'histoire dont la France a aujourd'hui besoin. »

Cette mosaïque de « lieux », matériels ou immaté-
10 riels, mélangeant des choses qui n'ont apparemment rien à voir entre elles, était une tentative de repérer ce que pouvaient avoir en commun ces divers éléments, les associations d'anciens combattants avec le dictionnaire Larousse, la tour Eiffel avec le
15 Tour de France, Versailles avec Guizot, etc.

Au départ, je voulais étudier le sentiment national, en évitant l'histoire des idées traditionnelles, en prenant des objets constitués, et voir quel type de sédimentation mémorielle et symbolique s'était entas-
20 sé sur eux. Par exemple, une formule aussi familière à tous que « Liberté, Égalité, Fraternité », la *Marseillaise* ou encore le drapeau tricolore. Des objets familiers qui reprenaient leur étrangeté, dont on refaisait l'histoire et dont on mettait en lumière la dimen-
25 sion symbolique. Cette démarche m'intéressait bien plus que de faire l'histoire du sentiment patriotique. [...] Un récit unitaire doit avoir un projet, comme le projet national, patriotique, qui inspirait le « roman national » [...] Aucun projet national n'a pu s'impo-
30 ser depuis.

Bernard Poulet, http://lexpansion.lexpress.fr, 24 novembre 2011.

LE + INFO

Les Lieux de mémoire, collection (7 tomes) dirigée par Pierre Nora de 1984 à 1992, est devenue une référence pour l'histoire nationale culturelle française.

1 Posez-vous les bonnes questions ! 🔊 65

a. Quel nuage de mots feriez-vous autour du mot « nation » ?

b. Quels sont les différents symboles nationaux cités dans les documents ?

c. Quelle différence y a-t-il entre un sentiment « national » et un sentiment « patriotique » ?

d. De quelle manière un des auteurs s'excuse-t-il ? Pourquoi le fait-il ?

2 Cap ou pas cap ? 💬

En groupes, faites un inventaire des « lieux de mémoire » qui pourraient symboliser l'appartenance collective à votre pays / État / nation.

Présentez cet inventaire à la classe comme si la classe était une assemblée d'hommes politiques. Pensez, s'il y a lieu, à excuser vos propos incertains.

S'excuser

Excusez-moi de / pour...

Veuillez excuser mon...

Je tiens à m'excuser pour / de / si...

Pardonnez-moi. / Pardonnez-moi pour quelque chose.

Je ne voulais pas vous blesser.

Je regrette.

Je suis (vraiment / sincèrement) navré / désolé / confus de...

Toutes mes excuses.

Qu'attendre d'une supranation ?

PHILIPPE JUVIN

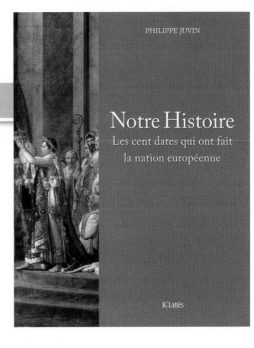

Doc. 1

 Les cent dates qui ont construit l'Europe

www.franceinter.fr

1 Qu'avez-vous compris ? 66

a. Qui est l'invité de cette émission intitulée « Allô l'Europe » ? À quelle occasion est-il invité ?

b. À quelle question répond-il dans son livre ? De quelle manière ?

c. Pourquoi les dates choisies ne concernent-elles pas que l'histoire ?

d. Citez quelques références culturelles. Justifiez leur choix dans cet ouvrage.

e. Quel est le sentiment majeur véhiculé dans ce livre ? Pour quelle raison ?

f. Qu'est-ce qui distingue le voyageur d'autres voyageurs ? À qui est-il comparé ?

g. Pourquoi l'Europe est-elle en danger ?

h. Finalement, qui sont les Européens ? Qu'ont-ils en commun ?

2 Soyez curieux !

a. Dans le document 1, quel adjectif correspond à une forme de gouvernement ?

b. Écoutez de nouveau. Quelle phrase vous permet de dire que l'invité est convaincu de ses propos ? Et s'il doutait, que dirait-il ?

c. En quoi ce livre est-il un plaidoyer ? En connaissez-vous d'autres ?

d. Et vous, si vous pouviez choisir 10 dates qui représentent votre civilisation, quelles seraient-elles ?

LE + INFO

En 1953, Robert Schuman, un des pères fondateurs de l'Europe avec Jean Monnet, défend l'idée de **supranationalité**. Il considère l'Union européenne comme un organisme regroupant plusieurs nations et exerçant un pouvoir supérieur à ceux des États-nations membres. Ceux-ci acceptent que certaines décisions soient prises par les institutions.

Ça se discute !

→ Vous allez poursuivre un travail d'argumentation pour construire un **essai**. Lisez l'encadré ci-contre, puis suivez les étapes pour **rédiger une conclusion** sur le sujet : *Qu'attendre de l'Union européenne ?*

⊙ ⌐Rédigez votre introduction !¬

▸ Amenez le sujet posé avec une phrase introductive.

▸ Précisez l'organisation : un plan thématique en trois parties.

⊙ ⌐Définissez vos trois parties !¬

▸ Par deux, réfléchissez aux trois parties possibles (exemples : d'un point de vue économique, politique, etc.) et à leur articulation chronologique.

▸ Ensemble, suggérez des pistes de réflexion et articulez vos idées à l'intérieur de chaque partie.

⊙ ⌐Rédigez votre conclusion !¬

▸ Commencez par une synthèse en 4-5 lignes. Apportez-y une nuance.

▸ Proposez une ouverture au sujet de départ. Exemple : *Il serait intéressant d'approfondir en...*

L'essai argumentatif

✓ Noter ses idées
✓ Différencier arguments et exemples
✓ Définir un plan

Pour rédiger une conclusion :

• Faites une brève synthèse des éléments évoqués : *Ainsi, nous avons vu que... / nous avons appris que... ; Mais nous savons aujourd'hui que si..., cela ne signifie pas pour autant que...*

• Répondez directement à la question posée : *Au terme de cette réflexion, nous pouvons conclure que...*

• Élargissez et proposez une ouverture : *Il serait intéressant d'approfondir en... ; Et si... ? ; Finalement, l'on pourrait se poser la question suivante... ?*

▸ U2 : différencier arguments et exemples
▸ U5 : rédiger une introduction
▸ U8 : rédiger une conclusion
▸ Fiche pratique, p. 192

➤ 📖 Cahier d'activités, **unité 8**

Grammaire

Le subjonctif

→ Observez et analysez.

> La IIe République est la plus courte que la France ait connue. Avant que la IIIe (n') apparaisse, c'est l'Empire qui vit le jour sous Louis Napoléon Bonaparte. Après la Commune, les conservateurs décidèrent de créer le Sénat et ce n'est qu'en 1880 que les républicains, alors au pouvoir, exigèrent que la *Marseillaise* devienne l'hymne national et que le 14 Juillet devienne la fête nationale. La IVe République, créée à la fin de la Seconde Guerre mondiale, exista jusqu'à ce que le président de Gaulle réforme la Constitution suite aux difficultés coloniales. Bien que la Ve République ait été contestée à plusieurs reprises, elle est toujours en place aujourd'hui.

a. Lisez les phrases et entourez les verbes au subjonctif. Justifiez son emploi.

b. Quel verbe est au subjonctif passé ? Justifiez son emploi.

1 **Écoutez. Retrouvez les verbes au subjonctif et leur intention. Écrivez le numéro de chaque phrase dans le tableau.** 67

nécessité	désir	jugement	volonté	rareté	sentiment	possibilité	doute
n° ...	n° ...	n° ...	n° ...	n° ...	n° ...	n° ...	n° ...

2 **Complétez ces phrases et choisissez entre le subjonctif et l'indicatif.**

a. Il m'a demandé si ....   Il demande que je ....

b. Il cherche une personne qui ....   Il cherche à ....

c. J'attendrai jusqu'à ce que ....   J'attendrai aussi longtemps que ....

d. Bien que la moitié des élus ....   La moitié des élus n'était pas présente si bien que ....

e. Ils sortiront après que vous ....   Ils sortiront avant que ....

3 **Écoutez ces phases. Expliquez pourquoi certaines sont à l'indicatif et d'autres au subjonctif. Puis, choisissez-en une qui vous intéresse et discutez-en à plusieurs.** 68 💬

> **Le subjonctif est utilisé :**
>
> – après des **verbes** ou **expressions** qui expriment une **volonté**, une **nécessité**, un **sentiment**, un **jugement**, une **possibilité**, un **désir**, une **obligation**, un **ordre**, un **doute** ;
>
> – après certaines **conjonctions** : de **temps** (*avant que, jusqu'à ce que, en attendant que*) ; de **but** (*de peur que, pour que, de crainte que, afin que...*) ; de **condition** (*à condition que, pourvu que...*) ; de **concession** (*bien que, à moins que, sans que, où que, quoi que, quoique...*) ;
>
> – après un **pronom relatif** quand on **doute** de l'existence d'une chose ou d'une personne ;
>
> – pour exprimer une **rareté** : *le seul, l'unique, le plus, le moins, le premier...* ;
>
> – pour exprimer un **doute** de la part du locuteur : *ne pas penser que, ne pas avoir l'impression que, il est peu probable que, il est possible que, il n'est pas certain que...*

➤ Précis de grammaire, p. 209

Lexique

Les symboles de la nation

- le bonnet phrygien
- le buste de Marianne
- la cocarde
- le coq gaulois
- la devise de la République
- le drapeau tricolore
- l'hymne national
- le monument aux morts
- le 14 Juillet
- la croix de Lorraine

4

Détente culturelle

a. Pour chaque symbole, notez individuellement une information que vous connaissez (exemple : bleu blanc rouge pour le drapeau).

b. En groupes, faites des fiches pour présenter chaque symbole à partir de vos informations.

Les institutions politiques

- un État (fédéral), un pays, une patrie
- une République, une nation
- une monarchie, une souveraineté
- une démocratie, une anarchie
- le Parlement, l'Assemblée nationale, le Sénat
- les députés, les sénateurs
- le pouvoir législatif / exécutif / judiciaire
- un gouvernement, une assemblée
- un parti politique, un partisan
- un système politique

1

Saurez-vous être précis ?

a. Par deux, écrivez une définition pour chacun des termes ci-dessus. Pensez à être exact pour bien les différencier.

b. Puis, faites-les deviner au groupe voisin.

L'agir politique

- exercer un pouvoir
- prendre des décisions
- régner, gouverner, décider, présider
- déléguer, mandater
- adopter / rejeter une loi
- mettre une loi en application
- prendre des mesures en faveur de
- faire campagne
- s'inscrire sur une liste électorale
- élire, voter, s'abstenir
- avoir recours à un référendum
- un bulletin de vote, une urne

2

La politique de A à Z

Par deux, faites remuer vos méninges et écrivez un abécédaire avec tous les mots qui se rapportent à l'agir politique.
A : abstention
B : bulletin de vote
…

La pérennité d'une nation

- un but, une finalité, une mission
- continuer, poursuivre, aller de l'avant
- relancer, redynamiser
- pérenniser, immortaliser
- avoir un projet à court / moyen / long terme
- un lieu de mémoire
- inspirer un roman national
- un symbole, une mascotte, un signe
- une généalogie
- une geste

3

Créez votre association politique !

En groupes, choisissez une mascotte, décrivez en quelques lignes vos projets et expliquez comment vous souhaitez relancer l'engagement politique des citoyens.

Nation

ACTIVITÉ RÉCAP'

Réaliser un questionnaire

- Dans la classe, quatre personnes vont porter leur candidature pour devenir président.
- Ils réfléchissent à quelques grandes idées de changement autour des thématiques comme : l'environnement, la santé, l'éducation, la défense, l'économie, la justice, etc.
- En groupes, vous réalisez un questionnaire pour connaître le programme de chaque président.

Éviter de répondre

Dessin d'Oli, 27 janvier 2014.

Hier, le président français, François Hollande, a donné une conférence de presse pour énoncer ses vœux aux journalistes. Cette allocution
5 du président de la République était très attendue, d'une part à cause du contexte socio-économique de la France, mais aussi suite aux récentes rumeurs, évoquées pas le magazine
10 *Closer*, sur la présumée relation qu'entretiendraient le président et l'actrice Julie Gayet. Si la première partie de son discours a surpris au sujet du socio-économique, avec un virage à
15 droite assez radical pour un président socialiste, le sujet Hollande-Gayet a été évité et repoussé à plus tard. N'empêche que, quand même...

1 Vous en pensez quoi ?

a. Regardez et décrivez l'illustration.

b. Lisez le texte et expliquez le titre. Comment François Hollande évite-t-il le sujet ? Quel lien peut-on également faire entre le titre et les bulles ?

c. Vous est-il déjà arrivé d'éviter de répondre à une question ? Laquelle ? Pourquoi ? Racontez.

2 C'est du vécu !

a. Écoutez ces différentes situations. 69
Pour chacune d'entre elles, identifiez le contexte et retrouvez le sujet de conversation qui a été évité.

b. Pour chaque situation, relevez l'expression utilisée pour éviter de répondre.

LE + EXPRESSION

- Il est vrai que c'est compliqué. Effectivement, il faut s'en occuper. Je comprends que tu dises cela.
- Vous venez de soulever un point important. Je vous remercie de me poser la question.
- C'est une remarque très intéressante. Il me semble que ce n'est pas le sujet du jour.
- Ça peut peut-être attendre, non ? Je vais y réfléchir. Ce n'est pas la priorité. Nous avons d'autres urgences.
- On verra ça plus tard. Ça vaut la peine d'y réfléchir.
- On en reparle ? On voit ça plus tard ?
- ✗ On s'dit quoi ?

c. Question de son, question de style !

– Écoutez et concentrez-vous sur 70 la prononciation des groupes consonantiques (consonne + « r » ou « l » prononcés dans la même syllabe). Qu'en déduisez-vous à propos du style familier ?

– Écoutez ces expressions. 71 Puis, répétez-les avec le style qui convient.

Les groupes consonantiques

Plus difficile à prononcer, ils sont simplifiés dans le style familier lorsqu'ils sont suivis d'un « e » muet. Exemple : « je vais attendre demain » devient « j(e) vais attend' demain ».

3 En situation !

→ Sélectionnez l'une des situations suivantes et imaginez ce que vous diriez.

○ Au travail : lors d'une réunion, un collègue vous pose une question sur un sujet qui n'est pas à l'ordre du jour.

○ À la maison : votre conjoint souhaite discuter de problèmes que vous rencontrez en ce moment.

○ Dans une association : l'un des membres aimerait parler des projets pour l'année à venir. Vous pensez que la priorité concerne les projets en cours.

Écrire un discours pour convaincre

Mesdames, Messieurs,

Je viens de réunir l'ensemble du gouvernement autour de deux questions déterminantes pour notre pays : la citoyenneté et l'égalité. Car la France fait face à un profond malaise, social et
5 démocratique. [...] Il y a les discriminations qui en fonction du nom, de la couleur de la peau, de l'origine sociale, de l'adresse, vous empêchent d'accéder à un logement, à un emploi, à une formation. Il y a, aussi, ce principe fondamental de la laïcité qui est de plus en plus questionné, contesté. Et c'est alors, ne nous
10 y trompons pas, tout le modèle républicain qui est menacé.

Face à ce constat, certains avancent leurs solutions dangereuses, car en rupture totale avec nos valeurs, notre modèle social. Oui, bien sûr, il faut changer, repenser radicalement nos façons d'agir, nos politiques publiques. Repenser aussi l'organisation de l'État sur le terrain. Mais la réponse est là, évidente :
15 la République. Une République ferme et bienveillante, forte et généreuse, qui affirme des principes, des règles et qui doit être aussi une somme de réalisations concrètes.

Des mesures ont été adoptées aujourd'hui. Je veux ici en détailler les principales. [...] Après le logement, l'éducation, la lutte contre les discriminations,
20 la santé, la sécurité : tout ce qui fait cette passion française de l'égalité, notre action doit aussi se porter sur ce qui fait le socle de la citoyenneté. [...]

Mesdames, Messieurs,

Il y a dans les territoires français un mouvement, un dynamisme, une énergie, qui ne demandent qu'à être libérés. [...] Pour cela, il faut changer nos pratiques,
25 rompre avec cette vision paternaliste qui empêche les projets de se construire. Il faut ouvrir ces quartiers ! Créer de nouvelles mobilités ! [...]

Avec les ministres, nous sommes mobilisés, avec tous les élus de terrain, oui tous les élus de ces quartiers, de ces villes, qui s'impliquent chaque jour, qui ne renoncent jamais — et que je veux saluer — ce mouvement continue. [...]

30 Je suis maintenant disponible, avec les ministres ici présents, pour répondre à vos questions.

Manuel Valls — 6 mars 2015

www.gouvernement.fr

1 Vous en pensez quoi ?

a. Lisez le texte. Quel est le ton général ? De quelle manière l'interlocuteur est-il impliqué ?

b. Relisez le texte et retrouvez : la situation énoncée, les exemples concrets, la mise en évidence de points forts, la prise en compte d'éléments contraires ou extérieurs, la manière dont la conviction est exposée, l'échange proposé.

c. Que pensez-vous de ce discours ? Êtes-vous d'accord avec les convictions du Premier ministre ?

2 C'est écrit noir sur blanc !

→ Vous allez écrire un discours pour convaincre de l'utilité de repenser l'égalité dans votre pays.

○ Exposez la situation en vous appuyant d'exemples concrets.

○ Mettez en évidence les points forts.

○ Exposez vos idées et votre conviction.

○ Impliquez vos interlocuteurs et proposez-leur un échange.

LE + EXPRESSION

- J'insiste sur le fait que... Je soulignerais que...

- Il faut remarquer / souligner / signaler que...

- Il est absolument indispensable / nécessaire / utile que...

- Je suis persuadé / convaincu / certain que...

- Cela ne fait pas l'ombre d'un doute.

- Ce qui me semble vraiment important, c'est que...

DÉCRYPTER

Mission spatiale : exploit historique

Rosetta

CNES / TREDAN-TURINI Julien, 2014.

1 Ouvrez l'œil !

Lisez l'infographie et cochez les bonnes réponses.
Indiquez la partie de l'infographie qui vous a permis de répondre.

❏ Philae est l'autre nom de la mission Rosetta.

❏ Le temps de communication entre Rosetta et la Terre ne dépasse pas les 30 minutes.

❏ C'est l'Agence spatiale européenne qui est le héros de cette mission.

❏ Cela fait plus de 10 ans que cette mission a commencé.

❏ Philae pèse moins lourd sur la Terre car il n'y a pas de gravité.

❏ Cette mission coûte aussi cher que 4 Airbus A380.

> **La minute grammaticale**
>
> Pour nuancer un nombre, on peut utiliser des adverbes comme « environ », « approximativement ». On peut aussi transformer un nombre en ajoutant le suffixe « -aine ». Exemple : une dizaine, une douzaine, une cinquantaine, une centaine, etc.

2 Info ou intox ?

a. Regardez la source du document. D'où vient-il ? Connaissez-vous ce centre ?

b. Quel chiffre indique une estimation ?

c. Quel mot désigne le fait de plonger le satellite dans un sommeil ?

3 Entre nous...

Que pensez-vous de ces missions spatiales ? Représentent-elles un exploit ? Comment et pourquoi ?

Une overdose d'exploits ?

Doc. 1

Dessin de Chappatte dans *Le Temps* (Suisse), www.globecartoon.com

Doc. 2

 Bertrand Piccard, l'aventurier !

www.franceinfo.fr

1 De l'image au son ! 72

a. Regardez le document 1. Quel est le projet de rêve ? Quel est le risque de ce projet ?

b. Écoutez le document 2. Quel est son lien avec le document 1 ?

c. Qu'apprenez-vous sur l'invité : son nom, ses exploits, ses professions et ses ancêtres ?

d. Comment l'invité a-t-il failli mourir ? Racontez.

e. Pourquoi est-ce que « *le danger aide à vivre le moment présent* » ?

2 À demi-mot...

a. Qu'est-ce qui est sous-entendu dans la phrase « *Je suis un éternel insatisfait* » ?

b. Diriez-vous que Bertrand Piccard est fou ? Qu'est-ce qui l'intéresse et le différencie de l'envie du record ?

c. « *L'aventurier ne doit surtout pas avoir peur du ridicule.* » À votre avis, qu'est-ce qui est suggéré par « ridicule » ?

C'EST À VOUS !

○ Par deux, imaginez un super-héros. Commencez par nommer les qualités qu'il devrait posséder pour poursuivre des missions précises. Dessinez son costume. Décidez de son identité. Créez une planche de bande-dessinée en remplissant des bulles pour raconter une petite histoire. Partagez à la classe.

L'opinion dans un texte explicatif

Le plus souvent justiciers accomplissant des exploits surhumains, les super-héros sont d'abord nés en France avant de devenir, dans les années 1930, des héros de la bande-dessinée américaine. Qu'ils soient « super », « wonder » ou encore « fantastiques », ces personnages à la double identité et aux capacités extraordinaires sont indestructibles et leurs actes héroïques continuent de nous faire rêver... Une fascination à cultiver grâce aux séries, films, livres et expositions qui leur sont consacrés !

La revanche des super-héros

« Ce n'est pas notre culture. » Telle est l'objection faite à tous les réalisateurs français cherchant à développer des films de super-héros lorsqu'ils rencontrent un compatriote producteur. Face aux mastodontes du cinéma hollywoodien, les financiers
5 du cinéma tricolore prennent leurs jambes à leur cou. [...] Malgré cela, quelques irréductibles Gaulois continuent de résister et de croire en leurs projets. Parmi eux, Julien Mokrani, un autodidacte de 31 ans qui a fait ses classes en enchaînant tous les métiers du cinéma, avant de [...] poursuivre en France
10 le développement d'un projet étonnant, mêlant science-fiction rétro et fresque historique : une adaptation de la bande-dessinée *Les Sentinelles* (éditée chez Delcourt), de Xavier Dorison et Enrique Breccia.

Au-delà de leurs compétences et de leur motivation, ce qui
15 donne le plus confiance à Mokrani et à ses collaborateurs, c'est que, contrairement à ce que pense la majorité des gens en France, ils ont une véritable légitimité culturelle sur le sujet. Car oui, les Français sont bien plus légitimes que les Américains en matière de super-héros. Forcément : ce sont eux qui les ont inventés ! Il suffit de se
20 pencher sur la première moitié du XXe siècle pour découvrir un véritable continent imaginaire, aujourd'hui englouti mais bien réel. Xavier Fournier, auteur d'un beau livre définitif sur le sujet *(Super-héros. Une histoire française)*, est catégorique là-dessus. Lorsqu'on lui demande combien de super-héros français il a réussi à recenser, la réponse est
25 impressionnante : « Il faudrait avoir tout lu depuis au moins un siècle pour être certain qu'aucun personnage oublié ne se cache au fond d'un magazine. Mais, dans l'état, je pense qu'on peut dresser une liste d'environ 300 personnages, anciens ou récents, qui viennent aussi bien de la BD que du cinéma, des romans et même d'autres sources un peu
30 plus rares. » Encore plus étonnant : au cours de ses recherches, Fournier a découvert des personnages de justiciers masqués et costumés ayant réellement hanté les rues de Paris ou d'autres villes françaises au début du XXe siècle ! Évacués des livres d'histoire depuis, ces excentriques nourris par leurs lectures feuilletonesques de l'époque ont
35 eux-mêmes inspiré des fictions. « Cet intérêt correspond à une donnée vécue au même moment à travers tout l'Occident : l'industrialisation, la croissance urbaine, l'exode rural vers les villes, poursuit Fournier. Le récit de super-héros est un genre très urbain. Et dès lors que, en Europe puis aux États-Unis, les gens ont été poussés vers des villes trop

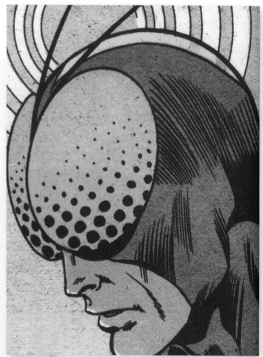

Dessin de Jean-Yves Mitton

La minute lexicale

Une périphrase

C'est le fait de remplacer un mot par une expression qui le définit.
Exemple : les financiers du cinéma tricolore (= les financiers français).

➤ Fiche pratique, p. 195

40 grandes pour eux, vers un progrès pas toujours compris, ils se sont mis
à imaginer des héros providentiels qui pouvaient ramener, au moins
symboliquement, une forme de justice sociale. »

Leurs noms ? Fantax, Fulguros, Satanax, Super Boy ou encore Félina.
Autant de personnages éminemment français : souvent contestataires,
45 voire en marge de la société, en tout cas nettement moins naïfs que
leurs futurs confrères d'outre-Atlantique, ils sont les reflets de l'époque
troublée qui les a vus naître. Le plus remarquable d'entre eux ? Le
Nyctalope, un justicier capable de voir dans le noir (comme son nom
l'indique), créé par le prolifique écrivain Jean de La Hire. […]

50 L'esprit conquérant : c'est ce qui semble animer Julien Mokrani, qui
croit dur comme fer à son film, à ses personnages et à leur potentiel
commercial. Lorsqu'on lui demande sa note d'intention, il va droit au
but : « Une histoire humaine, un film en costumes, un casting séduisant, une vision fantastique rationalisable pour les cartésiens que nous
55 sommes et une grosse dose de générosité contrôlée. » Habité par son
projet, le jeune réalisateur conclut en souriant : « Il est grand temps de
rafraîchir la mémoire du public français ! »

Arnaud Bordas, www.lefigaro.fr, 27 juin 2014.

> ### La minute phonétique
>
> **« Plus »**
>
> On ne prononce pas le « s » de plus, sauf quand il est suivi d'un nom (ou de « de » + un nom), quand il accompagne un verbe et quand on additionne.
>
> Comment prononcez-vous les « plus » du document ? Attention à la liaison !

1 À première vue !

a. Regardez l'illustration. Que représente-t-elle ? Quel est son lien avec le titre du texte ?

b. À votre avis, pourquoi le titre parle-t-il de « revanche » ? De quoi ou de qui veut-on se venger ?

2 Posez-vous les bonnes questions !

a. Qui sont les deux héros de l'article ? Pourquoi sont-ils cités ?

b. D'où viennent les super-héros ?

c. Julien Mokrani pense-t-il que son film sera un succès ? Pourquoi ?

d. Diriez-vous que Julien Mokrani est aussi un super-héros ? Pourquoi ?

e. Soulignez les participes passés. Expliquez leur utilisation et leurs accords.

➤ L'accord du participe passé, p. 158

3 Entre les lignes...

a. Pourquoi Xavier Fournier dit-il : « *Le récit de super-héros est un genre très urbain* » ?

b. D'après le texte, les Français ont-ils peur ou sont-ils jaloux du cinéma hollywoodien ?

c. Diriez-vous que les héros sont le reflet d'une société ? De quelle manière ?

Autrement dit... ✎

→ Vous allez poursuivre un travail sur le **résumé**. Lisez l'encadré ci-contre, puis suivez les étapes pour **rédiger un plan détaillé** à partir du texte *La revanche des super-héros*.

① Seul, reformulez les idées principales avec vos mots à vous. Écrivez-les.

② Isolez les parties et entourez les éléments d'articulation.

Comparez avec votre voisin !

③ Seul, élaborez un plan détaillé en nominalisant les idées.

Échangez votre plan avec celui de votre voisin. Critiquez !

> ### Le résumé
>
> ✓ Repérer le thème et les mots-clés
> ✓ Entourer les articulateurs
> ✓ Suivre l'ordre des idées
>
> **Pour rédiger un plan détaillé, veillez à :**
> • respecter la chronologie du document déclencheur
> • respecter les articulations choisies par l'auteur
> • nominaliser les idées essentielles et secondaires pour ne rien oublier
>
> ▶ U2 : isoler des parties
> ▶ U5 : reformuler des idées
> ▶ U8 : rédiger un plan détaillé
> ▶ Fiche pratique, p. 190

➤ 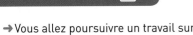 Cahier d'activités, **unité 8**

Grammaire

L'accord du participe passé

Lexique

→ **Observez et analysez.**

> Depuis 1961, beaucoup de jeunes femmes se sont reconnues dans le personnage de Fantômette et de nombreux illustrateurs se sont plu à la dessiner. Une série est même adaptée en 1999 à la télévision : les protagonistes sont dotés de familles et parents mais les spectateurs se sont rapidement rendu compte de la supercherie.

Lisez les phrases, soulignez les participes passés.
Justifiez leurs accords.

1 **Dictée. Écoutez bien ces phrases et écrivez-les.** 73
Pour quelle phrase diriez-vous que le participe passé :

– est utilisé comme un adjectif : ....

– s'accorde avec un complément d'objet placé devant : ....

– ne s'accorde pas : ....

– s'accorde avec le sujet : ....

2 **Accordez ces participes passés, si nécessaire.**

a. Superman m'a fait... part des dangers qu'il a couru... et des efforts que cette mission lui a coûté... .

b. Les deux femmes journalistes s'en sont pris... au Premier ministre pendant que les membres de l'opposition se sont plaint... du comportement des médias. Pour une fois, les partis politiques se sont entendu... .

c. Hier, ces deux ministres se sont dit... solidaires des décisions pris... par le Premier ministre alors qu'ils se sont dit... des atrocités pendant le débat qui a précédé... le vote.

3 **Écrivez un petit article qui raconte une anecdote amusante sur un personnage politique de votre choix. Utilisez les verbes suivants :**

s'apercevoir de – se moquer de – se parler – laisser faire – se rendre compte

---

L'accord du participe passé

• **Les participes passés peuvent être utilisés :**

– comme des **adjectifs** ; dans ce cas, il n'y a pas d'auxiliaire ;

– aux **temps composés** ou à la **forme passive** ; dans ce cas, ils peuvent être utilisés avec l'auxiliaire « avoir » ou « être ».

• **Avec l'auxiliaire « avoir » :**

– ils ne s'accordent pas avec le sujet ;

– ils s'accordent avec un COD placé devant.

• **Avec l'auxiliaire « être » :**

– ils s'accordent avec le sujet dans le cas des verbes ordinaires et des verbes qui n'existent qu'à la forme pronominale (Exemple : *se souvenir de*), des verbes pronominaux dont l'action ne se rapporte pas au sujet (Exemple : *se plaindre de*) et des verbes pronominaux à sens passif (Exemple : *se jouer*) ;

– ils s'accordent avec le COD quand le verbe est pronominal et que le COD est placé devant ;

– ils ne s'accordent pas quand le verbe pronominal ne peut pas avoir de COD.

➤ Précis de grammaire, p. 208

La peur en expression

• prendre ses jambes à son cou

• être effrayant, terrifiant

• la crainte, la terreur, la trouille

• être paniqué

• abuser du danger

• avoir la chair de poule

• avoir une peur bleue

• trembler comme une feuille

• avoir les jambes comme du coton

• claquer des dents

• être livide

4

Questions !

Par deux, posez des questions à votre voisi pour savoir à quel moment il a ressenti telle ou telle peur.

Dans l'espace

- une mission spatiale
- une planète
- une comète
- un satellite
- sur orbite
- un astronaute
- une capsule, une fusée
- un lancement ≠ un atterrissage
- la vitesse, la masse, la taille, l'altitude
- la distance parcourue
- tourner autour de

Les exploits en action

- accomplir un exploit
- le premier homme à
- oser, risquer, se risquer à, tenter de
- prendre son courage à deux mains
- faillir mourir
- une situation extrême
- un aventurier, un explorateur
- aller au-delà de
- se lancer un défi
- dépasser ses limites
- battre un record
- être champion de

Préparez votre voyage.

À trois, préparez votre voyage sur la Lune. Expliquez votre mission et donnez quelques indications chiffrées.

2 **Racontez un record.**

À trois, racontez l'exploit d'un aventurier qui vous a marqué. Expliquez en quoi il a dépassé ses limites et en quoi c'est un exploit.

Exploits

Super-héros

- un justicier, un aventurier
- être masqué, costumé
- avoir des capacités hors du commun
- être surhumain, surnaturel
- être inspiré de, être le reflet de
- excentrique, marginal, en marge de
- défenseur d'une justice sociale
- venger, la revanche
- avoir un esprit contestataire
- combattre, se battre pour

3 **Devinettes !**

Faites deviner des noms de super-héros en donnant des précisions sur leur identité et leurs capacités.

LES SUPER-HÉROS N'EXISTENT PAS
Chaque jour, partout dans le monde, les droits humains sont bafoués. Des personnes sont persécutées, enlevées, violées, torturées… il n'y a aucun super-héros pour les sauver. Si nous ne les aidons pas, personne ne le fera. Vous seul avez le pouvoir de changer les choses.

ACTIVITÉ RÉCAP'

Réaliser un spot-vidéo

- Dans la classe, en groupes, vous allez réaliser un spot-vidéo pour participer à la campagne de sensibilisation « Les super-héros n'existent pas », sur le modèle d'*Amnesty International*. Écrivez un texte de présentation pour expliquer votre campagne et décider de l'action à mettre en scène.

La minute culturelle

Que savez-vous du système politique français ?

1. Connaissez-vous les noms des présidents de la Vᵉ République française ?

Historique des présidents de la République

1958 1965 1969 1974 1981 1988 1995 2002 2007 2012

2. En France, qui est le chef des armées ? le chef du gouvernement ?

3. Où réside le président de la République ? le Premier ministre ?

4. Quelles sont les deux assemblées qui forment le Parlement français ?

5. À quel suffrage est élu le président de la République ?

6. Qui élit les sénateurs ? Combien sont-ils ?

7. Qui élit les députés ? Combien sont-ils ?

8. Retrouvez les significations des sigles de ces partis politiques français et classez-les de gauche à droite.

UDI – PS – FN – LR – MoDem – FG – EELV

Réponses :
1. Charles de Gaulle ; Georges Pompidou ; Valéry Giscard D'Estaing ; François Mitterrand ; Jacques Chirac ; Nicolas Sarkozy ; François Hollande – 2. le président de la République : le Premier ministre – 3. au palais de l'Élysée ; à l'hôtel de Matignon – 4. le Sénat et l'Assemblée nationale – 5. au suffrage universel direct – 6. un collège électoral dans chaque département (députés et sénateurs, conseillers régionaux, conseillers généraux, conseillers municipaux) ; 348 – 7. les citoyens qui ont le droit de vote ; 577 – 8. (FG) Front de gauche ; (EELV) Europe Écologie Les Verts ; (PS) Parti socialiste ; (MoDem) Mouvement démo-crate ; (UDI) Union des démocrates et indépendants ; (LR) Les Républicains, ex-UMP ; (FN) Front national

Détente lexicale

Le préfixe

En un minimum de temps, trouvez un maximum de mots construits avec le préfixe SUPER. Puis, amusez-vous à en inventer ! Exemples : super-huit, super-production.

Acrostiche

À vous de jouer : utilisez des mots en lien avec le monde des « super-héros » pour écrire un acrostiche, c'est-à-dire un poème ou un texte dont chaque vers ou ligne commence par la lettre donnée verticalement, comme ci-contre.

S .....
U .....
P .....
E .....
R .....
- .....
H .....
É .....
R .....
O .....
S .....

Précision LEXICALE

Le plus rapidement possible, donnez une définition à chaque pouvoir. Choisissez celui que vous aimeriez posséder et justifiez votre choix.

a. l'absorption
b. l'audition décuplée
c. la liquéfaction
d. la manipulation empathique

e. la régénération cellulaire
f. l'invisibilité
g. l'illusion
h. la cryokinésie

Réponses : a. voler les pouvoirs des autres par contact physique – b. entendre des sons au-delà des limites humaines normales – c. transformer la matière solide en liquide – d. manipuler et contrôler les émotions des autres – e. avoir des cellules qui se reconstruisent rapidement – f. capacité à ne pas être vu – g. changer la manière dont les autres perçoivent la réalité – h. retirer la chaleur de la matière

Jeux de mots, jeux de sons !

« EELV – PS – LR – FN »

On prononce les **sigles** sans séparer les lettres, mais en faisant, selon le cas, un enchaînement consonantique ou un enchaînement vocalique entre chaque lettre.

Connaissez-vous d'autres sigles ? Que signifient-ils ? Entraînez-vous à les prononcer !

Reçu 5 sur 5 !

Dans cette unité, retrouvez :

1 **personnage** impressionnant : ....
1 **action** maladroite : ....
1 **adjectif** flatteur : ....
1 **date** clé : ....
1 **mot** obscur : ....

Complétez et comparez avec votre voisin pour justifier vos choix.

À vous de décoder... une lettre

PIERRE O'CONNELL et ARYS NISSOTTI présentent

RICHARD-WILLM
MICHELE ALFA
LISE DELAMARE
AIMÉ CLARIOND

LE COMTE DE MONTE·CRISTO
D'APRÈS LE CÉLÈBRE ROMAN D'ALEXANDRE DUMAS PÈRE
VERSION NOUVELLE DE ROBERT VERNAY

JACQUES BAUMER, ALEXANDRE RIGNAULT, HENRY BOSC, LINE NORO, LOUIS SALOU
MARCEL HERRAND

Chère Hermine,

Je viens d'être miraculeusement sauvée avec mon fils par ce même comte de Monte-Cristo dont nous avons tant parlé hier soir, et que j'étais loin de me douter que je verrais aujourd'hui. Hier vous m'avez parlé de lui avec un enthousiasme que je n'ai pu m'empêcher de railler de toute la force de mon pauvre petit esprit, mais aujourd'hui je trouve cet enthousiasme bien au-dessous de l'homme qui l'inspirait. Vos chevaux s'étaient emportés au Ranelagh comme s'ils eussent été pris de frénésie, et nous allions probablement être mis en morceaux, mon pauvre Édouard et moi, contre le premier arbre de la route ou la première borne du village, quand un Arabe, un Nègre, un Nubien, un homme noir enfin, au service du comte, a, sur un signe de lui, je crois, arrêté l'élan des chevaux, au risque d'être brisé lui-même, et c'est vraiment un miracle qu'il ne l'ait pas été. Alors le comte est accouru, nous a emportés chez lui, Édouard et moi, et là a rappelé mon fils à la vie. [...]
Notre chère Valentine dit bien des choses à votre chère Eugénie ; moi, je vous embrasse de tout cœur.
Héloïse de Villefort.

Alexandre Dumas, *Le Comte de Monte-Cristo*, 1844.

o **Pour mieux comprendre cette lettre, ayez le déclic culturel !**

   a. Que savez-vous du comte de Monte-Cristo et de l'auteur de ce livre, Alexandre Dumas ?

   b. À quel genre appartient ce roman ?

   c. Quelles précisions sont apportées dans cette lettre ?

   d. Pourquoi le comte est-il un héros ?

C'EST À VOUS !

💬 o **Par deux, jouez la scène !**
Vous venez d'être sélectionné pour participer au programme « *Mars One* » en vue d'une colonisation de la planète Mars. Vous pouvez être un des premiers hommes à poser le pied sur Mars et à y construire votre habitat. À la manière d'un entretien professionnel, vous expliquez à votre recruteur votre enthousiasme et vos qualités pour participer à un tel programme.

📝 o **Individuellement, rédigez une fiche de lecture.** Lisez le livre *Le Comte de Monte-Cristo* ou choisissez un autre roman francophone. Rédigez une fiche de lecture : présentez l'auteur et l'œuvre, les décors et les personnages, le genre, le mode de narration et le style. Puis, donnez votre avis. Attention, votre fiche de lecture ne doit pas excéder deux pages.

Ça n'a ni queue ni tête !

09

Adoptez de bons réflexes !

▶ Regardez la photo. Quel adjectif utiliseriez-vous pour la décrire ? Pourquoi ?

▶ Regardez la vidéo. Qui sont les personnages ? Où sont-ils ? Que font-ils ? Quelle est la tonalité de l'extrait ? Justifiez.

Drôle d'expression !

▶ Pourquoi le protagoniste s'exclame-t-il ainsi : « *Vous n'avez qu'à me donner pas de travail !* » ?

▶ Quel lien faites-vous entre le titre de l'unité et la vidéo ? Donnez quelques exemples de situations au cours desquelles vous pourriez utiliser cette expression.

Entre nous...

▶ Dans la vidéo, le comportement du patron est-il déontologiquement correct ? Pourquoi ?

▶ Avez-vous déjà vécu une situation absurde ? Racontez-la ou inventez-en une.

Ça rime à quoi ?

1 (Éthique

Se repérer

• Éthique et responsabilités

Prendre position

• Le meilleur des mondes ?
• ADN : superstar ou superflic ?

S'exprimer

• Accuser et rejeter une accusation
• Rédiger un droit de réponse

2 (Absurde

Décrypter

• Métropole de demain, de la mesure à la démesure
• La folie des grandeurs

Interpréter

• L'humour dans une fable

S'exprimer

• Atelier culturel
Décoder l'absurde

Éthique et responsabilités

Doc. 1

Éthique ergonomique

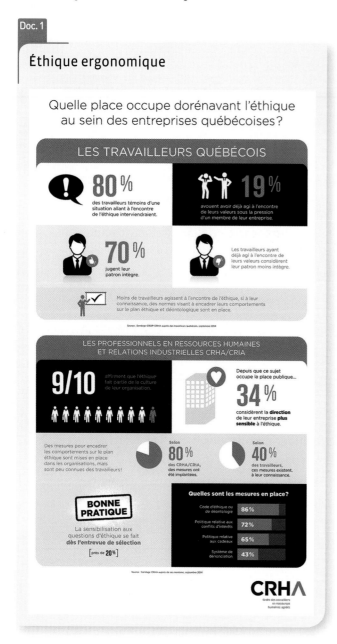

Quelle place occupe dorénavant l'éthique au sein des entreprises québécoises?

LES TRAVAILLEURS QUÉBÉCOIS

80 % des travailleurs témoins d'une situation allant à l'encontre de l'éthique interviendraient.

19 % avouent avoir déjà agi à l'encontre de leurs valeurs sous la pression d'un membre de leur entreprise.

70 % jugent leur patron intègre.

Les travailleurs ayant déjà agi à l'encontre de leurs valeurs considèrent leur patron moins intègre.

Moins de travailleurs agissent à l'encontre de l'éthique, si à leur connaissance, des normes visant à encadrer leurs comportements sur le plan éthique et déontologique sont en place.

Source : Sondage CROP-CRHA auprès des travailleurs québécois, septembre 2014

LES PROFESSIONNELS EN RESSOURCES HUMAINES ET RELATIONS INDUSTRIELLES CRHA/CRIA

9/10 affirment que l'éthique fait partie de la culture de leur organisation.

Depuis que ce sujet occupe la place publique...

34 % considère la **direction** de leur entreprise **plus sensible** à l'éthique.

Des mesures pour encadrer les comportements sur le plan éthique sont mises en place dans les organisations, mais sont peu connues des travailleurs!

Selon **80 %** des CRHA/CRIA, des mesures ont été implantées.

Selon **40 %** des travailleurs, ces mesures existent, à leur connaissance.

BONNE PRATIQUE
La sensibilisation aux questions d'éthique se fait **dès l'entrevue de sélection**
[près de **20 %**]

Quelles sont les mesures en place ?

Code d'éthique ou de déontologie	86%
Politique relative aux conflits d'intérêts	72%
Politique relative aux cadeaux	65%
Système de dénonciation	43%

Source : Sondage CRHA auprès de ses membres, septembre 2014

CRHA Ordre des conseillers en ressources humaines agréés

Doc. 2

🔊 **A-t-on le droit de breveter des gènes humains ?**

www.rts.ch

Doc. 3

Les Français veulent plus d'éthique mais pas à n'importe quel prix

Les Français veulent-ils le beurre et l'argent du beurre ? Près des trois quarts des consommateurs se montrent attentifs aux conditions de production des produits, notamment en ma-
5 tière de respect des droits de l'homme et d'environnement, mais ne semblent pas forcément prêts à en payer le prix.

[...] 71 % des Français souhaiteraient être mieux informés des conditions de production des pro-
10 duits qu'ils consomment.

Cette préoccupation est particulièrement marquée pour l'alimentaire (77 %) et l'habillement (62 %).

[...] Par ailleurs, si les Français se déclarent sou-
15 cieux de développement durable, ils ne sont pourtant que 58 % à se déclarer prêts à payer davantage pour le faire respecter, contre 31 % qui y sont fermement opposés.

[...] C'est sur l'alimentaire que les sondés sont
20 les plus enclins à faire un effort financier (74 %), tandis qu'ils sont beaucoup plus réticents sur les meubles ou l'électronique. Dans tous les cas, l'immense majorité des consommateurs, soucieux de préserver leur pouvoir d'achat, ne
25 consentiront qu'à des hausses de prix limitées, ne dépassant pas les 10 %.

AFP, 16 mai 2013.

1 Repérez les informations ! 74

Observez, lisez et écoutez les documents.

a. Quels sont les domaines concernés par l'éthique ? Illustrez-les par des exemples.

b. Pour chaque domaine, comment définiriez-vous l'éthique ?

c. Que stipule la loi suisse concernant le droit des brevets ?

d. Les Français sont-ils des consommateurs éthiques ? Justifiez.

e. Quelle est la question posée la plus importante concernant l'éthique ? Justifiez.

2 Soyez curieux !

a. Relevez les mots et expressions permettant de parler d'éthique.

b. Relevez les mots servant à articuler le discours dans les documents 2 et 3. Qu'expriment-ils ? Quelle est leur place dans la phrase ?

➤ Articuler son discours, p. 168

c. Que signifie l'expression « vouloir le beurre et l'argent du beurre » ? Selon vous, pourquoi les consommateurs sont-ils plus disposés à faire un effort financier sur l'alimentation ?

d. Que se passerait-t-il si les employés étaient mieux au courant des normes éthiques et déontologiques ?

Doc. 4

Éthique santé

« Hippocrate m'a ramené trente ans en arrière ! »

Dans ses romans […], Martin Winckler ne cesse de décrire, avec un grand sens critique et sa propre expérience de praticien, les absurdités de la médecine.
5 Depuis Montréal, où il vit depuis 2008, il explique pourquoi il a aimé *Hippocrate*, de Thomas Lilti.

Qu'avez-vous pensé d'*Hippocrate* ?
J'ai parfaitement reconnu l'atmosphère et le cadre d'un hôpital français, et ce réalisme m'a saisi, désolé,
10 atterré même ! […] Et, surtout, la même hiérarchie. Ce sentiment que rien n'a changé est très déstabilisant. […] Les internes sont laissés à eux-mêmes, ils ne sont pas vraiment encadrés, ni écoutés.

Le film est critique contre l'évolution du système
15 **hospitalier...**
Oui, il est très représentatif de la féodalité du monde médical : ce n'est pas vraiment l'intérêt du patient qui compte, c'est la structure hospitalière qui dicte ses lois. Elle les dicte à tout le monde, et elle
20 se préoccupe assez peu des soins, de la façon dont on soigne. […] L'histoire de cette femme qu'on veut réanimer, l'interne qui refuse, etc., partout ailleurs

qu'en France, cela ferait l'objet d'une
25 discussion collégiale à laquelle la patiente et sa famille seraient associées. Et si l'on n'arrivait pas à tom-
30 ber d'accord, on irait vers la commission d'éthique... Le film présente une situation très caractéristique de la médecine française : on ne
35 tient pas compte de l'avis du patient. […]

D'où vient cette singularité française ?
Du fait que la France est un pays féodal et que le monde médical est la caricature de cette féodalité, dans lesquels les médecins hospitaliers universi-
40 taires ont tous les droits, des prérogatives sur l'enseignement, le soin, la recherche. […] Les étudiants sont mis dans une machine qui n'est que transmission de l'autorité du haut vers le bas, ils apprennent à exercer comme ça...

Aurélien Ferenczi, www.telerama.fr, 5 septembre 2014.

1 Posez-vous les bonnes questions !

a. Qui est Martin Winckler ? Pourquoi est-il interviewé ? Qu'éprouve-t-il à l'égard du film ?

b. Qu'est-ce qui n'a pas changé dans les milieux hospitaliers français ?

c. Quel problème éthique est posé dans le document ?

2 Soyez curieux !

a. Soulignez les mots et expressions relatifs au domaine médical.

b. Comment Martin Winckler explique-t-il la singularité française du monde médical ? Quel mot de liaison utilise-t-il ? Que marque cet articulateur ?

➤ Articuler son discours, p. 168

c. À quel autre système est comparé le système hospitalier ? Qu'est-ce que cela signifie ?

d. Selon vous, l'exemple de la France est-il le reflet des milieux hospitaliers des pays occidentaux ?

Avez-vous l'esprit d'analyse ? 📝

→ Vous allez poursuivre votre travail sur le **commentaire** chiffré des documents 1 et 3. Lisez l'encadré ci-contre, puis suivez les étapes pour **organiser un plan détaillé**.

1 En introduction, présentez le sujet traité et les graphiques.

2 Soulignez les points marquants et expliquez l'évolution ou la répartition des données.

À plusieurs, comparez !

3 En conclusion, rappelez le thème essentiel observé, les limites et faites une ouverture.

En classe, comparez vos propositions d'ouverture !

Le commentaire

✓ Lire les informations satellites
✓ Décrire des données
✓ Expliquer des données

▶ U3 : formuler des hypothèses
▶ U6 : comparer des données
▶ U9 : organiser un plan détaillé
▶ Fiche pratique, p. 194

➤ 📖 Cahier d'activités, **unité 9**

Le meilleur des mondes ?

Doc. 1

Génome et éthique

À la fin des années 1980, la communauté scientifique internationale cherche à établir la séquence complète du génome humain. [...] La mission est confiée à un consortium international qui se partage le tra-
5 vail. Tous s'engagent à publier les séquences déchiffrées sur Internet, et l'UNESCO affirme en 1997 que le génome humain fait partie du patrimoine de l'humanité. [...] Le séquençage commence en 1998. La même année, le scientifique Craig Venter annonce la
10 création d'une compagnie privée, Celera Genomics, pour séquencer le génome en trois ans seulement [...]. Pour rentabiliser son investissement, il compte vendre le génome à des sociétés pharmaceutiques. La communauté scientifique s'offusque. La compé-
15 tition s'emballe et les concurrents publient un premier séquençage en même temps, en 2001. Match nul. En 2003, le consortium international aboutit à une version complète [...]. Le travail se poursuit mais le projet génome humain est désormais accessible
20 en ligne aux chercheurs du monde entier.

Revue *XXI*-n°29-Hiver 2015.

Doc. 2

 Google et la vie éternelle

www.franceinter.fr

Doc. 3

Hugo Aguilaniu, ou le rêve de Faust revisité

« En France, l'étude du vieillissement est un peu dia-bolisée, soupire Hugo Aguilaniu. [...] Comme si nous étions des transhumanistes forcenés ! » [...] L'humanité a toujours été hantée par ce *« dur désir de
5 durer »*, qui habitait Paul Éluard. *« J'ai été formé aux États-Unis où la logique du "tout-pilule" prédomine, admet Hugo Aguilaniu. Ici, c'est tout le contraire. On nous dit souvent : "Laissez-nous mourir tranquille !" [...] « Mais je ne travaille pas pour prolonger à tout
10 prix la vie des gens ! Mon but est d'affronter les ma-ladies liées à l'âge, un des grands défis de demain. »* [...] On sait depuis plusieurs décennies que man-ger moins prolonge la vie de nombreuses espèces [...]. Cela, à condition de réduire l'apport calorique
15 de 30 % à 40 %, ce qui n'est pas envisageable chez l'homme. Mais cette longévité accrue se fait au dé-triment de la fécondité. [...] C'est le grand dilemme des espèces : l'évolution semble leur avoir laissé une alternative, pour assurer leur survie. Ou bien se re-
20 produire à rythme forcené mais périr jeune ; ou bien vivre vieux, avec une descendance limitée. Un choix entre fertilité et longévité.

Florence Rosier, www.lemonde.fr, 23 février 2015.

1 Posez-vous les bonnes questions ! 75

a. Quels sont les objectifs de la recherche sur le génome humain ?

b. Qu'est-ce qui offusque et fait peur ?

c. À quel moment la question de l'éthique intervient-elle ?

d. Dans le document 2, quelle expression est utilisée par le journaliste Laurent Guez pour conclure son propos en y apportant une restriction ?

2 Cap ou pas cap

➜ Où la science peut-elle nous conduire ?

○ Selon vous, la recherche scientifique est-elle un progrès pour l'avenir ou une dérive dont on doit se méfier ? En groupes, échangez sur la question et listez vos arguments.

○ Individuellement, rédigez un article présentant votre réflexion pour une revue de vulgarisation scientifique (300 mots environ). Référez-vous à l'encadré pour conclure vos propos.

Conclure ses propos
Cela dit / Ceci dit / Cela étant (dit)...
Tout ça pour dire que...
Et c'est ainsi que...
En somme / définitive / fin de compte...
En un mot / En résumé...
Bref / Donc...
Et voilà... / ..., voilà.
Tout compte fait...

ADN : superstar ou superflic ?

Doc. 1

🔊 ADN : risques et dérives possibles de l'usage de cette « molécule envahissante »

www.rts.ch

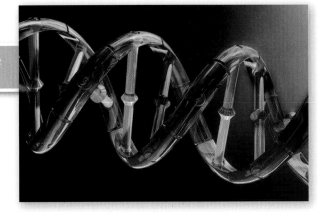

1 Qu'avez-vous compris ? 🔊 76

a. Quel est le titre de l'émission ? Qu'est-ce qu'il signifie ? Quel est le sujet du jour ?

b. Quelle est la différence entre la vraie vie et les séries télé ? la France et la Suisse ?

c. Qu'implique le fait d'être fiché dans les bases de données d'ADN ?

d. À l'origine, pourquoi a-t-on créé un fichier national ?

e. Avec le temps, que se passe-t-il ?

f. Quels problèmes se posent ?

g. Les bases de données génétiques sont-elles intéressantes ?

h. Jusqu'où pourrait-on pousser l'analyse de l'ADN ?

2 Soyez curieux !

a. Relevez le lexique relatif à l'enquête judiciaire.

b. Relevez cinq mots qui permettent d'articuler le discours oral des intervenants.

➤ Articuler son discours, p. 168

c. Pourquoi la méthode n'est-elle pas infaillible ?

d. À votre avis, l'ADN est-il un super-héros ou un superflic ?

LE + INFO

Faites-vous la différence ?

Le génome humain : l'ensemble des gènes portés par un individu. Le génome est présent sous forme d'ADN.

L'ADN ou l'acide désoxyribonucléique : constitue la molécule support de l'information génétique héréditaire.

L'empreinte génétique : le résultat d'une analyse génétique rendant possible l'identification d'une personne.

Ça se discute ! ✍️

→ Vous allez poursuivre votre travail de **critique**, à l'écrit, à partir du document 1 ci-dessus. Lisez l'encadré ci-contre, puis suivez les étapes.

➲ ⌐Choisissez les éléments à critiquer !⌐
▸ Relevez dans l'audio les éléments qui critiquent les séries télé policières.
▸ Choisissez une série télé et listez les éléments permettant de la critiquer (le scénario, les acteurs, etc.).

➲ ⌐Opposez des termes négatifs et positifs !⌐
▸ Attribuez un terme négatif à chaque élément, puis un terme positif.

➲ ⌐Pensez à employer les marqueurs de la concession (mais, malgré, même si, etc.) !⌐
▸ Formulez pour chaque élément une phrase en associant les deux termes.

La critique

✓ Comprendre l'objet critiqué
✓ Choisir l'élément à critiquer
✓ Définir l'implication de l'auteur

Pour opposer des termes :
- *admettre que, accorder, céder*
- *distinguer le... du...*
- *Cela n'empêche pas que...*
- *On se situe entre... et...*
- *Dans une perspective... et dans une autre...*
- *Ce n'est pas vraiment / entièrement + adj., mais cela reste + adj.*
- *Même si l'histoire est réussie, le jeu des acteurs n'est pas très professionnel.*
- *Si le scénario est bien construit, le décor est décevant.*

▸ U3 : comparer des éléments
▸ U6 : utiliser des adjectifs
▸ U9 : opposer des termes

➤ 📖 Cahier d'activités, **unité 9**

Grammaire

Articuler son discours

Lexique

→ **Observez, écoutez et analysez.** **77**

> En 1953, lorsque deux jeunes chercheurs publient les fruits de leur recherche, peu de scientifiques se rendent compte de l'importance de la découverte de l'ADN alors que celle-ci allait engendrer une véritable révolution. Par ailleurs, à cette époque, des biologistes avaient déjà compris que cette molécule était le support de l'hérédité. Cependant, ils ne connaissaient pas encore sa forme. De fait, Crick et Watson allaient montrer la structure de la molécule. Ainsi, ils ont permis de comprendre comment se copie et se transmet l'information génétique.

a. Lisez et écoutez les documents, puis relevez les articulateurs du discours.

b. Quels liens logiques expriment-ils ? Quels connecteurs sont utilisés pour l'oral ?

1 **Écoutez et dites si les phrases ont le même sens. Justifiez.** **78**

2 **Identifiez le type de relation introduite par le connecteur.**

a. De surcroît, l'éthique de cette entreprise laisse à désirer.

b. Heureusement qu'on en a parlé, autrement on aurait eu des problèmes.

c. Tout compte fait, on a bien fait de venir.

d. Tu as vu la performance de ces scientifiques ? Comme quoi, tout est possible !

e. Il faut tout de même demander leur avis.

3 **Écoutez le texte. Relevez les connecteurs et écrivez les faits en utilisant les connecteurs de l'écrit.** **79** ✎

Pour articuler les éléments dans un discours ou un texte, on peut vouloir exprimer :

• **une logique dans ses idées :**
  EXEMPLE : *Pourquoi je veux aller en Italie ?* **Premièrement**, *pour la nourriture.* **Deuxièmement**, *pour la langue.* **Troisièmement**, *pour le soleil !*

• **une explication de ses idées :**
  EXEMPLE : *Il a travaillé* **de telle manière** *qu'il a réussi son examen.*

• **un ajout d'idées ou d'informations :**
  EXEMPLE : *J'aime beaucoup sa robe.* **Quant à** *ses chaussures, elles sont sublimes !*

• **une opposition dans les idées :**
  EXEMPLE : *Tu penses que c'est une mauvaise idée ? Je pense* **au contraire** *qu'elle est excellente !*

• **une synthèse de ses idées :**
  EXEMPLE : **En définitive**, *je ne sais pas comment régler le problème.*

➤ Précis de grammaire, p. 203

Des lieux, des personnes

- au sein des entreprises
- dans une salle d'opération
- dans des sociétés pharmaceutiques
- dans un laboratoire ultrasecret
- sur un moteur de recherche médicale
- sur une scène de crime
- un patron intègre
- un chirurgien
- des internes laissés / livrés à eux-mêmes
- la communauté scientifique internationale
- un spécialiste en biologie moléculaire
- des transhumanistes forcenés
- des investisseurs privés
- un enquêteur judiciaire

4

Qui travaille où

Associez les lieux aux personnes.

Éthiquement correct

- le plan éthique / déontologique
- la législation, une limite imposée par la loi, être brevetable
- des normes visant à encadrer, implanter des mesures, définir les limites, garantir l'anonymat, exclure une invention contraire à l'ordre public
- être enclin à faire un effort, être soucieux de / s'occuper de la morale
- une discussion collégiale, une commission éthique, un consortium interne
- faire triompher le bien du mal

Des domaines sensibles

- les grands défis de demain, des projets dingues, des recherches fascinantes, l'innovation
- le clonage humain, le séquençage du génome humain, la génétique, l'idéologie transhumaniste, des méthodes de traitement chirurgical ou thérapeutique, les conditions de production
- être appliqué au corps humain et animal, faire de la recherche fondamentale, percer les secrets de la santé, analyser des traces d'ADN, détecter et affronter les maladies (liées à l'âge)

2

Degrés de sensibilité

a. Sélectionnez 5 sujets sensibles et classez-les du moins sensible au plus sensible.

b. En groupes, comparez vos choix.

1

Une situation problém'éthique !

Une multinationale fabriquant des chaussures de sports garanties haute qualité a délocalisé son entreprise à l'étranger afin d'exploiter une main d'œuvre à bas prix et d'user de matériaux bas de gamme. Le PDG est mis en cause pour un problème éthique.

En petits groupes, discutez des solutions possibles pour résoudre ce problème éthique.

Problèmes d'éthique

- une situation allant à l'encontre des valeurs, être contraire à l'ordre public et à la moralité
- des enjeux complexes, des intérêts financiers, rentabiliser un investissement, user de ses prérogatives
- le non-respect des droits de l'homme et de l'environnement
- les absurdités de la médecine, ne pas prendre en compte l'avis du patient, repousser les limites du vieillissement, envisager une intelligence supérieure
- diaboliser l'étude du vieillissement
- être fiché, la présomption d'innocence, condamner / innocenter

Éthique

3

Par deux, définissez le problème éthique des situations suivantes.

a. Le chirurgien a décidé d'opérer un malade qui avait refusé l'opération quelques semaines auparavant.

b. Cette entreprise fait travailler des mineurs de moins de 16 ans.

c. Le gouvernement a lancé une campagne de collecte d'ADN de l'ensemble de la population.

d. Un laboratoire pharmaceutique privé a décidé d'arrêter ses recherches sur les maladies orphelines par manque de marché.

Participer à un consortium éthique

- En groupes, choisissez un domaine (entreprise, santé, sciences, technologies, environnement) et imaginez un projet posant un problème éthique.
- Réunissez un consortium éthique. L'un de vous présente et défend le projet devant le consortium, qui débat sur le projet. À l'issue de ce débat, le projet sera accepté ou refusé. Jouez la scène. Pensez à articuler votre discours !

Accuser et rejeter une accusation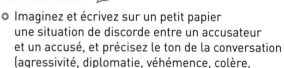

1 Vous en pensez quoi ?

a. Regardez et décrivez l'illustration. Quelle accusation est faite ? par qui, à qui, de quoi ?

b. Quel problème éthique est en jeu ?

c. Dans quel domaine touchant à l'éthique souhaiteriez-vous le plus porter une accusation ? Pourquoi ?

2 C'est du vécu !

a. Écoutez ces différentes situations. 🔊 80
Pour chacune d'entre elles, dites : qui accuse qui ; quel est l'objet de l'accusation ; quel est le ton employé.

b. Dans chaque dialogue, relevez les expressions permettant d'accuser et de rejeter une accusation.

c. Question de son, question de style !

– Écoutez : quel est le point commun 🔊 81 à toutes ces situations ? Qu'en déduisez-vous à propos des styles courant et familier ?

– Écoutez ces expressions. 🔊 82 Puis, répétez-les avec le style qui convient.

Les interjections

Dans les styles courant et familier, on utilise beaucoup d'interjections. Ce sont des petits mots qui n'ont ni sens en soi ni rôle grammatical, mais qui permettent d'exprimer une émotion. L'onomatopée est une sorte d'interjection.

---

3 En situation ! 💬

○ Imaginez et écrivez sur un petit papier une situation de discorde entre un accusateur et un accusé, et précisez le ton de la conversation (agressivité, diplomatie, véhémence, colère, amabilité, etc.).

○ Rassemblez les papiers dans un sac.

○ Par deux, piochez un papier, lisez-le et improvisez la scène.

LE + EXPRESSION

• C'est de ta faute si tout ça est arrivé ! Tout est de sa faute ! C'est à cause de votre manque d'organisation que ça n'a pas marché. C'est toi qui as fait ça !

• Je te tiens pour responsable de... Tu es pour quelque chose dans cette histoire ! C'était ta responsabilité !

• J'accuse X d'avoir... C'est lui / elle le / la coupable.

• Assumez vos responsabilités ! C'est vous qui êtes en tort !

• Je nie toute responsabilité. Je n'ai rien avoir avec ça ! Je suis innocent. Ce n'est pas (de) ma faute ! Ce n'est pas à cause de moi que... Je n'ai rien fait. Je n'y suis pour rien.

• Tu mens ! C'est vous qui m'avez dit de...

✗ Vous vous foutez / moquez de moi là !

✗ Ah ben ça c'est la meilleure ! J'en crois pas mes oreilles !

Rédiger un droit de réponse

L'Ordre demande un droit de réponse à RTL

Monsieur,

C'est avec stupéfaction que nous avons écouté l'émission du 19 février 2014 « On refait le monde », dont la dernière partie était consacrée à la profession de sage-femme.

Un des chroniqueurs présents, M. Philippe Besson, a en effet affirmé que les sages-
5 femmes n'étaient pas une profession médicale et qu'en conséquence, leurs revendica-
tions n'étaient pas légitimes.

Or, la recherche la plus élémentaire aurait permis à M. Besson de constater que les sages-femmes sont bien une profession médicale, au même titre que les médecins et les chirurgiens-dentistes, inscrites au livre premier de la 4e partie du Code de la santé
10 publique intitulé « Les Professions médicales ».

Par ailleurs, le statut de praticien hospitalier auquel une partie de la profession veut accéder n'est pas réservé aux médecins étant donné que les chirurgiens-dentistes ou encore les pharmaciens y ont accès.

Lors de cette émission, d'autres contre-vérités ont également été assenées, notamment le fait que les sages-
femmes pourraient un jour obtenir un droit de prescription, ce qu'elles possèdent déjà depuis fort longtemps; ou
15 encore que les femmes pourraient aller consulter une sage-femme sans voir un médecin, ce qui est aujourd'hui parfaitement possible.

En aucun cas les sages-femmes ne demandent à être des médecins. Elles souhaitent simplement que leurs compé-
tences et leur rôle soient enfin reconnus, une revendication qui apparaît plus que jamais légitime à l'écoute de votre émission du 19 février démontrant l'ampleur de la méconnaissance dont les membres de notre profession souffrent.

20 Nous dénonçons avec fermeté ces propos qui s'apparentent à de la désinformation et demandons en conséquence un droit de réponse ou un rectificatif.

En vous remerciant de l'attention que vous porterez à ce message, veuillez recevoir, Monsieur, l'expression de mes salutations distinguées.

Marie Josée Keller, présidente du Conseil national de l'Ordre des sages-femmes

www.ordre-sages-femmes.fr

1 Vous en pensez quoi ?

a. Observez et lisez le document. Qu'est-ce qu'un droit de réponse ? Qui écrit à qui ? En référence à quoi ? Que dénonce l'auteure de la lettre ?

b. Relevez dans le document : la référence, l'objet et les arguments de réponse et la formule de politesse conclusive.

c. Lorsque vous entendez ou lisez dans les médias de fausses affirmations, quelle est votre réaction ? Seriez-vous prêt à rédiger une telle lettre ? Pourquoi ?

2 C'est écrit noir sur blanc !

→ Dans un quotidien paru le 18 mars 2015, une ONG luttant contre la faim et la pauvreté a été accusée à tort d'avoir détourné des dons pour les revendre au marché noir. Vous souhaitez exercer votre droit de réponse en tant que représentant de l'ONG.

○ Définissez les valeurs morales et éthiques de votre organisation.

○ Listez vos arguments pour contrer les propos du journaliste.

○ À l'aide de ces éléments, rédigez le corps de votre lettre.

○ Rédigez la référence, l'introduction, l'objet et la conclusion de votre réponse.

○ Assemblez le tout.

LE + EXPRESSION

Pour rédiger un droit de réponse, il faut :

• **nommer la référence**

Faisant suite à votre article / émission [titre] paru(e) dans [nom de magazine] le [date]…

… je souhaiterais apporter les précisions suivantes.

… comportait des affirmations fausses.

• **introduire la réponse**

Je souhaiterais exercer mon droit de réponse / faire apparaître ce communiqué.

• **insérer l'objet de la réponse**

Je dénonce avec fermeté vos propos qui portent atteinte à l'honneur de [association, ONG, etc.].

• **conclure par une formule de politesse**

En vous remerciant de l'attention que vous porterez à ce message, veuillez recevoir [Madame, Monsieur], l'expression de mes salutations distinguées.

2(Absurde

Métropole de demain, de la mesure à la démesure

Doc. 1

URBANISATION
un enjeu majeur du XXIe siècle

90%
de la croissance a lieu dans les pays du sud

2% d'urbains
1800

30% d'urbains
1950

70% d'urbains
2050

Zoom sur l'Afrique subsaharienne

ici 2030
la surface des aires urbaines va doubler

x3
D'ici à 2050 la population urbaine en Afrique va tripler

70%
des urbains vivront dans des bidonvilles si rien n'est fait

SOURCES : www.onhabitat.org, l'AFD et la question urbaine : enjeux et stratégie

Villes ou bidonvilles ?

En 2010 1 milliard d'humains vivent dans un bidonville

Si rien n'est fait... En 2050

3 milliards

Des budgets qui ne sont pas à la hauteur des enjeux

Paris
3600 euros/hab/an

VS

Dakar
40 euros/hab/an

Lomé
9 euros/hab/an

Kinshasa
30 euros/hab/an

Rodez
25000 habitants
=2x Ouaga 1,5 million habitants
Rodez a **2x** plus de budget que Ouagadougou

Le rattrapage en équipements de base en Afrique subsaharienne nécessite l'injection d'environ 25 milliards de dollars par an.
La question urbaine doit devenir une priorité pour les autorités nationales, locales, et pour les financeurs.
Si rien n'est fait, c'est une grande partie de l'Afrique qui sera laissée de côté

afd AGENCE FRANÇAISE DE DÉVELOPPEMENT

Agence française de développement, mars 2014.

Doc. 2

Les tours sont-elles forcément infernales ?

www.franceinter.fr

1 De l'image au son ! 🔊 83

a. Observez le document 1. De quoi s'agit-il ? Que se passera-t-il en 2050 ? Quel paradoxe présente le document ? Quelle en est la conséquence ?

b. Écoutez le document 2. Quelles sont les différences d'enjeux entre l'urbanisation des pays du Nord et celle des pays du Sud ?

c. Quel est le sujet de l'émission ? Quelles questions pose-t-il ?

d. Quelle est la différence entre Paris et d'autres villes du monde ?

e. Quels sont les problèmes liés à l'insertion d'un gratte-ciel dans un quartier ?

2 À demi-mot...

a. Quelle est l'opinion de Thierry Paquot ?

b. Le problème évoqué concerne-t-il le gratte-ciel en tant qu'objet ? Relevez la phrase qui répond à la question.

➤ Ajouter une information, p. 176

c. Qu'est-ce qui est absurde ?

La minute grammaticale

Dans les expressions « en tant que tel », « pour tel », « comme tel », « tel quel », l'accord de « tel » se fait avec le mot auquel il se rapporte.
Exemples : Ils forment une équipe et se considèrent comme telle. J'ai noté les informations telles quelles.

La folie des grandeurs

Doc. 1

Europa City en banlieue parisienne

C'est sur ces terres, parmi les plus fertiles de France, que devrait être bâti à l'horizon 2020 [...] Europa City. Une sorte de temple du « *temps libre* » qui allie shopping, loisirs et culture sur le thème de « *l'art de*
5 *vivre à l'européenne* ». Un complexe de 80 hectares [...], qui table sur près de 30 millions de visiteurs par an [...].

Dominique Plet [...] a repris l'exploitation tenue par sa famille depuis quatre générations. [...] Mais
10 en amputant l'exploitation de près d'un tiers de ses terres, Europa City signerait son arrêt de mort. [...]

L'association Les Amis de la terre [...] rappelle que « *chaque année, 820 000 hectares de terres agricoles disparaissent en France* ». [...]

15 Quelques chiffres, dans le projet d'Auchan, n'ont pas manqué d'allécher les élus locaux : un investissement de 1,7 milliard d'euros, une nouvelle gare de métro [...], et surtout, la promesse de la création de près de 20 000 emplois [...]. Une perspective inespérée
20 sur un territoire où le chômage est endémique. [...]

Ces promesses, toutefois, laissent sceptiques du côté des associations locales opposées au projet. D'abord, parce qu'il y a un grand
25 écart entre les emplois proposés à Europa City, dans le secteur touristique notamment, et les qualifications des habitants du coin. [...] D'autre
30 part, parce que ces estimations ne prennent pas en compte les emplois potentiellement détruits par l'écrasante concurrence de ce méga-complexe. [...]

Sur les commerces de proximité aussi, la concur-
35 rence d'Europa City inquiète. [...] « *Au final, on vide les centres-ville, on crée des cités-dortoirs, des villes mortes. On renforce le côté banlieue qui fait fuir les gens* », craint quant à lui Alain Boulanger [...].

Les habitants de Gonesse [...] délaisseront-ils leurs
40 petits commerces pour flâner le week-end à Europa City ? Pas sûr qu'ils y soient invités, en tout cas. Le complexe cible explicitement les touristes, venus notamment d'Europe et d'ailleurs. Boutiques de luxe, pistes de ski et autres divertissements pas for-
45 cément des plus abordables...

LA VILLE GRIGNOTE LA CAMPAGNE

ADIEU VEAU, VACHE, COCHON, COUVÉE...
ET N'VENEZ PAS PLEURER !

Angela Bolis, www.lemonde.fr, 26 mars 2013.

1 Ouvrez l'œil !

**Lisez le document et cochez les bonnes réponses.
Justifiez à l'aide d'une phrase du texte.**

❏ Europa City est un projet de grande envergure.

❏ L'agriculteur a signé un accord avec Europa City pour conserver un tiers de ses terres.

❏ Le projet résorbera le chômage dans la région.

❏ Les élus sont mitigés sur la portée du projet.

❏ Le projet vise essentiellement des touristes aisés.

2 Info ou intox ?

a. En quoi Europa City est-il représentatif de « l'art de vivre à l'européenne » ? Et selon vous, comment vit-on « à l'européenne » ?

b. Que nous apprend cet article sur l'agriculture, la politique locale et l'économie en France ?

c. Expliquez le terme « cité-dortoir ». Comment ce phénomène naît-il ?

3 Entre nous...

Selon vous, les projets d'urbanisme de grande envergure sont-ils absurdes ? Justifiez avec des exemples.

Autrement dit...

→ Vous allez poursuivre votre travail sur le **compte-rendu** écrit du document 1 ci-dessus. Lisez l'encadré ci-contre, puis suivez les étapes pour **rédiger une des deux parties**.

▸ Annoncez une idée essentielle définie par l'auteur.
▸ Argumentez avec les idées secondaires.
▸ Reformulez et synthétisez en conservant les mots-clés.

Le compte-rendu

✓ Relever le thème général
✓ Dégager les idées essentielles et secondaires
✓ Lier des mots-clés aux idées

Pour rédiger un compte-rendu :

• Rendez compte de la pensée de l'auteur : formules impersonnelles ou indirectes.
• N'utilisez jamais la 1re personne (*je, nous*).
• Ne recopiez pas les phrases du document, ne citez pas l'auteur.
• Respectez la longueur (max. 1/3 de la longueur du document).
• 1 partie = 1 idée essentielle (max. 3 parties).

▸ U3 : rédiger une introduction
▸ U6 : construire un plan détaillé
▸ U9 : rédiger une des deux parties
▸ Fiche pratique, p. 191

➤ 📖 Cahier d'activités, **unité 9**

L'humour dans une fable

Ce roman est une aventure incroyable, mais aussi le reflet du combat que mènent chaque jour les clandestins, ultimes aventuriers de notre siècle, sur le chemin des pays libres.

L'Extraordinaire Voyage du fakir qui était resté coincé dans une armoire Ikéa

Ajatashatru était célèbre dans tout le Rajasthan pour avaler des sabres escamotables, manger des bris de verre en sucre sans calories, se planter des aiguilles truquées dans les bras et pour une ribambelle d'autres tours de passe-passe dont il était le seul, avec
5 ses cousins, à connaître le secret, et auxquels il donnait volontiers le nom de pouvoirs magiques pour envoûter les foules.

[…] En 2009, Ikea avait renoncé à l'idée d'ouvrir ses premiers magasins en Inde, la loi locale imposant aux dirigeants suédois de partager la gérance de leurs établissements avec des directeurs
10 de nationalité indienne, actionnaires majoritaires de surcroît, ce qui avait fait bondir le géant nordique. Il ne partagerait le pactole avec personne et encore moins avec des charmeurs de serpents moustachus adeptes de comédies musicales kitsch.

[…] Ajatashatru observa un instant les portes de verre s'ouvrir et se
15 refermer devant lui. Toute l'expérience qu'il avait de la modernité venait des films hollywoodiens et bollywoodiens vus à la télévision chez sa mère adoptive, Sihringh (prononcez Seringue, ou The Ring pour les plus anglophiles). Il était assez surprenant de voir combien ces artifices, qu'il considérait comme des joyaux de la technologie moderne,
20 étaient d'une banalité affligeante pour les Européens qui n'y faisaient même plus attention. S'ils avaient eu ce type d'installation à Kishanyogoor (prononcez Quiche au yoghourt), il aurait contemplé chaque fois avec la même émotion les portes de verre de ce temple de la technologie. Les Français n'étaient que des enfants gâtés.
25 […] Pour quelqu'un venant d'un pays occidental de tendance démocratique, monsieur Ikea avait développé un concept commercial pour le moins insolite : la visite forcée de son magasin.

Ainsi, s'il voulait accéder au libre-service situé au rez-de-chaussée, le client était obligé de monter au premier étage, emprunter un gigan-
30 tesque et interminable couloir qui serpentait entre des chambres, des salons et des cuisines témoins tous plus beaux les uns que les autres, passer devant un restaurant alléchant, manger quelques boulettes de viande ou des wraps au saumon, puis redescendre à la section vente pour enfin pouvoir réaliser ses achats. En gros, une personne venue
35 acheter trois vis et deux boulons repartait quatre heures après avec une cuisine équipée et une bonne indigestion. Les Suédois, qui étaient des personnes très avisées, avaient même cru bon de dessiner une ligne jaune sur le sol pour indiquer le chemin à suivre au cas où l'un des visiteurs aurait eu la mauvaise idée de sortir des sentiers battus. […]
40 Devant une si belle exposition, notre Rajasthanais, qui n'avait connu

La minute phonétique

« Kishanyogoor (prononcez Quiche au yoghourt) » : francisez !

Les mots étrangers sont prononcés « à la française » : ils sont accentués sur la dernière syllabe avec les sons qui imitent la langue d'origine. Comment prononcez-vous ces mots empruntés : *brunch, marketing, corrida, paparazzi, bonsaï, bistro, ersatz, kitsch* ?

jusque-là que l'austérité de ses modestes demeures indiennes, eut tout simplement envie d'élire résidence dans le magasin, de s'asseoir à la table Ingatorp et de s'y faire servir un bon poulet tandoori par une Suédoise en sari jaune et bleu, de se glisser entre les draps Smörboll
45 de ce moelleux Sultan Fåvang pour un somme, ou encore de s'allonger dans la baignoire et d'ouvrir le robinet d'eau chaude afin de se reposer un peu de son fatigant voyage. Mais, comme dans ses tours de magie, tout était faux ici. Le livre qu'il venait de cueillir au hasard dans la bibliothèque Billy était une vulgaire brique en plastique affublée d'une
50 couverture, le téléviseur dans le salon avait autant de composants électroniques qu'un aquarium, et du robinet de la baignoire ne s'échapperait jamais une seule goutte d'eau chaude (ni froide d'ailleurs) pour remplir son bain. [...] Il était venu en France avec l'intention d'acheter le tout dernier lit à clous qui venait de sortir sur le marché. Un matelas
55 à clous, c'était un peu comme un matelas à ressorts. Au bout d'un certain temps, ça se tassait. En l'occurrence, la pointe des clous s'émoussait et il fallait en changer. Bien sûr, il omit de dire qu'il n'avait pas un sou et que les habitants de son village natal, persuadés de ses pouvoirs magiques, avaient financé son voyage (en choisissant la destination la
60 moins chère sur un moteur de recherché d'Internet, en l'occurrence Paris) pour que le pauvre homme soigne ses rhumatismes en s'achetant un nouveau lit. C'était une espèce de pèlerinage. Ikea, c'était un peu sa grotte de Lourdes à lui.

Romain Puértolas, *L'Extraordinaire Voyage du fakir qui était resté coincé dans une armoire Ikea*, Le Dilettante, 2013.

LE + INFO

Romain Puértolas est écrivain, mais aussi, tour à tour, professeur de langues, traducteur, DJ-turntabliste, nettoyeur de machines à sous, lieutenant de police, etc. Il écrit sur son téléphone portable et sur des Post-it, dans le métro.

La minute lexicale

Une comparaison

C'est établir un rapport de ressemblance entre deux éléments.

Exemple : Ikea, c'était un peu sa grotte de Lourdes à lui.

➤ Fiche pratique, p. 195

1 À première vue !

a. Observez les documents. De quel type de texte s'agit-il ? Qui est l'auteur ?

b. Lisez le titre. À votre avis, de quoi parle le livre ? Quel est le ton de l'ouvrage ?

2 Posez-vous les bonnes questions !

Lisez l'extrait.

a. Qui est Ajatashatru ?

b. Quels sont ses sentiments lorsqu'il découvre le magasin ?

c. Quelles opinions a-t-il des Français, des Suédois et des Européens ?

d. Quelle décision prend-il ?

e. Quel est l'objectif de son voyage ?

f. Relevez le lexique relatif au métier de fakir et celui lié aux magasins de meuble.

g. Que doit faire le client pour accéder au libre-service et réaliser ses achats ? Dans ce paragraphe, quelles informations sur le magasin sont ajoutées par l'auteur ?

➤ Ajouter une information, p. 176

3 Entre les lignes...

a. Le fakir est-il une personne honnête ? Justifiez.

b. Pourquoi ce type de magasin n'existe pas en Inde ? Pensez-vous qu'une telle loi existe ?

c. En quoi cette histoire reflète-t-elle une certaine absurdité contemporaine ? Quel effet cela produit-il ?

C'EST À VOUS !

○ Par deux, imaginez ce que le fakir :
  – a raconté à son entourage avant de partir en Europe ;
  – va raconter à son retour ;
  – raconte au directeur d'Ikea pour justifier sa présence dans le magasin.

○ À partir de ces éléments, rédigez une quatrième de couverture absurde. Attention à la concordance des temps !

Grammaire

Ajouter une information

Lexique

→ **Observez et relevez les éléments.**

> À peine atterri, j'ai pris un taxi jaune à carreaux noirs et des vitres teintées, avec un horrible chien en peluche assis sur la plage arrière. Puis, l'aimable chauffeur qui n'était pas très causant m'a arrêté devant un bâtiment qui ressemblait à un hôtel, mais ce n'était pas celui auquel je pensais. Peut-être que j'avais mal interprété l'adresse indiquée par mon correspondant suédois. Le principal était que j'étais enfin arrivé à destination ou presque...

a. Lisez le texte et soulignez les informations secondaires ajoutées par le narrateur.

b. Quels moyens utilise-t-il pour ajouter une information ?

1 Relevez les informations ajoutées, comme dans l'exemple.

Pronoms relatifs	Adjectifs descriptifs	Prépositions
lequel avait déjà ...	*nouveau* centre ...	*de* la grande distribution ...

a. Un nouveau centre de loisirs géant a été ouvert par un célèbre groupe de la grande distribution lequel avait déjà inauguré en grandes pompes un immense temple du temps libre.

b. Une gigantesque tour neuve vient de pousser entre les petites maisons douillettes de la périphérie de la ville dont le visage se transforme d'année en année.

2 Complétez les phrases avec les mots proposés. Faites l'accord, si nécessaire.

a. *dans laquelle – grâce auquel – qui – dont*

C'est la série télé .... je t'ai parlé, ... joue cet acteur .... a reçu un prix .... ce réalisateur hollywoodien l'a repéré.

b. *incroyable – magouilleur – talentueux – légendaire – irréel*

Les .... aventures de ce magicien .... nous emmène dans un pays .... et .... décrit par un écrivain ....

c. *pour – avec – de – sans – en – à – chez*

Je suis allé .... bateau .... ma femme, mais .... mon chien, ... une connaissance .... mon frère .... y rencontrer sa fiancée .... Marseille.

3 Continuez le récit proposé dans le texte en haut de page en ajoutant le maximum d'informations.

> **Pour ajouter une information, on peut utiliser :**
>
> • **des pronoms relatifs simples et composés :**
> EXEMPLE : *Ajatashatru était célèbre pour une ribambelle de tours de passe-passe **dont** il était le seul à connaître le secret et **auxquels** il donnait volontiers le nom de pouvoirs magiques.*
>
> • **des adjectifs descriptifs :**
> EXEMPLE : *Le client était obligé d'emprunter un **gigantesque** et **interminable** couloir.*
>
> • **des prépositions :**
> EXEMPLE : *manger des bris **de** verre **en** sucre **sans** calories.*
>
> • **une succession d'événements :**
> EXEMPLE : ***Ainsi**, s'il voulait accéder au libre-service situé au rez-de-chaussée, le client était obligé de monter au premier étage, **puis** redescendre à la section vente pour **enfin** pouvoir réaliser ses achats.*

➤ Précis de grammaire, p. 197

L'absurde en expression

- sortir des sentiers battus
- avoir ni queue ni tête
- yoyoter de la cafetière
- fumer la moquette
- être complètement marteau
- être fou à lier
- marcher sur la tête
- avoir un grain
- C'est une histoire à dormir debout !

Jouez l'absurde !

a. Choisissez un context pour chaque expression

b. Puis, créez un mini-dialogue et jouez-le.

Mégalopoles

- se lancer dans une course au gigantisme
- s'étendre à perte de vue, l'étalement périurbain, la couronne, la banlieue
- construire de plus en plus haut, une tour infernale, un gratte-ciel
- vider un centre-ville, créer une cité-dortoir, une ville morte, le chacun chez soi
- un hypercentre, un centre secondaire, une annexe industrielle, un ensemble / sous-ensemble urbain, une agglomération
- des architectes, des promoteurs, des urbanistes, les citadins
- doubler / tripler la croissance, une concentration de population
- un complexe de 80 hectares, un centre commercial

Consommation frénétique

- l'austérité ≠ l'abondance, être abordable ≠ coûteux, la mesure ≠ la démesure
- moderne ≠ archaïque / d'une autre époque / désuet
- gigantesque, colossal, titanesque, immense, excessif, faramineux, interminable ≠ modeste, médiocre, minuscule
- un objet de spéculation économique, un symbole du capitalisme triomphant
- développer un concept commercial
- vénérer le temple de la technologie
- se partager le pactole
- subir une écrasante concurrence

2 **Consommation à outrance**

a. Retrouvez 5 mots liés à un mode de consommation modéré et 5 mots liés à un mode de consommation immodéré.
b. Et vous, quel consommateur êtes-vous ?

1 **Transformation urbaine**

a. En groupes, discutez des aménagements urbains passés ou en cours qui développent la ville où vous habitez.
b. Quel regard portez-vous sur ces changements ? positif ou négatif ?

De la magie à la folie

- un fakir, un charmeur de serpent
- un tour de passe-passe / de magie, une ribambelle de tours
- avoir des pouvoirs magiques, faire apparaître / disparaître
- avoir plus d'un tour dans son sac
- libérer l'imaginaire, envoûter les foules
- avaler un sabre, manger des bris de verre, une aiguille truquée, un matelas à clous
- la démence, l'aliénation, la frénésie, le délire
- la mégalomanie, l'extravagance
- une aberration, une absurdité, une bêtise, une idiotie, une sottise, une monstruosité, une bizarrerie
- être fou, timbré, toqué, insensé, zinzin, loufoque

Absurde

3 **La vie de magicien**

Par deux et à l'aide des mots, imaginez la vie de magicien (ses tours, ses objets, etc.). Exemple : des cartes truquées.

ACTIVITÉ RÉCAP'

Projet urbain et urbanisme

- Par deux, dessinez le plan d'un projet d'urbanisation absurde (un quartier, un gratte-ciel, un complexe sportif, etc.). Ajoutez le plus d'informations possibles !
- Présentez-le à la classe avec conviction (l'esthétique, les enjeux majeurs, les améliorations du quotidien, etc.).
- Votez pour le projet le plus démesuré.

La minute culturelle

Testez vos connaissances sur la philosophie et le théâtre de l'absurde.

1. Quel mot n'est pas synonyme d'absurde ?

a. aberrant   b. insensé   c. fondé

2. Que montre l'absurde ?

a. L'homme est confronté à un univers dépourvu de sens.
b. Il existe un monde supérieur et invisible.
c. Plus on est de fous, plus on rit.

3. Lequel est un objectif de l'absurde ?

a. explorer la magie
b. montrer les limites du langage
c. dialoguer avec la nature

4. Quelle pièce Eugène Ionesco n'a-t-il pas écrite ?

a. *Huit clos*   b. *La Leçon*
c. *La Cantatrice chauve*

5. Dans quel essai Albert Camus donne-t-il une définition de l'absurde ?

a. *L'Étranger*   b. *Caligula*
c. *Le Mythe de Sisyphe*

6. Dans quelle pièce de Samuel Beckett deux personnages recommencent-ils éternellement les mêmes actions ?

a. *En attendant Godot*
b. *Fin de partie*
c. *La Dernière Bande*

Réponses :
1. c. – 2. a. – 3. b. –
4. a. Elle est de Jean-Paul Sartre. – 5. c. – 6. a.

Détente lexicale

Exercice de style

Lisez ce texte. Soulignez les termes liés au champ lexical de la médecine et déchiffrez leur sens.

Médical

Après une séance d'héliothérapie, je craignis d'être mis en quarantaine, mais montai finalement dans une ambulance pleine de grabataires. Là, je diagnostique un gastralgique atteint de gigantisme opiniâtre avec élongation trachéale et rhumatisme déformant du ruban de son chapeau. Ce crétin pique soudain une crise hystérique parce qu'un cacochyme lui pilonne son tylosis gompheux, puis, ayant déchargé sa bile, il s'isole pour soigner ses convulsions.

Plus tard, je le revois, hagard devant un Lazaret, en train de consulter un charlatan au sujet d'un furoncle qui déparait ses pectoraux.

Raymond Queneau, « Médical », *Exercices de style*, Gallimard, 1947.

A CONTRARIO

Retrouvez un maximum d'expressions originales à partir de ces expressions détournées. Pour cela, essayez de changer les mots par leur contraire, leur synonyme ou par un mot de la même famille. Par deux, inventez ensuite 5 expressions détournées pour un groupe voisin.

Exemple : le déjeuner d'idiots → le diner de cons

a. une fille réussie (comportement) → ....
b. sous l'aqueduc de Nîmes (chanson) → ....
c. se fendre la tête (expression) → ....
d. descendre de ses petits ânes (expression) → ....
e. produire la maigre soirée (expression) → ....
f. les voitures-moustiques (moyen de transport) → ....

Réponses : a. un garçon manqué – b. sur le pont d'Avignon – c. se casser la figure – d. monter sur ses grands chevaux – e. faire une grasse matinée – f. les bateaux-mouches

Devinettes

Saurez-vous trouver les réponses à ces devinettes ?

1. Que dit un DJ qui entre dans une fromagerie ?
2. Savez-vous comment les abeilles communiquent entre elles ?
3. Qu'est-ce qui est vert et qui pousse au fond de l'océan ?
4. Quel est le comble d'un peintre ?
5. Quelle est la lettre la plus joueuse de l'alphabet ?
6. Quel est le fruit le plus végétarien ?
7. Quelle est la boisson qui n'aime pas attendre ?

Réponses : 1. Faites du Brie ! – 2. par e-miel – 3. un chou-marin – 4. s'emmêler les pinceaux – 5. le D (dé) – 6. la pastèque (pas steak) – 7. le citron pressé

Jeux de mots, jeux de sons !

*On se tient au courant par « e-mail »
ou par « e-miel » ?*

La **paronymie**, ou le fait que deux mots soient phonétiquement proches, est un moteur essentiel de l'humour français. Elle est aussi fortement utilisée dans les proverbes *(Qui vole un œuf vole un bœuf)*, les expressions *(Traduire, c'est trahir)*, les publicités *(Legal Le goût)*, les chansons *(Sid'Amour à mort*, Barbara), la poésie *(Il pleure dans mon cœur. Comme il pleut sur la ville*, Verlaine).

Transformez les paroles de Bébé Steack pour qu'elles deviennent drôles, en utilisant la paronymie. Maman Steack demande à Bébé Steack où il était. Il lui répond : « J'étais caché ! ».

Réponse : « Steack haché ! »

Reçu 5 sur 5 !

Dans cette unité, retrouvez :

1 information frappante : ....
1 progrès de la science saisissant : ....
1 expression troublante : ....
1 situation éthique complexe : ....
1 document intéressant : ....

Complétez et comparez avec votre voisin pour justifier vos choix.

À vous de décoder... l'absurde

Je vis parce qu'il est agréable de vivre. Je sais pourquoi je vis. Je vis parce que cela me fait plaisir. J'ai bien vu que c'est agréable d'être vivant, qu'il y a des plaisirs. Si je suis en vie, c'est que je trouve qu'il est agréable de vivre, ainsi j'ai décidé de vivre. La vie me donne des plaisirs souvent. Il y a de bonnes choses en ce moment pendant que je vis. J'ai vu que c'est souvent agréable. Je l'ai vu pendant que je vivais, la vie n'est pas très désagréable et elle donne d'agréables plaisirs à celui qui vit. Il y a plein de bonnes choses pour tout le corps. Il y en a un certain nombre, alors je vis.
Je reste en vie puisqu'elle me donne du plaisir.

Christophe Tarkos, *Caisses*, P.O.L, 1998.

o **Pour mieux comprendre l'absurde, ayez le déclic culturel !**

a. Qui sont les personnages du dessin ? Où se passe la scène ?

b. Faites le lien entre le contexte et le titre de l'illustration.

c. Relevez les formules et expressions figées du dessin et expliquez-les.

d. Que remarquez-vous de particulier dans le texte ? Quelle est sa tonalité ? Est-ce que l'on peut considérer ce texte comme un poème ?

e. Par deux, résumez ce texte en une phrase.

C'EST À VOUS !

 o **En groupes, parlez l'absurde !**
Le premier d'entre vous commence par *Il fait beau aujourd'hui.* Chacun poursuit le récit avec le dernier mot de la phrase précédente. *Aujourd'hui, j'ai oublié de mettre une chaussette !*, etc.

 o **Par deux, créez un texte absurde** avec le mot « schtroumpf ». Créez un texte à la manière de Tarkos en commençant par *Je schtroumpfe parce qu'il est agréable de schtroumpfer. Je sais pourquoi je schtroumpfe.* Petit à petit, faites apparaître des éléments indicateurs du contexte. Passez votre texte au groupe voisin qui doit essayer de retrouver ce qui se cache derrière le « schtroumpf ».

DIPLOME D'ÉTUDES EN LANGUE FRANÇAISE

DELF B2

Niveau B2 du Cadre européen commun de référence pour les langues

ÉPREUVES COLLECTIVES	DURÉE	NOTE SUR
1 Compréhension de l'oral Réponse à des questionnaires de compréhension portant sur deux documents enregistrés : • exposé, conférence, discours, documentaire, émission de radio ou télévisée (deux écoutes) ; • interview, bulletin d'informations, etc. (une seule écoute). *Durée maximale des documents : 8 minutes*	**30 minutes environ**	**/25**
2 Compréhension des écrits Réponse à des questionnaires de compréhension portant sur deux documents écrits : • texte à caractère informatif concernant la France ou l'espace francophone ; • texte argumentatif.	**1 heure**	**/25**
3 Production écrite Prise de position personnelle argumentée (contribution à un débat, lettre formelle, article critique, etc.)	**1 heure**	**/25**
ÉPREUVES INDIVIDUELLES	**DURÉE**	**NOTE SUR**
4 Production orale Présentation et défense d'un point de vue à partir d'un court document déclencheur.	**20 minutes** *Préparation : 30 minutes*	**/25**

Seuil de réussite pour obtenir le diplôme : 50/100
Note minimale requise par épreuve : 5/25
Durée totale des épreuves collectives : 2 heures 30 minutes

NOTE TOTALE : [**/100**]

Les documents sonores sont téléchargeables sur le site www.editionsdidier.com/collection/saison/ressources/saison-4-b2.

Unité 9 • Ça rime à quoi ?

PARTIE 1   COMPRÉHENSION DE L'ORAL

25 POINTS

Répondez aux questions en cochant (☑) la bonne réponse ou en écrivant l'information demandée.

EXERCICE 1

18 points

Vous allez entendre deux fois un enregistrement sonore de 5 minutes environ.
Vous aurez tout d'abord 1 minute pour lire les questions.
Puis vous écouterez une première fois l'enregistrement.
Vous aurez ensuite 3 minutes pour commencer à répondre aux questions.
Vous écouterez une seconde fois l'enregistrement.
Vous aurez encore 5 minutes pour compléter vos réponses.
Lisez les questions, écoutez le document puis répondez. 🔊

1. Quel est le thème de l'émission ?   *1 point*
   ❑ la salubrité des aliments
   ❑ la propreté des aliments
   ❑ la qualité des aliments

2. Qu'est ce que les médecins jugent dangereux dans les aliments ?   *1,5 point*
   ....

3. Selon le médecin interrogé, combien de Français sont aujourd'hui malades ?   *1 point*
   ❑ tous les Français
   ❑ 1 Français sur 2
   ❑ 15 000 Français par an

4. Que souhaiterait le médecin concernant la consommation de boissons gazeuses ?   *1 point*
   ❑ une réglementation beaucoup plus sévère
   ❑ des sanctions à l'égard des fabricants
   ❑ une suppression des sodas dans les écoles

5. Que fait Daniel Nairaud, depuis des années, pour permettre aux consommateurs d'avoir une sécurité suffisante ?   *3 points*
   a) ....
   b) ....

6. Selon D. Nairaud, pourquoi a-t-on dû mettre en place une réglementation ?   *1 point*
   ❑ pour limiter la consommation de viandes
   ❑ pour protéger les consommateurs après les guerres
   ❑ pour éviter la transmission des maladies animales à l'homme

7. Que s'est-il passé dans les années 2000 ?   *1,5 point*
   ❑ la création d'un règlement du droit alimentaire européen
   ❑ la mise en place de sanctions communes en Europe
   ❑ le vote d'une loi sur la gestion de la filière animale

Distribution certifiée par FR-BIO-01.

Cette recette est :

SANS SEL AJOUTÉ * · SANS GLUTEN
SANS ŒUFS · SANS ARACHIDE
*les ingrédients contiennent naturellement du sodium.

Elle contient : PRODUITS LAITIERS

'emploi

8. Pourquoi, selon Laurent Chevallier, la réglementation actuelle est-elle défaillante ?   *1,5 point*
   ❑ Les consommateurs ne connaissent pas les règles.
   ❑ Les consommateurs souffrent de maladies et de troubles.
   ❑ Les consommateurs peuvent être trompés sur ce qu'ils mangent.

9. Que pense L. Chevallier des contrôles ?   *1,5 point*
   ❑ Leur nombre diminue.
   ❑ Leur nombre augmente.
   ❑ Leur nombre est constant.

10. D'après L. Chevallier, quel est le constat fait par la cour des comptes concernant les systèmes de surveillance ?   *1,5 point*
    ❑ Ils sont déficients.
    ❑ Ils sont efficaces.
    ❑ Ils sont à développer.

11. Sur quoi les deux invités sont-ils d'accord ?   *1,5 point*
    ❑ De gros progrès ont été faits concernant la qualité microbiologique des aliments.
    ❑ Le nombre de maladies liées à l'alimentation est en nette augmentation.
    ❑ Les aliments contiennent toujours beaucoup d'éléments chimiques.

12. Que pense L. Chevallier du niveau de sécurité alimentaire que l'on a en Europe ?   *2 points*
    ....

EXERCICE 2   *7 points*

Vous allez entendre une seule fois un enregistrement sonore de 1 minute 30 à 2 minutes.
Vous aurez tout d'abord 1 minute pour lire les questions.
Après l'enregistrement, vous aurez 3 minutes pour répondre aux questions.
Lisez maintenant les questions. 🔊

1. Quel est le principe d'une AMAP ?   *1 point*

❏ soutenir l'activité des agriculteurs

❏ développer des grandes surfaces

❏ former les paysans à la culture bio

2. Où trouve-t-on des AMAP ?   *1 point*

❏ seulement en France   ❏ uniquement au Japon

❏ dans le monde entier

3. Où a été créée la première AMAP ?   *1 point*

❏ au Japon   ❏ en France   ❏ aux États-Unis

4. Qu'entend l'invité par « *lieux de distribution d'AMAP* » ?   *1 point*

....

5. Que signifie « s'engager » dans une AMAP ?   *1 point*

....

6. Quel type de légumes trouve-t-on dans un panier ?   *1 point*

❏ des légumes qui poussent à cette période

❏ des légumes que l'on a commandés

❏ des légumes faciles à préparer

7. Grâce aux AMAP, qu'est-ce qui est soutenu ?   *1 point*

❏ le commerce équitable

❏ l'économie locale

❏ la biodiversité

PARTIE 2 · COMPRÉHENSION DES ÉCRITS

25 POINTS

EXERCICE 1

13 points

Lisez le texte, puis répondez aux questions en cochant (☑) la bonne réponse ou en écrivant l'information demandée.

Grève à Radio France[1], ou l'importance de la radio au quotidien

Il aura fallu une grève à Radio France, d'une durée sans précédent, pour que certains mesurent l'importance de la radio dans leurs vies. Passée la première semaine, nombreux se sont demandé par quoi remplacer ce manque, qui commence dès le réveil. Car la radio a une spécificité par rapport aux autres médias : elle est intimement mêlée à nos pratiques quotidiennes.

La radio c'est avant tout le média du matin. Elle constitue souvent le premier contact avec le monde extérieur, qu'on l'allume en même temps qu'on lance la cafetière, ou que ce soit la radio elle-même qui nous réveille. Parmi les moments d'écoute privilégiés, viennent ensuite l'écoute en voiture, en particulier lors les trajets domicile-travail, puis l'écoute au travail lui-même.

Les chiffres du CSA[2] mettent des ordres de grandeur sur la présence de la radio dans nos vies : 83 % des Français (de plus de 15 ans) écoutent la radio chaque jour, soit de l'ordre de 45 millions d'auditeurs quotidiens. La durée d'écoute moyenne de la radio par auditeur atteint 3 heures, et ce temps d'écoute sur la journée est stable, au moins depuis le début des an-

nées 2000. La radio a aujourd'hui 120 ans – elle est née en 1895 – mais son expansion s'est faite avec la généralisation de notre mode de vie contemporain. À la fin des années 1930, on comptait en France de l'ordre de 100 récepteurs pour 1 000 habitants. Aujourd'hui, un ménage français possède en moyenne 10 appareils capables de capter la radio, depuis les réveils jusqu'aux autoradios, aux ordinateurs et aux smartphones. Enfin, l'auditeur est un être particulièrement fidèle. La moitié écoute une seule station sur une journée, un tiers en écoute deux, les autres, minoritaires, zappent

sur plusieurs stations. Dans le monde des médias, la radio occupe une place originale : elle est omniprésente et résiste – mieux que la presse – aux écrans de toute sorte. Mais surtout elle a été dynamisée par le sans-fil, le fameux « transistor » des années 1960 et, ces dernières années, par le téléphone portable.

Un média imbriqué dans les pratiques quotidiennes

Les auditeurs de Radio France ont pu mesurer ce que le programme musical pour jour de grève leur faisait perdre de leurs repères. Plus possible de choisir sa tenue à la sortie de la douche en l'absence de météo. La chronique qui signale d'habitude que c'est l'heure de partir, ne le fait plus. Il faut se débrouiller autrement, et changer de station n'est pas la solution satisfaisante. [...]

Que retiendrons-nous de ce long tunnel de la « playlist » des stations de Radio France ? Que la radio est encastrée dans notre mode de vie, et que son silence y fait comme un trou, qui n'est pas si aisé à combler. En un mot, vivement que reviennent les voix du quotidien.

1. Société anonyme détenue par l'État français, créée en 1975, qui gère les stations de radio publiques en France métropolitaine.
2. Conseil supérieur de l'audiovisuel. Autorité administrative indépendante qui régule l'audiovisuel (télévision et radio) en France.

Modes de vivre, blog d'Anne Dujin, www.lemonde.fr, 14 avril 2015.

1. Quel événement a permis de révéler l'importance de la radio ?
1 point
   - ❏ la suppression d'une émission
   - ❏ une grève chez une radio publique
   - ❏ la disparition d'une station très écoutée

2. Qu'est-ce que la radio a de plus par rapport aux autres médias ?
1 point
   ....

3. Que représente la radio pour les auditeurs français, le matin ?
1,5 point
   - ❏ une activité rassurante
   - ❏ une habitude quotidienne
   - ❏ un contact avec le monde extérieur

4. Citez, d'après le texte, deux éléments chiffrés qui démontrent à quel point la radio est présente dans la vie des Français.
1 point
   ....
   ....

5. Vrai ou faux ? Cochez (☑) la bonne réponse et recopiez la phrase ou la partie du texte qui justifie votre réponse.
1,5 point

   Le développement de la radio est freiné par le développement des outils numériques.
   - ❏ Vrai   ❏ Faux
   ....

6. Quelle est la caractéristique de l'auditeur radiophonique ? *1,5 point*

❏ Il est assidu.

❏ Il est ponctuel.

❏ Il est matinal.

7. Le matin, pour quelle raison les Français écoutent-il la radio ? *1,5 point*

❏ pour ne pas se sentir seuls

❏ pour écouter de la musique

❏ pour prendre leurs repères

8. Vrai ou faux ? Cochez (☑) la bonne réponse et recopiez la phrase ou la partie du texte qui justifie votre réponse. *3 points*

La radio résiste bien car elle est facilement accessible.

❏ Vrai   ❏ Faux

....

Le téléphone portable a un impact négatif sur le développement de la radio.

❏ Vrai   ❏ Faux

....

9. En conclusion, que peut-on dire de la radio ? *1 point*

❏ La radio fait partie de la vie des Français.

❏ Les Français peuvent facilement s'en passer.

❏ Les nouveaux médias ont causé la mort de la radio.

EXERCICE 2   *12 points*

Lisez le texte, puis répondez aux questions en cochant (☑) la bonne réponse ou en écrivant l'information demandée.

Génération cocon : comment il est devenu courant que les jeunes adultes habitent chez leurs parents

Les Européens de 24 à 35 ans sont de plus en plus nombreux à vivre chez leurs parents et les flux financiers entre générations sont désormais descendants : des plus âgés vers les plus jeunes.

Atlantico : Baptisée « génération Tanguy » ou encore « boomerang », les Européens de 25 à 34 ans seraient 35 % à toujours vivre chez leurs parents pour les hommes et 21 % pour les femmes. Ce phénomène touche-t-il toutes les classes sociales de la même manière ? [...]

Denis Monneuse (sociologue, écrivain et consultant en ressources humaines) : Dans les milieux populaires, rester plus longtemps chez ses parents est vécu comme un choix par défaut, plus particulièrement par ceux qui sont concernés par la précarité ou le chômage, et comme une alternative de court terme pour s'en sortir. Dans ces milieux, on constate une sorte d'incompréhension de la part des parents, notamment parce que le niveau d'études a augmenté. Ainsi, des parents qui ont fait peu d'études ont du mal à comprendre que leurs enfants qui en ont

fait davantage ne soient pas totalement indépendants. Cette incompréhension peut être mal vécue par les jeunes qui ne se sentent accueillis qu'à moitié.

À l'opposé, chez les plus diplômés, on constate plutôt des aller-retour entre des moments de vie seuls ou en colocation, et chez les parents. Cela est dû à la multiplication des stages et à des périodes à l'étranger. Ces jeunes

connaissent des périodes d'entre-deux pendant lesquelles il est confortable de pouvoir retourner chez ses parents. Dans ces cas, la compréhension est plus élevée que chez les classes populaires. [...]

A. : Peut-on parler d'une nouvelle forme de solidarité ?

D. M. : Effectivement, on parle souvent de guerre des générations mais cette solidarité montre le contraire. On voit que les parents sont une source d'aide importante à la fois matérielle, morale et mentale. Cela accentue les inégalités d'origine, car les familles les plus aisées peuvent plus facilement aider les enfants et sont souvent les plus compréhensives. La solidarité entre générations a toujours existé mais elle peut prendre des formes différentes. Aujourd'hui, la solidarité va passer par héberger son enfant plus longtemps.

Auparavant, les jeunes qui sortaient sur le marché du travail aidaient davantage leurs parents financièrement : les flux financiers étaient remontants, des jeunes vers les anciens. Aujourd'hui, ils sont à 90 % descendants. Autre nouveauté, l'aide des grands-parents vers les petits-enfants est plus développée. Les grands-parents sont plus impliqués dans la solidarité familiale.

A. : Quelles sont les conséquences d'une « inversion » de cette solidarité ?

D. M. : Le risque est celui d'une infantilisation si l'aide est conditionnelle : « Si tu es un enfant modèle, je t'héberge, je te soutiens. » Il existe un risque d'une moindre émancipation des enfants par rapport à leurs parents. Les jeunes ont l'impression de conserver une certaine forme de dépendance. Cette dimension économique joue sur la relation et peut entraîner un phénomène où parents et enfants cohabitent sans partager grand-chose. Il y a une sorte de silence qui peut s'installer pour que les relations se passent bien, et des sujets tabous peuvent se créer.

D'après www.atlantico.fr, 11 juin 2014.

1. Le ton de cet article est : *1 point*
- ❏ ironique.
- ❏ pessimiste.
- ❏ polémique.

2. Quel est le profil des enfants qui restent à la maison ? *1 point*

....

3. Vrai ou faux ? Cochez (☑) la bonne réponse et recopiez la phrase ou la partie du texte qui justifie votre réponse. *3 points*

Dans les milieux populaires, les parents acceptent facilement que leurs enfants restent tard à la maison.
- ❏ Vrai   ❏ Faux

....

Les jeunes des milieux populaires ne se sentent pas toujours complètement accueillis par leurs parents.
- ❏ Vrai   ❏ Faux

....

4. D'après l'auteur de l'article, les jeunes diplômés préfèrent : *1 point*
- ❏ vivre à l'étranger.
- ❏ habiter chez leurs parents.
- ❏ choisir l'hébergement adapté.

5. Pourquoi l'auteur dit-il qu'on ne peut plus parler de guerre de générations ? *1,5 point*

....

6. Toutefois, quelles inégalités subsistent ? *1 point*
- ❏ les inégalités liées à la classe sociale
- ❏ les inégalités liées au sexe
- ❏ les inégalités liées à l'âge

7. D'après le texte, autrefois, qui aidait qui ? *1 point*
- ❏ Les enfants aidaient leurs parents.
- ❏ Les grands-parents aidaient leurs enfants.
- ❏ Les grands-parents aidaient leurs petits-enfants.

8. D'après l'auteur, comment s'organise la solidarité entre générations aujourd'hui ? *1,5 point*

....

9. Selon l'auteur, quels risques peuvent être causés par le phénomène « Génération cocon » ? Citez-en trois. *1 point*

....
....
....

PARTIE 3 PRODUCTION ÉCRITE

25 POINTS

La ville française dans laquelle vous habitez souhaite améliorer le bien-être des habitants dans leur quartier. Le maire demande aux habitants de faire des propositions écrites afin de connaître leurs attentes. Vous pensez que l'organisation d'un marché hebdomadaire dans votre quartier présenterait plusieurs avantages aussi bien pour les habitants que pour les commerçants.

Vous exposez vos arguments en vous appuyant sur des exemples précis. (250 mots minimum)

PARTIE 4 PRODUCTION ORALE

25 POINTS

Vous choisirez un sujet parmi les deux proposés par l'examinateur et vous en choisirez un. Vous dégagerez le problème soulevé par le document choisi, puis vous présenterez votre opinion sur le sujet de manière claire et argumentée.

Si nécessaire, vous défendrez votre opinion au cours du débat avec l'examinateur.

Sujet 1

L'ENVOL DE LA POULE EN VILLE

Les ventes en hausse de poules pondeuses aux abords des grandes villes confirment l'intérêt croissant que lui témoignent les particuliers en milieu urbain. [...].

Pourquoi faire l'acquisition de poules ? En premier lieu pour réduire ses déchets. Et puis, bien sûr, pour consommer des œufs frais « *comme à la campagne* », avance l'argumentaire de l'opération « Adopter la poule attitude », mise en place, en 2014 pour trois ans, par la ville de Châtillon (Hauts-de-Seine). Cette municipalité de la petite couronne francilienne est la première à proposer l'adoption de poules à ses habitants pour réduire le volume de leurs ordures ménagères. La pondeuse ingurgiterait à elle seule 150 kg de déchets alimentaires par an. « *L'idée reçue concernant les poules en milieu urbain, c'est que ça pue et que c'est bruyant… Pourtant, entre les aboiements et l'entretien des trottoirs, elles génèrent bien moins de nuisances que les chiens* », considère Julien Billiard, chargé de mission écoresponsabilité et prévention des déchets à la mairie.

Marlène Duretz, www.lemonde.fr, 14 avril 2015.

Sujet 2

LE CHOIX DU TOURISME SOLIDAIRE

Quelle différence y a-t-il entre tourisme responsable, durable, solidaire ou éthique ? Tourisme humanitaire et tourisme solidaire relèvent-ils de démarches similaires ? Depuis 2007, un label « *Tourisme responsable* » permet un peu de s'y retrouver. L'apparition de cette manière de « *voyager autrement* », au même sens qu'« *acheter autrement* » ou « *consommer autrement* », s'est en quelque sorte officialisée en 1995, lorsque l'Organisation mondiale du tourisme (OMT) a organisé sa première conférence sur le tourisme durable. [...]

Pour Pascal Languillon, président et fondateur de l'Association française d'écotourisme (AFE) [...], il y a une notion très importante à retenir : « *Il faut cesser de confondre tourisme solidaire et humanitaire. Le principe qui prévaut, c'est qu'il faut passer de bonnes vacances tout en sachant qu'une partie de l'argent qui sera dépensé bénéficiera à certains projets des populations locales, ce qui est la définition d'un tourisme solidaire.* »

Conscients de l'impact positif que cela peut avoir pour leur image, les grands opérateurs n'ont pas voulu laisser le monopole du tourisme solidaire aux seules associations. Ce qui laisse leurs responsables sceptiques. Pascal Languillon salue la démarche des opérateurs, mais déplore qu'ils n'aient pas davantage de projets, compte tenu des moyens dont ils disposent par rapport aux petites structures. « *Ils peuvent ainsi se donner bonne conscience en finançant des microprojets* », lance-t-il.

François Bostnavaron, www.lemonde.fr, 20 avril 2007.

FICHES PRATIQUES

Les essentiels

❶ Comprendre

7 questions : Quoi ? Qui ? Où ? Quand ? Comment ? Combien ? Pourquoi ?

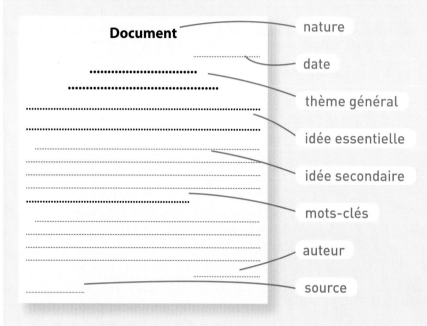

- nature
- date
- thème général
- idée essentielle
- idée secondaire
- mots-clés
- auteur
- source

LE + STRATÉGIQUE

- Utiliser des stylos de couleurs différentes pour surligner, souligner, entourer et encadrer.

LE + STRATÉGIQUE

- Reformuler le document à haute voix pour vérifier sa compréhension.

❷ Produire

Comment faire ?

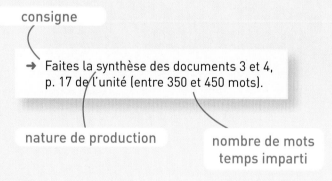

consigne

→ Faites la synthèse des documents 3 et 4, p. 17 de l'unité (entre 350 et 450 mots).

nature de production

nombre de mots
temps imparti

LE + STRATÉGIQUE

- Utiliser des paragraphes (pour différencier les idées), des connecteurs (pour la logique des éléments entre eux) et de la ponctuation (pour le rythme).

❸ Se relire

- Est-ce que j'ai bien répondu à la consigne ?
- Est-ce que mon texte est organisé ? Est-ce qu'il a du sens ? Est-ce que les différentes parties sont claires ? Les idées sont-elles structurées ?
- Est-ce que j'ai pensé aux majuscules en début de phrase ? à la ponctuation ? à varier le lexique et la structure des phrases ?

La synthèse

En bref, une synthèse **est la restitution, avec ses propres mots, des idées essentielles véhiculées dans plusieurs documents.**

➤ *cf.* U1, U4, U7

Comment faire ?

→ **Pour** élaborer le plan :
- dégager les idées essentielles de chaque document ;
- identifier les éléments dans chaque document se rapportant aux idées essentielles ;
- réunir toutes les idées sous un thème général et relever l'enjeu ;
- repérer les idées secondaires pour illustrer les idées essentielles ;
- organiser vos idées avec des articulateurs.

Doc. 1   Doc. 2   Doc. 3

Éléments dans le document se rapportant à l'idée essentielle

Les idées peuvent se compléter, se renforcer, s'opposer d'un document à l'autre et il faut les confronter !

→ **Pour rédiger** l'introduction :
- indiquer la nature, la source et la date des documents à l'aide d'une phrase d'accroche ;
- annoncer le thème et les enjeux du thème ;
- annoncer le plan général.

EXEMPLE :
Le bonheur est devenu un sujet de consommation. Ces trois articles contemporains s'attachent à décrire... / présentent le thème de... et la nécessité de... Nous verrons d'abord comment... puis, nous développerons... ; enfin nous interrogerons sur...

→ **Pour rédiger** le développement :
- suivre le plan ;
- construire des paragraphes à l'aide de liens logiques ;
- confronter les arguments à l'intérieur des paragraphes à l'aide d'articulateurs.

EXEMPLE :
Alors que le document 1 présente le bonheur comme..., le document 3 souligne l'importance .... C'est aussi ce que montre X par son expérience...

→ **Pour rédiger** la conclusion :
- annoncer la conclusion par un connecteur ;
- faire un bilan du développement ;
- ouvrir sur une autre question en lien avec le sujet ou amener une formule forte (un paradoxe, un effet d'humour, une formule imagée...).

EXEMPLE :
En somme..., enfin..., en conclusion..., somme toute..., finalement... le bonheur est une affaire compliquée et pourtant simple comme bonjour !

À éviter
- Adoptez un style personnel mais évitez « je » ou « nous ».
- Ne donnez pas votre opinion.
- Reformulez les idées et ne citez pas trop le texte. Pensez aussi à utiliser la mise en relief.

Des exemples pour :
- **une contestation :** *l'auteur refuse, s'indigne, s'insurge contre, déplore, craint que, doute que...*
- **une réflexion :** *l'auteur explique que, fait apparaître que, montre que, démontre que, met en évidence que...*
- **une confirmation :** *l'auteur insiste sur..., souligne que.., rappelle que ..., confirme que ..., est d'accord avec..., prouve aussi que...*
- **une question :** *l'auteur se demande si..., s'interroge sur..., se demande si..., pose la question...*
- **une information implicite :** *l'auteur laisse entendre que..., sous-entend que..., suggère que...*

C'EST À VOUS !

○ Faites la synthèse des documents 1, 3 et 4 de l'unité 6, p. 108-109 (entre 350 et 400 mots).

Le résumé

En bref, un résumé invite à reformuler les idées essentielles d'un document tout en respectant l'ordre des idées et l'opinion de l'auteur, dans un nombre de mots limité.

➤ *cf.* U2, U5, U8

Comment faire ?

→ **Pour** élaborer le plan :
- respecter la chronologie du document et les informations ;
- identifier les différentes idées (essentielles et secondaires) transmises dans le texte ;
- isoler les mots-clés ;
- relever les connecteurs utilisés pour l'articulation du texte.

Idée1 Idée1Idée1Idée1IdéeIdée1Idée1Idée1connecteurIdée1Idée1dée1Idée1dée1Idée1connecteurIdées secondaires1Idées secondaires1Idées secondaires1Idées secondaires1Idées secondaires1connecteur**Idée2**Idée2Idée2Idée2Idée2Idée2Idée2Idée2Idée2Idée2Idée2Idée2IdéeconnecteurIdées secondaires2Idées secondaires2Idées secondaires2 Idées secondaires2 connecteur**Idée 3**Idée 3Idée 3Idée 3Idée 3Idée 3Idée 3Idée 3Idée 3Idée 3Idée 3Idée 3connecteurIdées secondaires3Idées secondaires3Idées secondaires3Idées secondaires3Idées secondaires3

→ **Pour** rédiger le résumé :
- respecter la consigne, donc, le nombre de mots demandé ;
- respecter le niveau de langue du texte ;
- reformuler les idées de façon synthétique ;
- articuler votre texte afin de conserver la logique de départ ;
- distinguer les différentes idées en passant à la ligne.

> **Attention**
> - Repérez les connecteurs et les conserver pour une même logique !
> - Évitez les répétitions pour gagner quelques mots !
> - Vérifiez que vous avez bien repris les mots-clés du texte initial !

→ **Pour** relire :
- vérifier que vous avez respecté l'ordre des idées et les idées elles-mêmes ;
- compter vos mots (1/3 du texte initial) ;
- vérifier que vous n'avez pas utilisé « l'auteur déclare que... » ;
- supprimer tout ce qui est superflu.

> Certains mots comptent pour un seul mot.
> Par exemple : *c'est-à-dire*

Des structures pour reformuler :
- utiliser des expressions de reformulation
  EXEMPLE : *c'est-à-dire, en d'autres mots, disons, donc, autrement dit, plus précisément, en somme, etc.*
- utiliser un synonyme (= un mot qui a la même signification)
- avoir recours à la reprise nominale ou pronominale
- substituer un mot par un autre
- nominaliser (passer d'un verbe à un nom).
- avoir recours à un changement de la forme active à la forme passive (et réciproque)
- passer du discours direct au discours indirect (et réciproque)
- déplacer des éléments dans l'énoncé.

C'EST À VOUS ! ✎

- Faites le résumé du document 4 de l'unité 1 p. 17. Ce texte contient 392 mots.

Le compte-rendu

En bref, un compte-rendu **est la restitution, avec ses propres mots, des idées essentielles véhiculées dans UN SEUL document.**

➤ *cf.* U3, U6, U9

Comment faire ?

➜ **Pour** rédiger une introduction :
  - repérer le nom de l'auteur, la source du document (le nom du journal et la date de parution) ;
  - repérer la nature du document et le ton utilisé par l'auteur ;
  - dégager le thème général.

> EXEMPLE :
> *Dans un article de juillet 2015 tiré du* Courrier international, ..., *journaliste, a détaillé la nouvelle loi proposée par le gouvernement ... destinée à ...*

➜ **Pour** construire un plan :
  - repérer le thème général ;
  - repérer les mots-clés liés au thème ;
  - faire ressortir 2 à 3 idées essentielles et leurs mots-clés ;
  - pour chaque idée essentielle, dégager 2 à 3 idées secondaires et leurs mots-clés ;
  - organiser les idées.

Le thème général		
Idée essentielle 1	Idée essentielle 2	Idée essentielle 3
Idée secondaire 1	Idée secondaire 1	Idée secondaire 1
Idée secondaire 2	Idée secondaire 2	Idée secondaire 2
Idée secondaire 3	Idée secondaire 3	Idée secondaire 3

> **Attention**
> - Une introduction est très courte (3 lignes maximum) !
> - Lisez le texte d'origine à plusieurs reprises.
> - Traitez une idée essentielle par paragraphe !
> - Pensez aux majuscules !

➜ **Pour** rédiger un développement :
  - annoncer l'idée essentielle et la situer dans un contexte précis pour développer une argumentation ;
  - résumer et reformuler la pensée de l'auteur pour développer l'argumentation à l'aide des idées secondaires qui sont articulées les unes avec les autres.

> Ne recopiez pas une seule phrase du texte : reformulez tout avec vos mots à vous !
>
> Compter le nombre de mots (1/3) et veiller à équilibrer vos parties.

Les questions à se poser :
- **respect des idées :** *est-ce que mon texte restitue les idées essentielles du texte de départ ? Les idées secondaires sont-elles liées aux idées essentielles ? Est-ce que j'ai introduit de nouvelles idées ? Si oui, il faut les supprimer ! Ai-je introduit mon opinion ou des commentaires ? Si oui, il faut les supprimer !*
- **organisation :** *est-ce que les idées sont bien réparties ? Est-ce que mon texte est logique ? Les paragraphes sont-ils clairement définis et articulés ?*
- **esprit de synthèse :** *est-ce que tout est bien reformulé ? Est-ce que les mots-clés sont présents ? Ai-je regroupé les éléments pour ne pas être redondant ?*

C'EST À VOUS ! 📝

○ Faites un compte-rendu du texte *La revanche des super-héros* de l'unité 8 p. 156. Pour cela, dégagez les idées et les informations essentielles. Puis, présentez-les avec vos propres mots dans un texte suivi et cohérent.

L'essai argumentatif

En bref, un essai **est un texte argumentatif qui permet de donner votre opinion de façon organisée, logique et cohérente.**

➤ *cf.* U2, U5, U8

Comment faire ?

➜ **Pour** savoir comment répondre :
- lire le sujet et comprendre le thème central et le problème à résoudre (la problématique) ;
- observer la manière dont la problématique est soulevée ;
- réfléchir à la manière de répondre à la problématique (oui / non ; etc.).

> EXEMPLE :
> SUJET 1. *Les réseaux sociaux empêchent de se faire des amis.* (affirmation)
> SUJET 2. *Les amis doivent-ils être virtuels ?* (question)
> Pensez déjà à votre plan !
> « pour / contre »
> « causes / conséquences »
> « selon des thématiques »...

➜ **Pour** rédiger l'introduction :
- amener le sujet en le situant dans un contexte ;
- poser le sujet avec une problématique sous forme de questions ;
- exposer rapidement le plan.

> EXEMPLE :
> *Ces vingt dernières années, Internet occupe une place de choix dans notre quotidien. Mais...*

➜ **Pour** rédiger un développement :
- se limiter à 2 ou 3 parties ;
- exposer d'abord le point de vue que vous ne retenez pas et terminez par votre point de vue ;
- chaque partie comprend une idée essentielle (affirmation) + une argumentation 1 + un exemple 1 + une argumentation 2 + un exemple 2 ;
- organiser les idées et les paragraphes avec des articulateurs.

> Illustrer vos arguments avec des exemples issus de votre environnement culturel ou de votre vie personnelle.
>
> Trouver des contre-arguments pour approfondir.

> **À retenir !**
> - Argumenter, c'est donner une idée générale ou un élément pour justifier un point de vue, une affirmation !
> - Sautez une ligne entre chaque partie du développement.
> - Même une anecdote peut terminer votre essai d'une manière utile !

➜ **Pour** rédiger une conclusion :
- trois ou quatre phrases fortes suffisent ;
- faire une synthèse des éléments essentiels du développement ;
- proposer une ouverture.

Des structures pour exposer le plan :
- *Pour répondre à cette question, il sera nécessaire de définir... pour finalement nous pencher sur...*
- *Nous débuterons cette réflexion par... pour démontrer que... Enfin, nous aborderons la question du...*

C'EST À VOUS !

o *Seule l'éthique nous apporte un confort de vie.*
Pensez à ce que vous avez découvert dans l'unité 9. Puis, prenez position et justifiez votre choix (400 mots maximum). Votre argumentation devra prendre en compte la situation existant dans votre pays d'origine ou de résidence.

L'exposé

En bref, **un exposé** est une présentation orale structurée sur un thème particulier en un temps limité.

➤ *cf.* U2, U5, U8

Comment faire ?

➜ **Pour** savoir quoi présenter :
- faire un brainstorming autour de son thème ;
- chercher des informations à partir de sources variées : journaux, magazines, Internet, témoignages, reportages (audio et vidéo) ;
- apporter des idées précises via des statistiques, des dates, des anecdotes, des noms, etc. ;
- organiser ses idées en les classant.

> EXEMPLES :
> *Les chiffres montrent que...*
> *Comme dirait X, ...*
> *On peut voir que...*

➜ **Pour** bien présenter son sujet :
- introduire le thème ;
- présenter le plan ;
- contextualiser le thème.

> EXEMPLES :
> *Je voudrais vous parler de... ; Je voudrais vous dire quelques mots sur...*
> *D'abord, j'aborderai la question de... ; Ensuite, j'examinerai le point suivant... ; Enfin, le problème de... sera soulevé. /*
> *En premier lieu, en deuxième lieu, en dernier lieu...*
> *Ce thème fait partie... fait penser à... se situe dans un contexte... est comparable à... est du même ordre que...*

> **À retenir !**
> - Rédigez l'introduction et entraînez-vous à dire ces quelques phrases sans lire.
> - Allez à l'essentiel !

➜ **Au cours de la présentation, on peut :**
- mettre des éléments en évidence ;
- ouvrir et fermer une digression ;
- faire une transition ;
- se corriger, rectifier.

> EXEMPLES :
> *Il est important de... ; Notons que... ; Attention à ... ;*
> *J'insiste sur le fait que...*
> *Ouvrons une parenthèse. Entre parenthèses,... J'ajouterai que... Je reprends ; Continuons... Bon, fermons la parenthèse. Revenons à nos moutons ; Pour revenir à... ... euh, non... ; pour être plus précis... ; enfin... ; ou plutôt ; je voulais dire que...*

➜ **À la fin de la présentation, il faut :**
- conclure ;
- demander si les auditeurs ont des questions ;
- remercier pour l'attention et l'écoute.

> EXEMPLES :
> *Tout cela pour dire que... Je terminerai par... Pour terminer / résumer...*
> *Vous avez des questions ?*
> *Je vous remercie de votre attention.*

Quelques conseils :
- *Souriez, articulez et regardez votre auditoire.*
- *Reformulez si votre auditoire ne semble pas comprendre.*
- *Modulez votre voix et posez des questions pour que l'auditoire soit actif.*
- *Soyez enthousiaste, énergique et passionnant !*

C'EST À VOUS ! 💬

○ Relisez le document 4 p. 53 de l'unité 3. Reprenez les étapes successives de la préparation à l'exposé puis faites votre exposé sur les réseaux sociaux et la tyrannie du paraître (10 minutes).

Le commentaire

En bref, **un commentaire est un repérage, une explication et une analyse des données chiffrées d'un ou plusieurs documents, en un temps et un nombre de mots limités.**

➤ *cf.* U3, U6, U9

Comment faire ?

➡ Avant de commencer **à rédiger** :
- lire le sujet et comprendre la marche à suivre ;
- lire le document pour en comprendre le fonctionnement ;
- décrire le document pour dire ce qui est visible.

> **Pensez à ces questions :**
> *Quelle source ? Quel auteur ? Quelle date ? Quelle échelle ou unité de mesure ? Y a-t-il une légende ?*

➡ **Pour** aller vers une explication :
- sélectionner les données pertinentes ;
- décrire de façon détaillée (écarts entre des chiffres, des périodes ; changements exceptionnels ; évolutions...) ;
- mettre en évidence une cause ou origine de l'information.

> EXEMPLES :
> *Le chômage augmente rapidement / faiblement / lentement / de façon stable...*

> **⚠ Attention**
> - Pensez à être exact, fin et précis !
> - Prouvez ce que vous expliquez en citant le document !

➡ **Pour** organiser un plan, **il faut** :
- une introduction qui présente le sujet et le document chiffré (titre, source, date, etc.) ;
- un développement en partant du général vers le particulier : les données et les explications sont liées ;
- une conclusion qui rappelle le phénomène observé, qui évoque les limites d'un tableau de statistiques et qui propose une ouverture sur un autre thème ou une autre période.

> **Diversifiez vos analyses :**
> **statique :** à un instant T + explications
> **dynamique :** écart entre deux valeurs ou dates + explications

Des structures pour rédiger :
- utiliser les termes **précis** pour décrire les documents : *un tableau, un graphique, une courbe, un histogramme, une abscisse, une colonne, une ordonnée...*
- sélectionner des **informations pertinentes** et indiquer ce qu'elles relèvent : *faire apparaître, indiquer, révéler, noter, remarquer, observer...*
- exprimer des **données** : *la moitié, le tiers, le quart, 10 %, plus de la moitié, presque la moitié...*
- exprimer des **évolutions** : *la hausse (augmenter, s'élever, progresser, s'accroître...) ou la baisse (fléchir, diminuer, baisser, décroître, décliner, varier, évoluer...)*
- **comparer** des valeurs : *plus de ≠ moins de ; il y a davantage de ≠ il y a moins de ; il y a autant de = cela équivaut à... ; supérieur à ≠ inférieur à... ;*
- faire des **hypothèses** : *cela pourrait s'expliquer par... ; on peut l'interpréter comme... ; cela est probablement causé par... ; on peut y voir une conséquence de... ; on peut trouver plusieurs explications à ce phénomène...*

C'EST À VOUS ! 📝

- Examinez les documents 2 et 3 page 16 de l'unité 1 et commentez-les (300 mots maximum).
- Présentez votre commentaire de façon logique, en prenant compte uniquement des éléments proposés.

Minute lexicale

• Chercher un mot dans un dictionnaire

n.m. : nom masculin
Étym. : étymologie
Dér. : dérivé de
Suff. : suffixe
Synon. : synonyme

> apprentissage, **n.m.**
> **Étym.** – 1395 « action d'apprendre un métier »
> **Dér.** de *apprenti** (formes *apprentis, apprentisse*) ; **suff.** *-age*.
> **1.** Action d'apprendre un métier, en particulier formation professionnelle. **Synon.** *formation, instruction*
> **2.** Initiation par l'expérience à une activité.

➔ **À votre tour : cherchez un mot dans un dictionnaire et retrouvez les abréviations !**

• Former un mot

Un mot est composé d'un radical (= une base), parfois complété d'un préfixe (= placé avant)
et / ou d'un suffixe (= placé après). La racine se retrouve dans les mots de la même famille.

un préfixe	**+**	un radical	**+**	un suffixe

> Im - possible   Fini - tion

a-, co-, com-, dé-, ex-, ill-, im-, ir-, pré-, re-,
*a*politique, *dé*molir, *ill*ettrisme, *im*possible, *re*construire…

-té, -ment-, -age, -ure, -ition, -ise
habile*té*, vrai*ment*, verniss*age*, confit*ure*, fin*ition*, bê*tise*…

➔ **Composez le plus de mots avec le radical de ces mots :** *soleil, manger, légal, faire.*

• Former un mot nouveau   ➤ U1

Le néologisme est un mot nouveau ou de création récente. Il peut être créé à partir d'autres mots ou emprunté à une autre langue.
> EXEMPLES : *diablogues, écoquartiers, cupcake, flashcode, zénitude.*

➔ **Trouvez cinq néologismes qui sont entrés dans le dictionnaire depuis 2010.**

• Raccourcir un mot   ➤ U4

Du latin *brevis* (en français : « court »), une abréviation est le fait de raccourcir un mot ou un groupe de mots.
L'abréviation marque souvent une familiarité.
> EXEMPLES : *provoc, météo, resto, kiné, prof, fac, bac, manif, exam, appart…*

➔ **Retrouvez les mots complets pour chaque abréviation.**

• S'exprimer de différentes manières   ➤ U2, U3, U5, U6, U7, U8, U9

Les **figures de style** sont des manières de s'exprimer : elles modifient le langage pour le rendre plus expressif.
Le verlan n'est pas une figure de style. C'est un langage particulier de la rue.

Quel type de figure ?	Nom	Fonction	Exemple
Une figure par analogie (=)	La comparaison	→ comparer deux éléments entre eux	*Ikea, c'était un peu sa grotte de Lourdes à lui.*
	La personnification	→ représenter une chose/une idée sous les traits d'une personne	*une houle pétrifiée*
Une figure de substitution (= remplacement)	La périphrase	→ remplacer un mot par une expression qui le définit	*les financiers du cinéma tricolore* (= français)
Une figure d'insistance (+)	L'hyperbole	→ exagérer une idée, un sentiment	*Le téléphone pousse des cris de putois.*
Une figure d'atténuation (-)	L'euphémisme	→ atténuer une idée, un sentiment	*Mon mari est un petit peu enveloppé* (= il est gros).
Une figure d'opposition (≠)	L'oxymore	→ opposer des termes par leur sens	*une famille bourgeoise désargentée*
Une figure de continuité (…)	L'énumération	→ ajouter des éléments	*des trams…, des cafés…, des voitures…, des magasins…, des femmes.*

➔ **Connaissez-vous d'autres figures de style ?**

Dans *Saison 4*, retrouvez, celles qui jouent sur les sons : **assonance** (répétition du même son de voyelle), **allitération** (répétition du même son de consonne), **paronomase** (rapprochement de deux homonymes [qui se prononcent pareil] ; ou de **paronymes** [qui se prononcent presque pareil]).

PRÉCIS DE GRAMMAIRE

ENRICHIR UNE PHRASE

◯ **Ajouter des signes de ponctuation** .... ➤ *Saison 3*

◯ **Ajouter une information**
  – Utiliser les pronoms relatifs simples et composés .... ➤ Unités 1, 2, 9
  – Utiliser un complément de nom avec « de » .... ➤ Unité 4
  – Caractériser à l'aide du participe présent, de l'adjectif verbal ➤ Unité 5
  – Décrire à l'aide de prépositions .... ➤ Unité 9
  – Évoquer un lieu .... ➤ Unité 5

◯ **Exprimer une mise en relief** .... ➤ Unité 1

◯ **Comparer des éléments** .... ➤ Unité 6

◯ **Exprimer l'hypothèse et la condition** .... ➤ Unité 6

ENRICHIR UN DISCOURS

◯ **Éviter les répétitions** .... ➤ Unité 2
  – Utiliser la reprise nominale
  – Utiliser la reprise pronominale

◯ **Ajouter des articulateurs** .... ➤ Unités 2, 3, 9
  – Le temps, sa chronologie
  – La cause/la conséquence
  – Le but
  – L'opposition/la concession
  – Compléter ou ajouter une idée
  – Préciser sa pensée
  – Introduire deux idées
  – Introduire une synthèse

◯ **Nuancer ses propos** .... ➤ Unité 4

◯ **Rapporter des propos** .... ➤ Unité 7

LES FORMES VERBALES ET LES TEMPS

◯ **Généralités**
  – Les temps du passé .... ➤ Unité 3
  – Les temps du futur
  – Les temps du conditionnel .... ➤ Unité 6
  – Les temps du subjonctif .... ➤ Unités 1, 4, 8

◯ **Les indicateurs de temps** .... ➤ Unité 3

◯ **La forme passive** .... ➤ Unité 7

◯ **Le participe passé (accords)** .... ➤ Unité 8

◯ **Synthèse sur le subjonctif** .... ➤ Unité 8

196 |

ENRICHIR UNE PHRASE

Une phrase se construit généralement à partir de :

(un sujet) ➕ (un verbe) ➕ (un complément)

○ Ajouter des signes de ponctuation

➤ Saison 3

La ponctuation permet de séparer ou de relier des phrases pour expliciter le sens d'un texte, ou de séparer les éléments d'une phrase pour les mettre en relief.

Quelle ponctuation ?		Quelle fonction ?	Exemples
.	Le point	• marquer la fin d'une phrase déclarative	*Il ne veut plus manger.*
,	La virgule	• détacher un complément • marquer une mise en relief • séparer des éléments juxtaposés • généralement placée avant : *mais, c'est-à-dire, car, puis, sinon* après : *cependant, en effet, par contre, pourtant, néanmoins, en revanche*	*Chaque jour, il lit un magazine.* *Moi, je n'aime pas les bananes.* *Elle parle, elle rit, elle chante.* *Il est sympa, mais un peu naïf.* *En revanche, il n'est pas très fort en grammaire.*
;	Le point-virgule	• séparer des éléments d'énumération • séparer des phrases liées par le sens	*Ce paquet comprend : un livre ; un cahier ; des stylos.* *Julien l'aime ; Paul ne l'aime pas.*
:	Les deux-points	• introduire une explication • introduire une énumération • introduire le discours direct	*Il y a trois mots dans la devise : liberté, égalité, fraternité.* *Il demande : « Comment vas-tu ? »*
!	Le point d'exclamation	• marquer la fin d'une phrase exclamative • après une interjection	*Comme il fait beau !* *Oh ! Qu'elle est jolie !*
?	Le point d'interrogation	• marquer la fin d'une question • marquer la fin d'une phrase non verbale	*Tu es français ?* *Pardon ? Je n'ai pas compris.*
...	Les points de suspension	• marquer une énumération non terminée • marquer l'hésitation dans le discours	*J'ai un chien, deux chats,...* *Je suis... peut-être un peu timide.*
« »	Les guillemets	• ouvrir et fermer un dialogue • introduire une citation • introduire une modalisation	*Il est entré en disant : « il est un peu « fou », non ? »*
M	La majuscule	• en début de phrase • pour un nom propre	*Je connais bien Lucie.*

○ Ajouter une information

➤ Unités 1, 2, 4, 5 et 9

Pour enrichir une phrase et donc, ajouter une information, on peut :

➤ Utiliser des pronoms relatifs simples et composés

• Chaque pronom relatif simple a une fonction dans la proposition.

Quel pronom ?	Quelle fonction ?	Exemples
qui*	sujet	*C'est un livre **qui** a reçu le prix Goncourt il y a an et **que** j'aime beaucoup. Je me souviens encore du jour **où** je l'ai acheté : il pleuvait ! Le personnage principal **dont** j'ai oublié le nom est étonnant, tu verras !*
que	complément d'objet direct	
où	complément de lieu et de temps	
dont	complément introduit par « de »	

* Le participe présent peut aussi remplacer « qui ».

• Le pronom relatif **dont** peut avoir plusieurs types de compléments.

Quel complément ?	Exemples
complément d'un nom	*La fille <u>de cet écrivain</u> est ma voisine. Cet écrivain a du succès.* → *L'écrivain **dont** la fille est ma voisine a du succès.*
complément d'un verbe	*Je parle <u>de cet écrivain</u>. Cet écrivain est suisse.* → *L'écrivain **dont** je parle est suisse.*
complément d'un adjectif	*Je suis fan <u>de cet écrivain</u>. Cet écrivain est suisse.* → *L'écrivain **dont** je suis fan est suisse.*

• Chaque **pronom relatif composé** a un complément construit avec une préposition (autre que « de »). Il s'accorde en genre et en nombre avec le nom qu'il remplace.

Quelle préposition ?	Quel pronom ?
à, grâce à	*auquel, à laquelle, auxquels, auxquelles*
à cause de, à côté de, le long de, près de…	*duquel, de laquelle, desquels, desquelles*
avec, sous, pour, par, sur, dans, sans, pendant, derrière…	*lequel, laquelle, lesquels, lesquelles*

• Quand le nom remplacé désigne une personne, on utilise plutôt *qui (à qui, de qui, pour qui…)*.
  Lorsque l'antécédent est *ce, quelque chose* ou *rien*, on utilise *quoi*.

➤ **Utiliser le complément de nom « de »**

– **« de » avec un article** (valeur particulière)
  *Exemple : Je connais le directeur **de la** banque* (= son directeur)
– **« de » sans article** (valeur générale)
  *Exemple : Un directeur **de** banque gagne bien sa vie* (= en général. Aucune banque et aucun directeur en particulier ne sont spécifiés).

➤ **Caractériser à l'aide d'un participe présent ou d'un adjectif verbal**

– Le radical du **participe présent** est le même que celui de la première personne du pluriel (nous) du présent de l'indicatif. Il est invariable.
  Exemple : peindre → nous peignons → peignant
  Je cherche un artiste peignant des œuvres abstraites. (= je cherche un artiste qui peint des œuvres…)

– **L'adjectif verbal** se forme comme le participe présent et s'accorde avec le nom qu'il qualifie.
  L'adjectif verbal a parfois une autre forme que le participe présent.
  *Exemple : J'habite avec des gens **charmants** dans une résidence assez **bruyante** mais il y fait une chaleur **suffocante**.*

Participe présent	Formation	Adjectif verbal
différant, convainquant, fatiguant, négligeant, communiquant, intriguant, naviguant, provoquant, suffoquant, équivalant, adhérant...	**-ant → -ent** **-quant → -cant**	*différent, convaincant, fatigant, négligent, communicant, intrigant, navigant, provocant, suffocant, équivalent, adhérent...*

➤ Décrire à l'aide de prépositions

*J'ai marché sur des bris **de** verre après avoir mangé une canne **en** sucre **sans** calories.*

Quelle préposition ?	Quoi ?	Exemples
à	Un comportement La manière L'usage approprié La composition	*Prêt à, hostile à...* *à voix basse, à reculons...* *Une brosse à cheveux* *Un chou à la crème*
de	La possession La cause La quantité	*La jupe de ma sœur* *Mourir de faim* *Une centaine de personnes*
en	La manière dont un objet est fait La façon de s'habiller, de s'exprimer Un état physique	*En verre, en or, en porcelaine* *En pantalon, en vers, en chinois* *En larmes, en colère, en forme*

➤ Évoquer un lieu   ➤ Unité 5

– Utiliser une préposition :
  - devant un nom de pays/ville/continent : *à, au, en, aux, dans le, dans les*
  - pour précéder un lieu en général : *en, au, à* ou un espace particulier : *dans, sur, chez*
– Utiliser un adverbe : *ici, là, là-bas, ailleurs, loin, proche, autour, dedans, dehors, près, n'importe où, près, etc.*
– Utiliser un verbe : *venir, aller, revenir, retourner, rentrer, partir, s'en aller, emmener, apporter, emporter, amener, etc.*

○ Exprimer une mise en relief   ➤ Unité 1

La mise en relief permet d'insister sur un élément de la phrase. Pour cela, on peut :

• Utiliser un pronom tonique : *moi, toi, il, elle, nous, vous, eux, elles*
  ***Moi, je** vis à l'étranger alors que **toi, tu** vis en France.*

• Utiliser un pronom neutre : « ça » ou « c'est », à l'oral pour insister.
  *Travailler, **ça** fatigue ! **Ça** fatigue de travailler.*
  *Travailler, **c'est** fatigant !   **C'est** fatigant de travailler (à l'oral)*
                                         ***Il est** fatigant de travailler ! (à l'écrit)*

• Utiliser « C'est » + un pronom relatif

Quel élément mettre en relief ?		
le sujet → **qui**	le complément d'objet direct → **que**	le complément d'objet indirect avec de → **dont**
***C'est** elle **qui** chante.* *Sourire, **c'est ce qui** est important.* ***Ce qui est** important, **c'est** (de) sourire.*	***C'est** la couleur rouge **que** je déteste.* *Le rouge, **c'est** la couleur **que** je déteste.* ***Ce que** je déteste, **c'est** le rouge.*	*Partir en vacances, **c'est ce dont** je rêve.* ***Ce dont** je rêve, **c'est** de partir en vacances.*

○ La comparaison

La comparaison permet de mesurer une différence entre deux éléments.

Exprimer quoi ?	avec un adjectif	avec un nom	avec un verbe
une supériorité (+)	Il est **plus** <u>grand</u> **que** moi. C'est lui **le plus** <u>grand</u> !	Il a **plus de** <u>chance</u> **que** moi. L'été : la saison avec **le plus de** <u>soleil</u> !	L'été, c'est la saison pendant laquelle on se <u>repose</u> **le plus**.
une infériorité (−)	Il est **moins** grand **que** moi. C'est moi **le moins** grand !	Il a **moins de** <u>chance</u> **que** moi. L'été : la saison avec **le moins de** neige !	L'été, c'est la saison pendant laquelle on travaille le moins.
une égalité (=)	Il est **aussi** grand **que** moi.	Il a **autant de** <u>chance</u> **que** moi.	Il <u>parle</u> **autant que** moi.

➤ D'autres outils pour exprimer :

une similitude	• comme, semblable (à), identique (à), similaire (à), pareil (à), égal (à), le/la/les même(s)… que • se ressembler, ressembler (à)
une différence	• différent (de), inégal, inférieur (à), supérieur (à), incomparable • surpasser, se différencier (de) • autrement, plutôt
une progression	• Il fait de plus en plus froid. J'ai de moins en moins chaud. • Rémi a chaque fois plus de difficultés à faire ses devoirs le soir.

➤ Attention aux cas particuliers

Bon, bien, mieux…	Nature	Exemples
bon	adjectif de qualité	C'est vraiment un **bon** restaurant.
meilleur	comparatif de supériorité	Ce plat est **meilleur** que l'entrée.
le meilleur ≠ le pire, le plus mauvais	superlatif	C'est **le meilleur** plat que j'aie mangé. C'est **le pire** repas de ma vie !
bien	adverbe de qualité	Ici, on mange **bien**.
mieux	comparatif de supériorité	Ici, on mange **mieux** que dans l'autre restaurant.
le mieux ≠ le plus mal	superlatif	C'est ici qu'on mange **le mieux**.

○ L'hypothèse et la condition ➤ Unité 6

Pour exprimer une hypothèse ou une condition, on peut utiliser :

➤ Si

Quelle hypothèse ?	Quels temps ?		Exemples
réelle au présent	*Si* + présent	impératif	***Si tu veux partir,*** *pars !*
		présent	***Si on se dépêche,*** *on peut arriver à temps !*
		futur simple	*On ira voir ta tante demain,* ***si tu veux.***
irréelle au présent (= condition difficile à réaliser car éloignée de la réalité du présent)	*Si* + imparfait	conditionnel présent	***Si on avait plus d'argent,*** *on achèterait un château au bord de la Loire !*
irréelle au passé (= condition impossible car non réalisée dans le passé)	*Si* + plus-que-parfait	conditionnel passé	***Si j'avais pu,*** *j'aurais changé de métier.*

➤ Quelques locutions

Locutions	Emploi	Exemples
Au cas où/dans le cas où + *conditionnel*	si jamais	*Je te laisse mon numéro* ***au cas où*** *tu ne viendrais pas.*
Même si + *indicatif*	Opposition	***Même si*** *j'en avais les moyens, je n'irais pas à Paris : c'est une ville trop touristique !*
En supposant que/en admettant que + *subjonctif*	Hypothèse choisie par le locuteur	***En supposant que*** *vous y alliez, surtout ne visitez pas ce musée !*
À condition que/pourvu que + *conditionnel*	Condition nécessaire	*J'irai lui rendre visite* ***à condition que*** *tu viennes avec moi. Elle me fait peur !*
À moins que + *subjonctif*	Restriction (= sauf si)	*J'irai lui rendre visite* ***à moins que*** *tu n'y ailles. Ça m'arrangerait !*
Si tant est que + *subjonctif*	Doute	*J'irai lui rendre visite* ***si tant est qu'****elle veuille me voir. Je n'en suis pas sûre.*
Avec/sans + *nom*	= si/si ne pas	***Avec*** *de l'argent, on peut tout faire !* *Tu aurais pu réussir* ***sans tricher.***

ENRICHIR UN DISCOURS

• Un texte et un discours se construisent généralement en plusieurs paragraphes articulés entre eux. Chaque paragraphe contient plusieurs phrases ou idées.

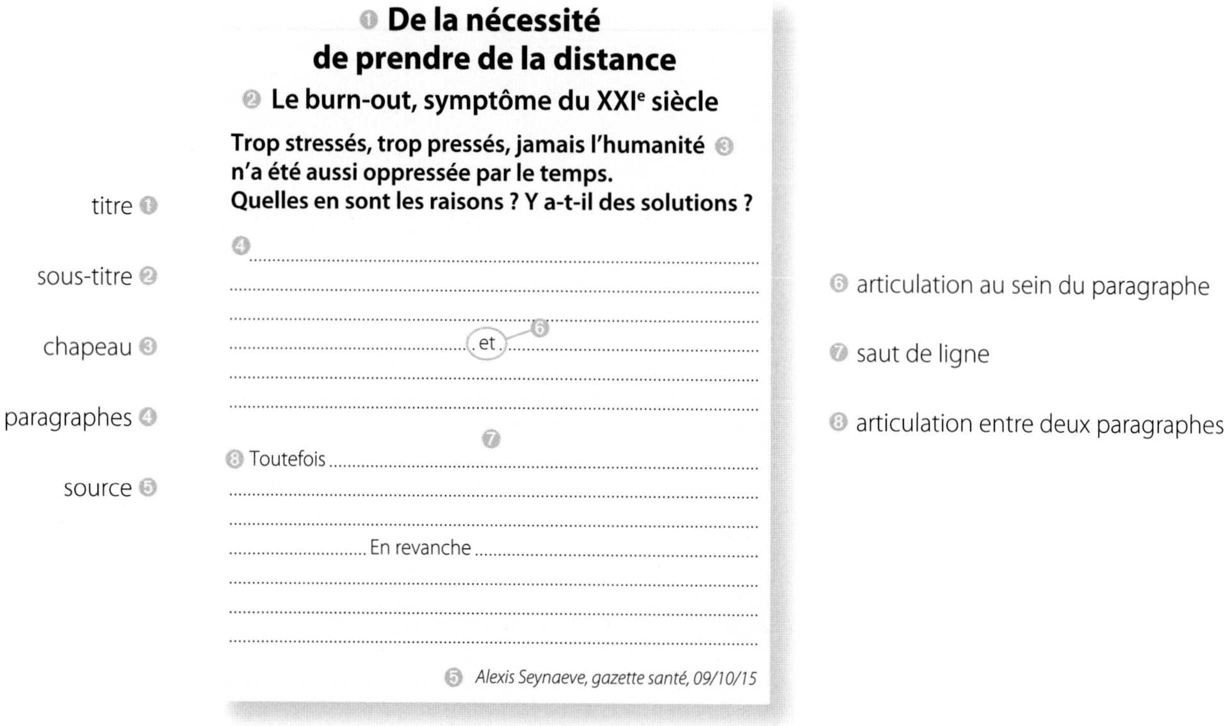

titre ❶	**❶ De la nécessité de prendre de la distance**
sous-titre ❷	**❷ Le burn-out, symptôme du XXIᵉ siècle**
chapeau ❸	**Trop stressés, trop pressés, jamais l'humanité ❸ n'a été aussi oppressée par le temps. Quelles en sont les raisons ? Y a-t-il des solutions ?**
paragraphes ❹	❹ ......
source ❺	... et. ❻ ......
	❼
	❽ Toutefois ......
	...... En revanche ......
	❺ *Alexis Seynaeve, gazette santé, 09/10/15*

❻ articulation au sein du paragraphe

❼ saut de ligne

❽ articulation entre deux paragraphes

• Pour enrichir un texte, on peut éviter les répétitions, ajouter des articulateurs, nuancer et rapporter des propos.

○ Éviter les répétitions

➤ Unité 2

➤ Avec une reprise nominale

– avec un synonyme ou équivalent
  Exemple : *le téléphone* = l'appareil, le portable, l'objet...
– avec un autre déterminant défini *(un, une, des)*, un démonstratif *(ce, cet, ces...)*, un possessif *(son, sa, ses...)*
  Exemple : *le téléphone* = **un** appareil, **cet** objet, **son** portable...

➤ Avec une reprise pronominale

– avec un pronom personnel *(je, tu, il, elle, on, nous, vous, ils, elles, eux, soi-même, elle-même...)*
– avec un pronom indéfini *(chacun, tout, plusieurs, aucun, un autre, certains...)*
– avec un pronom possessif *(le mien, la mienne, le sien, le nôtre, le vôtre, le leur...)*
– avec un pronom démonstratif *(celui-ci/là, celle-ci/là, ceux-ci/là, celles-ci/là, ceci, cela, ce, c'...)*

– avec un pronom personnel complément :
Quand deux pronoms compléments se suivent, un ordre doit être respecté :

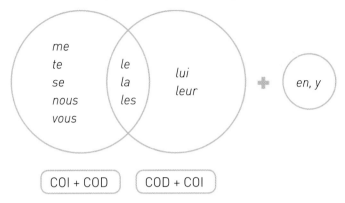

me
te
se
nous
vous

le
la
les

lui
leur

+

en, y

COI + COD   COD + COI

– avec un pronom relatif

➤ les pronoms relatifs, p. 98

○ Ajouter des articulateurs

➤ Unités 2, 3 et 9

Pour exprimer quoi ?	Quel articulateur ?
Le temps	– *toutes les fois que, à chaque fois que* (IDÉE DE RÉPÉTITION) – *à cette époque, en ce temps-là, à ce moment-là* (DATE PRÉCISE) – *tout de suite, sur le champ, immédiatement* (IDÉE D'IMMÉDIATETÉ)
La chronologie dans le temps	– *pour commencer, au début, (tout) d'abord* – *ensuite, puis, après* – *enfin, bref, finalement* (INDIQUE AUSSI UN RÉSULTAT) – *premièrement, deuxièmement, troisièmement* (POUR ÉNONCER UN PLAN)
La cause	– *en effet* (IDÉE GÉNÉRALE INTRODUITE PRÉCÉDEMMENT, EN DÉBUT DE PHRASE) – *car* (CAUSE CONNUE), *d'autant plus que* (RENFORCE UNE RAISON DÉJÀ ÉVOQUÉE) – *comme/puisque* (DANS UNE PHRASE OÙ FIGURENT CAUSE ET CONSÉQUENCE) – *étant donné que, sous prétexte que, du fait que* (CAUSES FORMELLES, LANGUE ÉCRITE) – *vu que* (À L'ORAL)
La conséquence	– *par conséquent* (APRÈS UNE PAUSE FORTE, LANGUE SOUTENUE) – *alors, du coup* (CONSÉQUENCE INATTENDUE, À L'ORAL) – *donc* (À L'ORAL, EN DÉBUT DE PHRASE/À L'ÉCRIT, À LA PLACE DE L'ADVERBE) – *c'est pourquoi, c'est la raison pour laquelle* (CONSÉQUENCE CONNUE, LANGUE SOUTENUE) – *si bien que* (CONSÉQUENCE SIMPLE SANS EFFET D'INSISTANCE) – *au point que, à tel point que* (EFFET D'INTENSITÉ)
Le but	– *pour que/afin que* (BUT GÉNÉRAL SUIVI DU SUBJONCTIF) – *pour/afin de, dans le but de, en vue de* (BUT GÉNÉRAL SUIVI DE L'INFINITIF) – *de peur que, de crainte que, dans l'espoir que* (BUT AVEC SENTIMENT) – *de manière (à ce) que, de façon (à ce) que* (MANIÈRE D'ATTEINDRE UN RÉSULTAT)

Pour exprimer quoi ?	Quel articulateur ?
L'opposition	– *alors que* (À L'ORAL), *tandis que* (OPPOSITION GÉNÉRALE SUIVIE DE L'INDICATIF) – *contrairement à, au contraire de* (S'OPPOSER À L'OPINION DE QUELQU'UN OU S'OPPOSER À QUELQU'UN) – *au contraire* (RENFORCE UNE NÉGATION DANS LA PHRASE PRÉCÉDENTE) – *à l'inverse de* + nom/pronom ; *inversement* (SITUATIONS ÉLOIGNÉES) – *en fait, en réalité* (D'ÉTROMPER) – *or* (EN DÉBUT DE PHRASE), *mais* (EN MILIEU DE PHRASE) – *en revanche* (LANGUE SOUTENUE), *par contre* (À L'ORAL) – *(et) pourtant* (S'EMPLOIE POUR RENFORCER UN PARADOXE)
La concession	– *bien que, quoi que* (FAIT AVÉRÉ QUI NE DONNE PAS LE RÉSULTAT ATTENDU) – *même si* (NUANCE HYPOTHÉTIQUE), *quand bien même* (LE RÉSULTAT N'EST PAS CELUI ATTENDU) – *mais... quand même* (EN) – *toutefois, or* (PRÉCÉDÉ D'UNE IDÉE POSITIVE ET SUIVI D'UNE IDÉE NÉGATIVE), *cependant* – *néanmoins* (NUANCE LES PROPOS PRÉCÉDENTS, LIMITE LES CONSÉQUENCES)
Compléter ou ajouter une idée	– *en plus* (COMPLÈTE L'IDÉE PRÉCÉDENTE) – *au fait* (POUR AJOUTER UNE IDÉE DE FAÇON INATTENDUE À L'ORAL) – *de plus* (À L'ORAL), *par ailleurs* (EN DÉBUT DE PHRASE, AJOUTE UNE IDÉE NOUVELLE) – *d'ailleurs* (RENFORCE L'IDÉE DE DÉPART) – *également, aussi* (APRÈS LE VERBE) – *en outre, du reste, sans compter que, de surcroît, qui plus est* (LANGUE SOUTENUE)
Préciser sa pensée	– *en effet* (POUR ILLUSTRER SA PENSÉE) – *de fait, en réalité* (POUR ALLER PLUS LOIN DANS L'EXPLICATION) – *autrement dit, en d'autres termes, c'est-à-dire* (POUR EXPLIQUER DIFFÉREMMENT)
Introduire deux idées	– *d'une part... d'autre part* – *d'un côté... d'un autre côté*
Introduire une synthèse	– *somme toute, en définitive, tout compte fait* (POUR ÉNONCER UNE SYNTHÈSE + CHANGEMENT OU RENFORCEMENT DE POSITION) – *dans l'ensemble, en bref, en gros* (POUR DONNER UN RÉSULTAT GLOBAL) – *pour terminer, pour finir, en résumé, bref, en conclusion* (POUR CONCLURE)

○ Nuancer ses propos

➤ Unité 4

➤ **Exprimer une probabilité**

– avec un adverbe : *probablement, sans doute, peut-être...*
– à l'aide d'une tournure impersonnelle qui peut être renforcée par un adverbe : *il y a des chances que, il est (fort/très) probable que, il paraît que, il semble que...*
– à l'aide du temps choisi :

Quel temps ?	Exemples
L'indicatif	*Il est probable qu'il viendra.*
Le conditionnel présent	*Il y aurait dix blessés dans cet accident d'avion.*
Le futur antérieur	*Bien que convoqué, Julien n'est pas venu. Il se sera probablement trompé de jour.*

➤ **Exprimer une incertitude, un doute**

– avec un verbe : *douter que, ne pas croire que, ne pas être sûr que, se demander si + indicatif, ignorer si + indicatif...*
– à l'aide d'une tournure impersonnelle qui peut être renforcée par un adverbe : *il y a peu de chances que, il est* (tout à fait/vraiment) *improbable que, il est possible que, il se peut que...*

Quel temps ?	Exemples
Le subjonctif	*Il est peu probable qu'il vienne* (= je doute qu'il vienne).

➤ **Le cas de vouloir/devoir/pouvoir**

Quel temps ?	Exemples
Le présent	*Je veux sortir* (= je ne laisse pas d'autres possibilités) *Je peux* sortir* (= j'ai l'autorisation de sortir) *Je dois sortir* (= il faut que je sorte) *Il doit être sorti* (= il est très probable qu'il est déjà sorti).
Le conditionnel	*Je voudrais sortir* (= j'aimerais sortir = le souhait). *Je pourrais sortir* (= j'ai la possibilité de sortir). *Il devrait sortir* (= LE CONSEIL). *Il devrait sortir bientôt* (= LA PROBABILITÉ)

*la possibilité est imposée de l'extérieur.

Remarques :

– « ne pas pouvoir » peut aussi exprimer *avoir du mal à, avoir des difficultés à, ne pas avoir les moyens de.*
– « devoir » peut exprimer l'obligation imposée par le sujet ou par l'extérieur. Il exprime aussi la probabilité.

○ Rapporter des propos   ➤ Unité 7

➤ **Du discours direct au discours indirect (rapporté)**

	Quels changements ?
Ajouter un verbe introducteur et opérer les changements en conséquence.	« *Les enfants ont mangé.* » → *Il dit **que** les enfants ont mangé.* « *Est-ce que tu es heureux ?* » → *Elle me demande **si** je suis heureux.* « *Qu'est-ce que tu as fait hier ?* » → *Elle demande **ce que** j'ai fait hier.* « *Sors !* » → *Elle me demande **de** sortir.*
Changer de temps	**Présent → imparfait** « *Je **chante**.* » → *Il a dit qu'elle **chantait**.* « *Je **vais** chanter.* » → *Il a dit qu'elle **allait** chanter.* **Passé composé → plus-que-parfait** « *J'**ai chanté**.* » → *Il a dit qu'elle **avait chanté**.* **Futur → conditionnel** « *Je **chanterai**.* » → *Il a dit qu'elle **chanterait**.*
Changer la ponctuation	*Suppression des apostrophes, des points d'interrogation et des points d'exclamation.* « *Sors **!*** » → *Elle me demande de sortir.*
Transformer les pronoms personnels	*Comment vont **tes** sœurs ?* → *Il m'a demandé comment allaient **mes** sœurs.*

Quels changements ?		
Changer les indicateurs temporels	*hier* ➔ *la veille* *aujourd'hui* ➔ *ce jour-là*	*demain* ➔ *le lendemain* *l'année dernière* ➔ *l'année passée*

➤ **Les verbes introducteurs peuvent introduire :**

– **une déclaration :** *affirmer, annoncer, assurer, avouer, certifier, constater, déclarer, expliquer, préciser, promettre, souligner que...*

– **une interrogation :** *(se) demander si, (s') interroger, questionner, demander, chercher à savoir, ignorer...*

– **un ordre :** *ordonner, exiger, (re) commander, supplier...*

– **une réponse :** *répondre, répéter, rétorquer, ajouter, riposter, répliquer, objecter...*

– **une tonalité :** *crier, hurler, murmurer, bredouiller, bougonner, gémir, ronchonner...*

LES FORMES VERBALES ET LES TEMPS

○ Généralités

	Pour exprimer quoi ?	Quelle formation ?
Les temps du passé		
Le passé composé	• une action ponctuelle (qui peut être répétée) • une action limitée dans le temps • une succession d'actions	*être* ou *avoir* au présent + participe passé
L'imparfait	• une action passée qui continue de se dérouler • une description • une habitude dans le passé • le cadre d'une action ponctuelle (exprimée au passé composé)	radical de la 1re personne du pluriel au présent + *-ais, -ais, -ait, -ions, -iez, -aient*
Le plus-que-parfait	• une action antérieure à une action passée	*être* ou *avoir* à l'imparfait + participe passé
Le passé simple	• des actions, à l'écrit principalement (dans les récits historiques, contes, romans...)	*-ai,-as,-a,-âmes,-âtes,-èrent* *-is,-is,-it,-îmes,-îtes,-irent* *-us,-us,-ut,-ûmes,-ûtes,-urent* *-ins, -ins, -int, -înmes, -întes, -inrent*
Les temps du futur		
Futur simple	• une action située dans un avenir lointain • un fait précis et programmé • une demande	verbe à l'infinitif + *-ai,-as,-a, -ons, -ez, -ont*
Futur proche	• une action située dans un avenir immédiat • une action qui a plus de chances de se réaliser	*aller* au présent + infinitif
Futur antérieur	• une action future antérieure à une autre action future	*être* ou *avoir* au futur simple + participe passé

	Pour exprimer quoi ?	Quelle formation ?
Les temps du conditionnel		
présent	• une demande polie • un souhait, un désir • une proposition • un conseil • un reproche • un événement non confirmé	verbe à l'infinitif + *-ais, -ais, -ait, -ions, -iez, -aient*
passé	• un regret • un reproche • un événement non confirmé	*être* ou *avoir* au conditionnel présent + participe passé
Les temps du subjonctif		
présent	• une obligation, un ordre • un souhait • un doute	*que* + radical de la 3e personne du pluriel au présent + *-e, -es,-e, -ions,-iez,-ent*
passé	• un fait antérieur à celui exprimé par le verbe introducteur	*que* + *avoir* ou *être* au subjonctif présent + participe passé

○ Les indicateurs de temps

➤ Unité 3

• Exprimer le temps écoulé, une durée, une date

Exprimer quoi ?	Quoi ?	Exemples
une date	*en*	**En 2000**, j'ai obtenu mon master.
le temps écoulé	*il y a* *il y a... que* *cela/ça fait... que* *voilà... que*	**Il y a** 10 ans, j'ai commencé à travailler. **Il y a** 10 ans **que** j'ai commencé à travailler. **Ça fait** 10 ans **que** j'ai commencé à travailler.
le début d'une action	*depuis/depuis que (passé)* *dans (idée future)*	**Depuis qu'**il est parti, je me sens revivre ! **Dans** deux ans, je pars au Japon.
la durée d'une action	*depuis/depuis que* *pendant*	Je travaille dans cette entreprise **depuis** 10 ans. J'ai travaillé **pendant** 10 ans et ensuite, j'ai fait le tour du monde.
la date de fin d'une action	*jusqu'à ce que + subjonctif*	J'ai travaillé **jusqu'à ce que** mon mari soit muté dans une autre ville.

• Situer une action par rapport à une autre

Exprimer quoi ?	+ indicatif	+ subjonctif	+ infinitif	+ nom	Autres
une simultanéité	*quand* *lorsque* *tandis que* *pendant que*				*en même temps*

Exprimer quoi ?	+ indicatif	+ subjonctif	+ infinitif	+ nom	Autres
une antériorité		*avant que*	*avant de* *(+ inf. présent)*	*avant*	*Auparavant* *déjà* *plus tôt*
une postériorité	*après que* *dès que* *aussitôt que* *une fois que*		*après* *(+inf. passé)*	*après*	*ensuite* *puis* *plus tard*

➤ **Le participe passé**

➤ Unité 8

• Le participe passé peut être utilisé comme adjectif. Dans ce cas, il n'utilise pas d'auxiliaire. Il sert également à former les temps composés.

1er groupe	2e groupe	3e groupe
terminaison – é	terminaison – i	formes irrégulières
mangé, chanté, parlé...	*fini, réussi, agi...*	*mis, vu, ouvert, peint...*

• Il est employé avec ***avoir*** ou ***être***.

être	ces verbes + leurs dérivés : *naître, mourir, descendre, monter, sortir, entrer,* *tomber, arriver, partir, rester, retourner, rentrer, venir,* *aller...*	*Je suis **né** un 16 août par un jour de grande chaleur.*
	les verbes pronominaux	*Mehdi est **passé** voir ta mère qui s'est réveillée à son arrivée.*
avoir	tous les autres verbes	*Pascal a **passé** l'aspirateur et a fait les courses.*

• **Quelles sont les règles d'accord générales ?**

avec *être*	accord avec le sujet	*Marie est sortie.*
avec *avoir*	pas d'accord	*Marie a mangé une pomme.*
avec *avoir* + COD placé avant	accord avec le COD	*La pomme que Marie a mangée est verte.*

• **Et avec les verbes pronominaux ?**

Verbes toujours pronominaux (toujours employés avec *se*)	accord avec le sujet	*Elle s'est réveillée.*
Verbes quelquefois pronominaux (peuvent être employés sans *se*) *Exemple : (se) laver, (s') appeler,* *(se) téléphoner...*	**construction directe :** accord avec le sujet ou le COD placé avant **construction indirecte :** pas d'accord	*Nous nous sommes appelés hier.* *Nous nous sommes lavé les mains* *et nous nous les sommes essuyées.* *Nous nous sommes téléphoné.*

➤ La forme passive

➤ Unité 7

La forme passive est une transformation qui permet de mettre en valeur le complément d'objet du verbe à la forme active.

Quelle forme ?	Quelle construction ?	Exemples
Forme active	sujet + verbe + complément	_Le chat_ mange _la souris_.
Forme passive	• inversion du sujet et du complément • _être_ (au temps du verbe) + participe passé • complément introduit par _de*_ ou _par_	_La souris_ est mangée par _le chat_.
	se faire + infinitif (responsabilité du sujet) _se laisser_ + infinitif (passivité du sujet) _se voir_ + infinitif (suivi d'un adjectif) _s'entendre_ + infinitif (suivi d'un verbe déclaratif)	_La souris se fait manger._ _La souris s'est laissé manger._ _Je me suis vu mourir._ _Elle s'est entendu dire qu'elle allait redoubler._

* avec les verbes qui expriment un sentiment ou une attitude : _aimer, détester, haïr, adorer, estimer, respecter, admirer, etc._
* avec les verbes : _connaître, oublier, ignorer._
* avec les verbes qui servent à décrire : _être orné, être décoré, être rempli, être couvert, être composé, etc._

Remarque :

La forme pronominale peut aussi exprimer une forme passive. Dans ce cas, le sujet est un inanimé.
Exemple : C'est un vin qui **se boit** très frais.

➤ Synthèse sur le subjonctif

➤ Unité 8

On utilise le subjonctif après :	Exemples
Un verbe + **que** qui exprime : – un sentiment – une volonté – une nécessité – un jugement – une possibilité – un désir – une obligation – un ordre – un doute	_J'ai peur que ma fille ait oublié de faire ses devoirs._ _Je veux qu'elle fasse ses devoirs._ _Il faut qu'elle fasse ses devoirs._ _C'est étonnant qu'elle ait fait ses devoirs._ _Il est possible qu'elle les ait faits._ _J'aimerais qu'elle les fasse ce soir._ _Il est indispensable qu'elle les ait faits._ _J'exige qu'elle les fasse !_ _Je ne crois pas qu'elle les ait faits._
Certaines conjonctions – de temps – de but – de condition – de concession	_avant que, jusqu'à ce que, en attendant que..._ _de peur que, pour que, de crainte que, afin que..._ _à condition que, pourvu que..._ _bien que, à moins que, sans que, où que, quoi que, quoique..._
Une **relative** quand on doute de l'existence d'une chose ou d'une personne.	_J'aimerais avoir un président qui puisse parler toutes les langues du monde._ _Je cherche une maison qui ne soit pas trop grande._
Un superlatif qui exprime une **rareté**.	_Tu es le seul homme que j(e n)'aie jamais aimé !_ _C'est le plus étourdi des enfants que je connaisse._

Unité 1

Activité 1 p. 16 (01)

– Bonjour monsieur.
– Bonjour monsieur.
– Vous êtes sociologue du bonheur ?
– Je suis historien du bonheur.
– Historien du bonheur ? Vous avez fait l'histoire du bonheur ?
– Tout à fait, l'histoire du bonheur en France depuis 1945.
– Pourquoi, avant, il n'y avait pas le bonheur avant 1945 ?
– Si, certainement que des gens ont pu être heureux mais depuis 1945, le bonheur est devenu une valeur essentielle de nos sociétés et il y a eu, ce que j'appelle la conversion au bonheur ou le sacre du bonheur, c'est-à-dire que, en 1945, le bonheur est finalement une valeur assez secondaire, délégitimée et le bonheur prend son ascension dans le ciel des valeurs depuis 1945 jusqu'à aujourd'hui, (où on le voit) devenir la norme des normes, le principe suprême de justification. On en arrive au devoir de bonheur et ça, ça n'existait pas en 1945.
– Mais par exemple, le siècle des Lumières, tout ça, tout ça, il n'y avait pas le bonheur à ce moment-là ?
– Alors, est-ce qu'il y avait le bonheur ? Je ne sais pas. Ce qui est sûr, c'est qu'effectivement au XVIIIe siècle, l'idée du bonheur connaît un certain nombre de discours nouveaux mais ensuite, le XIXe siècle et la première finalement relèguent le bonheur comme quelque chose d'assez secondaire et reviennent sur des idéaux des Lumières. Donc peut-être j'aurais pu aller dans le temps plus long mais, au XXe siècle, ce mouvement d'ascension du bonheur, il débute après la seconde guerre mondiale.
– Je peux avoir votre nom ?
– Rémy Pawin.
– Quel a été l'élément qui vous a fait vous intéresser au bonheur ?
– Eh bien, j'ai été frappé par l'omniprésence du bonheur dans la société contemporaine, et j'ai voulu essayer de comprendre comment est-ce qu'on en était arrivé là et quelle était l'origine de cette hiérarchie des valeurs dominée par le bonheur.

Activité 1 p. 18 (02)

Si on gagne moins de 60 000 francs par an, on est malheureux, euh, si on n'a peu d'argent parce que des besoins vitaux ne sont pas assouvis, puis des besoins plus que vitaux, aussi, des besoins culturels, des besoins sociaux ne peuvent pas être assouvis. On ne va pas aller voir ses amis, on ne va pas aller manger au restaurant parce qu'on n'a pas les moyens, ça nous rend très malheureux. Par contre, tout ce qu'on gagne au-delà de 100 000 francs, euh, et bien on se rend compte dans les études qu'on a faites que, on n'est pas plus heureux avec plus que 100 000 francs par an. Pourquoi ? Parce que les dépenses dans lesquelles on s'engage ne sont pas des dépenses qui nous rendent vraiment heureux. On croit qu'en achetant tel bien de luxe, en allant dans tel hôtel de luxe, on va être très heureux. En réalité, l'impact de toutes ces dépenses sur notre bonheur, il est très très marginal, euh... On a peut-être un peu plaisir au moment de la dépense mais ce plaisir disparaît très vite. C'est aussi le cas, par exemple, des gens qui achètent des grosses voitures, ils ont très plaisir au moment où ils ont acheté leur grosse voiture parce qu'elle est belle, elle est neuve mais très rapidement, ce plaisir s'estompe. On s'habitue au niveau de plaisir qu'on a actuellement. Et finalement, on n'est pas plus heureux dans notre vie avec des belles voitures qu'avec une voiture qui est fonctionnelle.

Activité 1 p. 19 (03)

Vendredi 20 mars, journée internationale du bonheur déclarée par l'ONU et avant cette échéance, on s'intéresse donc à ce besoin fondamental de bonheur, à la possibilité de favoriser le bien-être citoyen mais aussi aux illusions mensongères qui entourent le bonheur. Pour en parler, Ilios Kotsou, donc, vous êtes chercheur en psychologie des émotions à l'université libre de Bruxelles et vous êtes l'auteur de ce livre, *Éloge de la lucidité*. C'est aux éditions Robert Laffont. Et puis, Alexandre Jost, vous êtes le fondateur du think tank du bien-être citoyen à la Fabrique Spinoza et vous allez justement participer à cette journée internationale du bonheur. Les auditeurs nous rejoignent avec des messages et des questions : franceinter.fr et le mot-clé, l'attaque.
Larry nous dit ceci sur franceinter.fr : « parlez du bonheur, s'il vous plaît, mais en évitant l'idioptimisme ». Le niveau individuel et collectif du bonheur sont-ils conciliables car le malheur des uns fait le bonheur des autres ? Ilios Kotsou, vous, vous secouez quand même le bonheur dans tous les sens, là, dans votre ouvrage, hein ?
– Oui et en rebondissant entre la question du produit intérieur brut. C'est cette question du bonheur qui est mise, à l'aune des finances, eh bien c'est ce bonheur que l'on pourrait acheter. Notre société est passée peut-être du droit au bonheur – qui est une bonne chose – à l'obligation au bonheur aujourd'hui. Et donc, le bonheur est devenu un nouveau produit qu'on nous vend à toutes les sauces, dans toutes les publicités. Et donc, nous devrions absolument être heureux. Et là, il y a vraiment des études très solides et sérieuses qui vont investiguer : en quoi cette poursuite du bonheur effrénée va se retourner contre nous et donc, on pourrait dire qu'il y a quatre grands mécanismes qui montrent que cela ne fonctionne pas. Le premier, c'est de nous mettre des attentes irréalistes. Et donc, nous attendons quelque chose, le bonheur peut-être quelque chose de très spécial et donc, de la même manière que lorsque quelqu'un vous dit « tel film est un film extraordinaire » ou les soirées de fin d'année. Des études scientifiques ont montré que l'on n'est jamais autant déçu que par le réveillon du 31 décembre. Pourquoi ? Parce que nos attentes sont tellement importantes que nous sommes déçus obligatoirement et ce qui est beaucoup plus grave, c'est qu'en étant dans la poursuite d'un bonheur ailleurs, ce bonheur qu'on pourrait acheter, on ne voit pas ce qui pourrait faire notre bonheur ici : la compagnie d'un collègue, le sourire d'un enfant et des choses qui sont là tout près de nous.
– Pierre nous dit ceci : « Le plaisir hédoniste, être heureux avant tout et au plus vite : ça semble être une véritable norme, une injonction dans tous les milieux sociaux, chez les retraités comme chez les plus jeunes aujourd'hui » et c'est exactement ce que vous observez. Il y a vraiment cette recherche obsessionnelle et cette obligation, aujourd'hui ?
– Complètement. Et cette obligation au bonheur, ce qu'elle va faire, c'est qu'elle va entraîner des personnes à se mettre dans des moyens de chercher le bonheur qui ne sont pas des moyens qui amènent le bonheur. Par exemple...
– Ce que vous montrez, c'est que c'est totalement contre-productif, en réalité, hein, cette quête effrénée.
– Complètement. Donc, on peut confondre, par exemple, le bonheur avec le succès en se disant en atteignant un succès, en se comparant aux autres, nous serons plus heureux. Et on sait bien que cette manière de fonctionner va nous amener à être plus individualiste alors que comme l'a très bien dit Alexandre, le bonheur, le premier prédicteur du bonheur, ce sont les relations avec les autres. Et cette quête du bonheur qui nous amène à plutôt porter le regard sur nous-même, en nous tournant quelque part autour de notre propre nombril nous coupe, nous rend plus solitaire. Alors, une étude a montré très simplement que le fait d'être obsédé par le bonheur va faire baisser notre niveau d'une hormone du lien, la progestérone et donc, va nous faire nous sentir plus seul et en nous sentant plus seul, évidemment, nous sommes moins heureux et comme vous le voyez...
– Ça paraît totalement paradoxal, quand-même.
– Complètement.

Activité 1 p. 20 (04)

1. Ben, moi, je dirais plutôt que c'est l'école qui m'a frustré... On entend toujours le même discours : « c'est pas mal », comme si on attendait de nous qu'on fasse mieux. Ouais, je dirais que, globalement, je suis un insatisfait.
2. Je me sens plutôt du côté de ceux qui ont la patate, qui sont bien dans leur peau et qui prennent la vie à bras-le-corps ! J'ai envie de dire que tout m'enthousiasme !
3. J'ai honte de l'image des Français, qu'ils râlent aussi souvent. À en croire les journaux, ils n'ont jamais le sourire. Ils ont une vie morose. Je pense que c'est comme toujours, y'a beaucoup d'exagération là-dedans.
4. Quoi ? Les Français, pessimistes ? Cette idée me fait peur ! Pour moi, les Français vivent tout à fait normalement avec des moments de joie et de tristesse. C'est la vie, quoi !

Activité 2a p. 22 (05)

1. Écoutez Laurence, je ne suis pas du tout satisfait de la présentation que vous avez faite ce matin en réunion. Je crois qu'il faut qu'on retravaille dessus dès demain.
2. Pfff... j'en ai ras-le-bol ! Cela fait trois fois que j'essaie de refaire cet exercice sur le subjonctif et je ne comprends toujours pas où est le problème...
3. Quand est-ce qu'on rentre ? Franchement, j'en ai plein les bottes ! Ça fait au moins trois heures qu'on marche, non ?

Activité 2b p. 22 (06)

1. Écoutez Laurence, je ne suis pas du tout satisfait de la présentation que vous avez faite ce matin en réunion. Je crois qu'il faut qu'on retravaille dessus dès demain.
2. Pfff... j'en ai ras-l(e)-bol ! Ça fait trois fois qu(e) j'essaie d(e) refaire cet exercice sur le subjonctif et ch'comprends toujours pas où est l(e) problème...
3. Quand est-ce qu'on rentre ? Franch(e)ment, j'en ai plein les bottes ! Ça fait au moins trois heures qu'on marche, non ?

Activité 2c Le + expression p. 22 (07)

Ça m'agace. Ça m'ennuie.
Ça pourrait être mieux.
Je n'en peux plus ! J'en ai assez.
Je ne suis pas content de...
Je suis mécontente de...
Ce n'est pas satisfaisant.
Je n(e) suis pas satisfait de votre travail.
Zut ! Merde !
C'est nul !
Ch'suis crevé
Je suis nase !
Ch'suis mort de fatigue.
J'en ai ras l(e) bol ! J'en ai par-dessus la tête !
J'en ai plein les bottes ! J'en ai marre.
Ch'suis au bout du rouleau !

Activité 1 p. 25 (08)

Vous écoutez RTL. Philippe Geluck et Lionel Bellenger sont vos invités aujourd'hui jusqu'à 16 h *Humour quand tu nous tiens*. Mais peut-on rire de tout et qu'est-ce que l'humour apporte à nos vies ? Je vous attends au 3210 pour en parler sur cette antenne, l'émission commence dans un instant, à tout de suite. RTL 15 h/16 h, Flavie Flament sur RTL, *« On est fait pour s'entendre »*.
– Philippe Geluck, on peut rire de tout ?
– Dans ce livre que vous citiez et que j'ai l'honneur de signer chez Lattès, *Peut-on rire de tout ?* c'est une question que je pose, que je me pose. C'est un métier que je pratique depuis 40 ans maintenant. Et j'ai voulu me mettre en danger en me disant, tiens je vais me poser la question et aller au bout, au bout du couloir. Voir si...
– Parce que vous y allez là !
– Ah oui, j'y vais fort !
– Oui, vous y allez franco de port, Peut-on rire de Dieu, des riches, des vieux, des cathos, des homos, des Arabes, des Belges, de soi ?
– Oui, alors le chapitre sur moi est très court. À la question « peut-on rire de moi ? », je dis, je préfère pas. Mais les autres chapitres sont plus étayés. Il est évident qu'on peut rire de tout, qu'on doit rire de tout, qu'on doit s'autoriser à rire de tout parce que rire est aussi une manière de réfléchir aux choses. Et dire « on ne peut pas rire de tout ? » reviendrait à dire : « on ne peut pas réfléchir à tout ». Il est évident que jamais je n'ai envie de blesser une personne qui est en souffrance, qui est en faiblesse. J'ai surtout envie de m'attaquer aux puissants, aux gens qui ont cherché à être dans la lumière à tout prix. Mais je peux aussi m'autoriser à rire de choses dramatiques, de la maladie, du handicap, de la misère. Je ne me moque jamais des gens qui sont handicapés ni des gens qui sont malades ou des gens qui sont dans la misère mais j'essaie de rire du concept, j'essaie de rire de cette chose qui m'angoisse moi-même dans ma propre vie. Et dans ce sens, je parlais d'humour bouclier mais que je partage aussi avec d'autres. C'est-à-dire que l'humour, comme disait Wolinski, est le plus court chemin d'un homme à un autre. C'est une manière d'entrer en relation avec les autres. Faire rire quelqu'un qui ne parle pas votre langue, c'est possible à travers l'œil déjà, on rit, on sourit et on entre en contact avec les autres.

- Finalement, est-ce qu'on peut partager le même humour ? Parce que c'est culturel. Ce qui nous fait rire nous, les Français, ça fait pas rire forcément les Japonais, voire les Belges. Je ne sais pas ce que vous en pensez, Philippe Geluck.
- Mais le type, l'homme des cavernes qui se tape le pied sur une pierre...
- Ça, c'est universel...
- Ça fera rire la terre entière, absolument.
- Alors qu'est-ce qui a fait qu'on est passé de cet humour des cavernes à l'humour culturel, comme ça.
- Ou l'esquimau, plus sophistiqué, qui glisse sur une pelure de banane sur la banquise, parce qu'il n'y a pas de banane sur la banquise, comme vous le savez.
- Mais on est bien d'accord. Absolument.
- Alors ce qui est fabuleux dans le rire, mais comme dans l'amour et comme dans le chagrin aussi, c'est que c'est primal. C'est quelque chose qu'on ne maîtrise pas. Et, c'est sans doute pour ça que c'est si proche et que c'est si beau et que c'est si fort.
- Ce sont des émotions. C'est du domaine de l'émotion incontrôlée.
- Oui.
- Et incontrôlable.
- Ce qui est formidable quand on fait ce métier-là, c'est qu'on peut arriver à contrôler les autres. Quand on écrit un texte qu'on dit sur scène devant une salle qui va s'écrouler de rire, on sait que 3 secondes plus tard, les gens vont se rouler par terre. Et eux ne le savent pas encore mais vous, vous le savez déjà. Et ça, c'est extrêmement jouissif. [...]
- Mais Lionel Bellenger insiste effectivement sur le fait qu'il y a certaines choses qui vont me faire rire et pas forcément vous, et qu'on n'aura pas la même sensibilité, ça tient aux humeurs aussi, j'imagine.
- Plus ou moins...
- Aux expériences dans la vie... À plein de choses. Est-ce que c'est quelque chose que l'on craint quand on est humoriste, Philippe Geluck ? On veut s'adresser au plus grand nombre, j'imagine ?
- Oui, on espère partager avec le plus grand nombre. Et puis on se rend compte qu'il y a, de temps en temps, des sujets qui fâchent. Alors, les fois où j'ai toujours reçu du courrier de protestation, c'est quand j'ai parlé de Dieu, de la religion en général. « Comment osez-vous citer le nom de Dieu dans des dessins humoristes? Vous n'avez pas le droit... »
- Blasphème...
- Voilà, blasphème... Je sors dans quelques jours *La Bible selon le chat* qui est un album qui va traiter du sujet, je m'attends à recevoir quelques courriers de protestation. Mais en même temps, ça fait partie de ma culture, ça fait partie de notre culture commune, donc je pense que je peux...
- Et vous continuez... Ça veut dire qu'il est aussi des sujets qu'on va pas lâcher sous prétexte que ?
- Mais non, parce que sinon... Le problème, c'est la limite. On dit, on ne peut pas rire de la maladie, d'accord, très bien, en plus ça ne fait pas rire la maladie. Mais alors, est-ce qu'on peut rire d'un rhume ? Oui, ça, c'est admis. Un rhume, une grippe, oui, mais au-delà de 40,5° de fièvre, est-ce qu'on peut continuer à rire, parce que là ça devient dangereux. Et puis des maladies graves, est-ce qu'on peut en rire ?
- C'est ce qui nous fait peur en fait ?

Grammaire p. 28

09

- Moi, à ta place, j'aurais dit ça !
- Oui, mais, tu n'es pas à ma place ! C'est moi qui y suis. Moi seul ! Toi, tu ne vis pas ce que je vis. Ce que je vis ne te concerne même pas. C'est moi qui ai dit ça. Que tu ne l'acceptes pas, c'est ton problème, pas le mien !

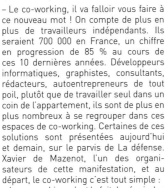

Unité 2

Activité 1 p. 34

10

- Le co-working, il va falloir vous faire à ce nouveau mot ! On compte de plus en plus de travailleurs indépendants. Ils seraient 700 000 en France, un chiffre en progression de 85 % au cours de ces 10 dernières années. Développeurs informatiques, graphistes, consultants, rédacteurs, autoentrepreneurs de tout poil, plutôt que de travailler seul dans un coin de l'appartement, ils sont de plus en plus nombreux à se regrouper dans ces espaces de co-working. Certaines de ces solutions sont présentées aujourd'hui et demain, sur le parvis de La défense. Xavier de Mazenot, l'un des organisateurs de cette manifestation, et au départ, le co-working c'est tout simple :
- Le co-working, c'est le fait de réunir des gens pour qu'ils travaillent ensemble. Donc, c'est un grand mot, qui est anglo-saxon parce que le concept est né, il y a 5, 6 ans aux États-Unis, à San Francisco. Et, cette espèce de colocation, à l'origine de colocation pour professionnels. Des gens qui avaient envie d'être ensemble pour travailler, pour pas être isolés chez eux, qui se sont regroupés.
- Et ce sont des espaces qui regroupent des services multiples : de quoi brancher son ordinateur, des imprimantes, machines à café, salles de réunion, pièces pour téléphoner tranquille, mais le co-working ce sont surtout de petites communautés professionnelles.
- Ce qui est intéressant dans le co-working, par rapport à une location de bureau c'est qu'on y vient non pas pour y trouver juste un espace mais on y vient pour y trouver une communauté. Parce qu'on s'est aperçu que cette communauté, elle allait nous apporter des services, elle allait nous aider à nous former, elle allait nous donner des flux de boulot aussi, on allait aussi échanger, on allait recevoir, on allait donner. Et, pour des gens qui sont des indépendants, qui sont des gens isolés, tout seuls, chez eux, retrouver, recréer un collectif de travail choisi, c'est très précieux.

Activité 1 p. 36

11

- Quand MC Solar dit « l'économie, c'est toujours plus de loups dans la bergerie », vous, Elena Lasida, vous répondez « non, non, ça ne doit pas être ça l'économie ». Vous revenez à la racine étymologique du mot « économie ».
- Oui, justement, « oikos » c'est la maison, c'est la gestion de la maison. C'est le mot grec « oikonomía » et je trouve que c'est très beau et on l'a un peu oublié.
- On l'a un peu oublié.
- Et la maison c'est pas une bergerie (rires) et c'est la maison, je pense, c'est le lieu premier de vie. C'est le lieu le plus intime, c'est le lieu où on se sent à l'aise et c'est son chez-soi. Et, je pense qu'il faut retrouver dans l'économie ce lieu de vie, ce lieu où on se sent chez-soi, ce lieu qui n'est pas uniquement un lieu de confort matériel mais que c'est un lieu...
- Pas uniquement un lieu de confort matériel ? Pourtant, l'économie on se dit, ben c'est ça, c'est la création de biens matériels.
- Ouais, et je pense qu'on l'a trop réduit uniquement à cette vision...
- Mais qu'est-ce que ça serait d'autre alors...
- Mais...
- Que la création de biens matériels ?
- Mais pour moi, l'économie c'est avant tout une fonction sociale. Je dis souvent, l'économie, pour moi, c'est un médiateur social. C'est quelque chose qui permet de vivre ensemble. L'économie...
- Carrément hein ?
- Ah carrément ! Pour moi, dans une société... Vous voyez dans les sociétés comme les nôtres où tout passe par l'économie.
- Ah clairement oui !
- Et, absolument, même pour faire les choses qui n'ont aucune rentabilité financière. Tout projet charitable, il faut quand même des ressources financières. Donc, tout passe par l'économie. Et je pense que l'économie, c'est, par excellence, dans une société, ce lieu de mise en relation entre des personnes qui parfois ne se connaissent pas du tout.

Activité 1 p. 37

12

- Quel est l'avenir de l'économie sociale et solidaire ? Mon invité est le patron du géant français du secteur. Le groupe SOS compte de plus de 11 000 salariés. Bonjour Jean-Marc Borello !
- Bonjour
- Merci beaucoup d'être là en direct ce matin ! Vous êtes également Vice-président du MOUVES, le mouvement des entrepreneurs solidaires. Quelques mots d'abord pour planter le décor. Comment définissez-vous l'économie sociale et solidaire ? Est-ce qu'on peut dire que c'est l'ensemble des entreprises qui ne sont pas obsédées par le profit ?
- Non, aujourd'hui, l'économie sociale et solidaire se définit par ses statuts et c'est bien un des sujets que la loi va faire évoluer. Aujourd'hui, l'économie sociale et solidaire, ce sont précisément les associations, les mutuelles, les coopératives et les fondations. Donc, c'est le statut juridique qui, jusqu'à aujourd'hui, définit l'économie sociale et solidaire. La loi permettra d'intégrer dans cette grande famille, des entreprises commerciales qui adoptent un certain nombre de pratiques vertueuses et c'est une des évolutions majeures de la loi.
- D'autres patrons du secteur, notamment dans des structures plus petites choisiraient pourtant cette définition, l'absence de recherche de profit ?
- L'absence de recherche de profit n'est pas une fin en soi. Ce qui est une fin en soi, c'est la création de richesse, c'est le partage équitable de ces richesses. Donc, le mouvement des entrepreneurs sociaux pense que l'important c'est l'impact sur la société et la logique qui consiste à modifier le système économique pour mettre effectivement cette économie au service de l'intérêt général.
- L'impact social donc comment les salariés sont traités, l'impact environnemental aussi. Les produits proposés par une entreprise peuvent être aussi un critère ?
- Les produits proposés en ce qui concerne le groupe SOS, nous avons choisi de répondre à des besoins fondamentaux : l'accès aux soins, l'accès au logement, l'accès à l'emploi, l'accès à l'éducation pour les enfants. Donc évidemment, l'objectif est un critère, la forme selon laquelle on travaille est un critère et effectivement l'idée de répartir équitablement les richesses créées est fondamentale.
- Pour vous, ce n'est pas incompatible donc, d'être à la tête d'un très gros groupe, Jean Marc Borello, 11 000 salariés, 700 millions d'euros de chiffre d'affaires et de se présenter comme l'emblème de l'économie sociale et solidaire ?
- Le groupe SOS a une association en qualité de holding, il n'y a pas d'actionnaires, il n'y a pas de dividendes et y'a un écart maximum des salaires qui va de 1 à 10 sur ses 12 000 salariés. Il gère des hôpitaux, des maisons de retraite, des crèches, des entreprises d'insertion. C'est un immense poème à la Prévert.
- L'économie sociale et solidaire peut-elle vraiment créer 100 000 emplois ? C'est l'objectif de cette loi...
- L'économie sociale et solidaire va offrir 400 000 emplois dans les années qui viennent, d'abord 100 000...
- Donc encore plus que l'objectif affiché ?
- Encore plus que l'objectif parce que l'objectif c'est de la création nette. Or, c'est un secteur qui a continué de recruter y compris pendant la crise. Et par ailleurs, c'est un secteur dont la sociologie fait qu'un certain nombre de cadres vont aspirer légitimement à faire valoir leur droit à la retraite et seront remplacés, je l'espère, par des jeunes filles et des jeunes gens issus d'autres formations avec une vision du monde un peu différente mais toute aussi solidaire.

Activité 1 p. 38

13

1. Malgré l'avis de ma famille qui me conseillait de conserver un emploi stable, en 2010, j'ai créé ma boîte. Aujourd'hui, je me sens libre même si financièrement c'est encore difficile.
2. Contrairement à tout ce que l'on entend, créer son entreprise c'est loin d'être la liberté. Et quoi qu'on en dise, il faut travailler comme un fou si l'on veut réussir.
3. Je viens de décider d'arrêter mon activité, pourtant j'ai créé mon entreprise, il y a deux ans seulement. Certes, j'ai appris plein de choses mais j'ai envie de revenir à une vie plus simple et sans prise de décision.
4. Bien que mon entreprise fonctionne très bien aujourd'hui, je continue à développer de nouvelles activités pour être compétitif sur le marché. Mieux vaut être en avance sur son temps !
5. Je m'éclate dans mon nouveau taf alors que mes potes s'ennuient dans leur boulot salarié. Par contre, je n'ai pas vraiment le temps d'avoir des loisirs.

Activité 3 p. 38

14

Politique : Les candidats à l'élection présidentielle promettent tous de faire baisser le chômage dans le pays.
Économie : Le pouvoir d'achat des Français a moins baissé que celui des Espagnols.
Société : Selon une étude de l'INSEE, les Français regardent de moins en moins la télévision.
Société toujours : le téléphone portable causerait de nombreux accidents de la route.
Et enfin sport : seulement 40 % des Français pratiquent un sport régulièrement.

Activité 2a p. 40

15

1. J'ai du boulot par-dessus la tête en moment, je vais aller au bureau le dimanche.

– Et puis quoi encore ? Tu n'as qu'à bosser la nuit aussi.
2. Je vais financer ce jeune entrepreneur qui développe une appli qui te permet de suivre les activités de tes enfants pour leur sécurité.
– C'est une honte ! Et leur liberté dans tout ça !
3. Je reste persuadé que pour réussir à monter sa boîte, il faut être un requin et déstabiliser tous ses concurrents.
– Je désapprouve totalement ta vision dépassée de l'économie.
4. J'ai décidé de me jeter à l'eau cette année et de faire partie d'une association de mon quartier qui cultive un jardin.
– Quelle drôle d'idée ! Tu as toujours détesté la nature !

Activité 2b p. 40 (16)

1. J'ai du boulot par-dessus la tête en c(e) moment, j(e) vais aller au bureau l(e) dimanche.
– Et puis quoi encore ? T'as qu'à bosser la nuit aussi.
2. Je vais financer ce jeune entrepreneur qui dév(e)loppe une appli qui te permet de suivre les activités de tes enfants pour leur sécurité.
– C'est une honte ! Et leur liberté dans tout ça !
3. Je reste persuadé que pour réussir à monter sa boîte, il faut être un requin et déstabiliser tous ses concurrents.
– Je désapprouve totalement ta vision dépassée de l'économie.
4. J'ai décidé de m(e) jeter à l'eau cette année et d(e) faire partie d'une association d(e) mon quartier qui cultive un jardin.
– Quelle drôle d'idée ! Tu as toujours détesté la nature !

Activité 2b Le + expression p. 40 (17)

Je ne suis franchement pas d'accord !
Tu as tort. Tu te trompes.
Tu n'aurais pas / jamais dû !
Je désapprouve totalement / fortement
Absolument pas ! Hors de question !
Il / C'est inadmissible / inacceptable / intolérable.
Tu devrais avoir honte !
Là, on aura tout entendu !
Quelle drôle d'idée !
Tu plaisantes ! Tu rigoles !
Tu me soûles !
Tu es complètement à côté de la plaque !
Mais tu es malade !
N'importe quoi ! Et puis quoi encore ?

Activité 1 p. 43 (18)

– La France, je tiens à vous le dire, c'est le pays qui a inventé la tête de moine et sa manivelle. Vous savez la manivelle qui permet de faire de la tête de moine, le French Kiss, le concours Lépine. Le concours Lépine absolument, c'est en 1901 que le sieur Lépine, préfet de police de l'ancien département de la Seine a créé ce concours destiné déjà à lutter contre la crise économique qui touchait la France. L'innovation donc, contre le marasme. Et depuis 113 ans, des inventions essentielles ont été primées au concours Lépine. Bonjour !
– Bonjour !
– Jean-Luc Sifferlin, vous êtes menuisier à Mundolsheim en Alsace et vous avez inventé le C = 1m² c'est-à-dire une cuisine qui tient sur 1 m². En face de vous, Valérie Grammont, bonjour !
– Bonjour !
– Valérie Grammont, vous êtes fondatrice de la société Smart and Green, qui a développé des bûches. Des bûches qui sont fabriquées à partir de marc de café. Et puis, enfin Raoul Parienti, bonjour !
– Bonjour !
– Raoul Parienti, vous êtes un inventeur « récidiviste », puisque vous avez le record d'Europe du nombre de brevets déposés par une personne physique. Vous en avez déposé 146 et vous concourez cette année au concours Lépine avec le Star Press, un miroir qui se transforme en une centrale de repassage complète.
[...]
– Valérie Gramont, vous êtes venue avec une bûche. Alors, c'est une bûche un peu spéciale puisqu'elle est fabriquée à partir de marc de café. Expliquez-nous comment ça fonctionne.
– Alors en fait c'est une bûche qui présente de grands avantages en termes de praticité puisque vous n'avez plus besoin de papier et de petit bois pour lancer l'allumage. Vous la mettez telle quelle dans l'âtre, sans emballage. Vous présentez une allumette de chaque côté et l'allumage est lancé.
– Et donc le marc de café, ça brûle bien !
– Le marc de café est un excellent combustible, en fait, puisqu'il chauffe 20 % de plus que le bois. Et, par exemple, quand un feu se déclare chez un torréfacteur, en général pour les pompiers c'est très compliqué à éteindre.
– Et donc, on a la possibilité de recycler son marc de café puisqu'il y a aussi une dimension écologique évidemment dans cette invention, c'est-à-dire que tout ce marc qui jadis était jeté, il peut donc servir aujourd'hui à fabriquer des bûchettes.
– Alors en fait, il faut savoir que le marc de café, c'est un gisement colossal. Chaque année, en France, c'est plus de deux tours Montparnasse qui finissent enfouies ou incinérées. Donc c'est vraiment un déchet très important. Aujourd'hui, auprès des sociétés qui font de la distribution automatique de café, on peut récupérer relativement et collecter relativement facilement ce déchet et le transformer en combustible pour cheminée.

Activité 1 p. 46 (19)

1. L'invention la plus incroyable pour moi est l'avion. Celui-ci me fascine.
2. J'ai acheté un vinyle de collection pour Pierre. Je le lui offrirai à son anniversaire.
3. La science nous promet une vie meilleure dans les 50 ans à venir mais je n'y crois pas du tout.
4. Certains objets sont pratiques mais très polluants, par exemple les lingettes démaquillantes. Je n'en utilise jamais.

Unité 3

Activité 1 p. 52 (20)

– On veut être à notre mieux sur les selfies. C'est-à-dire bien coiffé, bien maquillé, dans la meilleure position. C'est pas nécessairement comme ça qu'on, à quoi on ressemble, le matin, on ressemble pas à ça là.
– Oui, quand même dans le fond on va y revenir un peu plus tard, mais exactement c'est qu'on projette l'image que l'on veut projeter.
– Donc on a un contrôle là-dessus. On devient le sujet de la photo et en même temps l'auteur. On a vraiment les deux facettes et un grand contrôle de notre image. Pourquoi c'est si attrayant ? Parce qu'en fait le but du selfie c'est, oui bien sûr de prendre un autoportrait de soi-même, mais on le garde pas pour soi. Le concept, c'est de le publier le plus rapidement possible sur les médias, les médias sociaux, les réseaux sociaux. Pourquoi c'est si attrayant de le faire ?
– Ben d'abord de publier nos photos sur les médias sociaux, ça nous permet de couper la distance physique avec les autres, ça nous permet de nous rapprocher d'eux. Même s'ils sont à des kilomètres de nous. Donc, ça nous donne une impression de proximité avec l'autre. Puis, on a l'impression d'être en contact avec sa réalité. Donc, comme si l'autre est en contact avec notre réalité également. Donc, parfois on peut avoir l'impression de mieux comprendre l'autre. Comme il y a l'exemple, pas l'exemple, mais l'expression qui dit « une image vaut 1000 mots », mais en fait c'est vrai. Ça nous permet de vraiment bien exprimer notre, une émotion, un événement, enfin de partager un moment clé de notre journée de façon super simple.
– Très rapide.
– Exactement.

Activité 1 p. 54 (21)

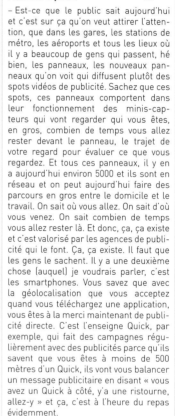

– Est-ce que le public sait aujourd'hui et c'est sur ça qu'on veut attirer l'attention, que dans les gares, les stations de métro, les aéroports et tous les lieux où il y a beaucoup de gens qui passent, hé bien, les panneaux, les nouveaux panneaux qu'on voit qui diffusent plutôt des spots vidéos de publicité. Sachez que ces spots, ces panneaux comportent dans leur fonctionnement des minis-capteurs qui vont regarder qui vous êtes, en gros, combien de temps vous allez rester devant le panneau, le trajet de votre regard pour évaluer ce que vous regardez. Et tous ces panneaux, il y en a aujourd'hui environ 5000 et ils sont en réseau et on peut aujourd'hui faire des parcours en gros entre le domicile et le travail. On sait où vous allez. On sait d'où vous venez. On sait combien de temps vous allez rester là. Et donc, ça, ça existe et c'est valorisé par les agences de publicité qui le font. Ça, ça existe. Il faut que les gens le sachent. Il y a une deuxième chose (auquel) je voudrais parler, c'est les smartphones. Vous savez que avec la géolocalisation que vous acceptez quand vous téléchargez une application, vous êtes à la merci maintenant de publicité directe. C'est l'enseigne Quick, par exemple, qui fait des campagnes régulièrement avec des publicités parce qu'ils savent que vous êtes à moins de 500 mètres d'un Quick, ils vont vous balancer un message publicitaire en disant « vous avez un Quick à côté, y'a une ristourne, allez-y » et ça, c'est à l'heure du repas évidemment.
– Et ça, ça se sait peu. C'est pour ça que je parlais de dénonciation au sujet de votre article, tout simplement parce que vous expliquez que finalement quand on a un smartphone dans sa poche, on n'a plus droit à la vie privée et tout simplement parce qu'on peut être épié à son insu, parce qu'évidemment les marques vous demandent si vous autorisez d'être géolocalisé. Mais elles peuvent le demander dans des conditions générales de vente qui sont tellement obscures qu'on ne les lit jamais Jean-Marc Lehu.
– Pardon, ce ne sont pas les marques, c'est les applications que tout le monde a : Média, 20 minutes, heu, Météo France, le Bon Coin. Tout ça, vous fournissez vos données géolocalisées à des gens qui vont l'exploiter pour vous faire de la pub.
– Faudra couper son smartphone et se mettre des lunettes de soleil opaques.

Activité 1 p. 55 (22)

Femmes au foyer, reléguée à la cuisine ou femme-objet qui suscite le désir sexuel, la représentation de la femme dans les publicités africaines passe par les mêmes clichés que dans le monde occidental. Sauf que dans certains cas, ça ne passe vraiment pas. Maïmouna Diallo est la directrice du centre malien d'information et de documentation sur la femme et l'enfant. Elle a été interpellée par des femmes au sujet d'une pub pour une marque de bière.
– Il y avait une femme blanche et une femme noire avec la bière au milieu, donc c'est ce qui a choqué les populations. Cette image est dégradante pour la femme parce que dans notre milieu, les femmes ne doivent pas prendre des boissons alcoolisées. Aussi, on voit souvent des femmes nues pour faire la publicité d'un parfum ou bien d'un autre produit. C'est des images que nous, nous ne pouvons pas tolérer dans notre société.
– Amadou Moustapha Diop est le directeur associé de l'agence DFA Communication et le président du groupement professionnel des agences de communication du Mali. Pour lui, la représentation des femmes dans la pub telle qu'elle est pratiquée ne doit pas choquer.
– Une pub doit être optimiste. Donc à mon avis au contraire, les femmes sont sollicitées, les enfants, parce que c'est les couches les plus adorables. Vous voyez un peu le regard du publicitaire face aux femmes est assez différent.
– Ça veut dire qu'on utilise l'image de la femme comme un objet de convoitise, de désir ?
– Oui, exactement. C'est la technique la plus vieille au monde.
– Vous comprenez que les femmes soient parfois choquées quand leur image est utilisée de manière trop provocatrice ?
– Oui, je comprends parfaitement. Mais vous savez nous sommes une société de consommation.
– Pourtant les représentations dévoyées de la femme peuvent susciter des complexes et pousser à des comportements parfois dangereux. Dans les pays du Nord, on devient anorexique pour ressembler à des modèles longilignes. En Afrique, c'est encore autre chose. Maître Fatimata Diourté, avocate et directrice de la maison de la femme et de l'enfant.
– Le fait de voir une publicité avec une femme qui a la peau très claire, qui a un embonpoint. Cela incite les femmes à aller vers ce genre d'images. Elles se font peler la peau, elles prennent des produits pour avoir la peau plus claire. En plus, elles prennent des comprimés, des amphétamines tout ça, pour arrondir les fesses. Leur santé est énormément en danger.
– Communicants et défenseurs des droits des femmes s'entendent pourtant sur un point : la nécessité de renforcer une législation obsolète, afin de définir ce que la publicité peut ou non se permettre. David Baché. Bamako. RFI.

Activité 1 p. 56 (23)

À la préadolescence, alors qu'ils sont particulièrement vulnérables, filles et garçons sont la cible de nombreuses campagnes publicitaires. Sous prétexte de les divertir, on les assomme de sté-

réotypes et de représentations dans le but de leur vendre une pléthore de produits de consommation. Les conséquences de ces images véhiculées dans la pub sont néfastes sur leur vie. Cela les incite à se conformer à la norme, de telle sorte qu'elles les influencent dans leur choix. Les jeunes sont tellement sollicités par des images irréelles que cela les empêche d'être eux-mêmes. Ainsi, ils se créent un monde illusoire bien trop éloigné de la réalité. De ce fait, il est important de sensibiliser les jeunes à ces dangers. Ces influences peuvent s'exprimer très tôt, donc prudence !

Activité 2a p. 58 (24)

1. – Hum, ça sent vraiment trop bon ici ! Quel est ton secret grand chef ?
– Haha, c'est confidentiel !
– Allez, dis-moi quel est ton secret ?
– Ok, ok, un père peut bien livrer ses secrets à son fils, non ? ! Mais tu gardes ça pour toi. Je n'ai pas envie que les restos du quartier me piquent ma recette !
– Whaou, super ! Promis, je tiendrai ma langue.
– Et bien, je parfume ma sauce avec un soupçon d'ail des ours. Regarde, comme ça ! Goûte ! Qu'en dis-tu ?
– mmm, mmm !

2. – Psst, psst ! Hep, toi, mais où cours-tu comme ça ?
– Heu ? ! Que veux-tu dire ?
– Ben j'sais pas, tu as l'air bien mystérieuse.
– Bon, à toi je peux bien le dire. Mais chut ! Ça reste entre nous, hein ?
– Je serai muette comme une tombe !
– Tu sais le garçon qu'on a vu dans l'autobus ce midi.
– Ah oui ! Ton ancien collègue de fac ?
– Ouais, c'est ça ! Eh bien, il m'a donné rendez-vous. Je vais le rejoindre dans un café.
– Mais c'est une bonne nouvelle, ça !
– Tu ne dis rien à personne, ok ?
– Ne t'inquiète pas, cela ne sortira pas de la pièce !

Activité 2d
Le + expression p. 58 (25)

Psst, j'ai un truc à t(e) dire / dont j(e) voulais te parler. J(e) vais t(e) dire un secret. Tu sais garder un secret ? Je voudrais t'avouer quelque chose. Est-ce que je peux te faire une confidence ? J'ai une confidence à te / vous faire.
se confier à quelqu'un = faire une confidence – chuchoter à l'oreille de quelqu'un
Ça reste entre nous, hein ? Surtout, ne l(e) répète à personne ! C'est confidentiel. Chut ! Tu ne dis rien, d'accord ? Sois / Soyez discret. Garde ça pour toi, ok ?
Promis ! J(e) le dirai à personne. ch'tiens ma langue. Motus et bouche cousue ! Chui muette comme une carpe / une tombe. Ça ne sortira pas d(e) cette pièce.

Activité 1b p. 60 (26)

– Dans le Nord, ils ont un sacré accent. En Normandie, c'est pareil. Y'a plusieurs régions comme ça où y'n'savent plus parler le français qu'on apprend à l'école.
– Ce jeudi 20 mars, c'est la journée internationale de la Francophonie.
– Il est certain que dans les conférences internationales, les états africains francophones sont les plus ardents défenseurs de la langue française.
– Les Cambodgiens qui sont francophones, ils ont l'amour pour la langue et à chaque fois que je rencontre des Français ou des amis avec qui je peux parler français, c'est un bonheur quoi !
– La langue est une abstraction, alors que la réalité c'est la parole individuelle. Et la parole individuelle, on a toujours envie de la classer et de la juger.
– Quand on vient d'un petit milieu et d'un pays dominé, on a forcément de la honte culturelle.
– Au XVIIe siècle et au XVIIIe, tous les voyageurs qui viennent au Québec de Canada disent que l'accent des Canadiens est absolument identique à celui de Paris.

Activité 1c p. 60 (27)

On a plus ou moins d'accent, on a des accents...
– C'est-à-dire qu'on a tous un accent pour vous ?
– On a tous un accent.
– Vous savez, y'a pas de secret !
– Y'a pas de secret autour de la question « pourquoi y a-t-il tant d'accents », en cette journée internationale de la Francophonie. Le français, Philippe Boula de Mareüil, n'est pourtant pas une langue, non pas à accent, mais à accentuation ?
– Alors on peut distinguer déjà ce double sens du mot accent. À la fois, une proéminence d'une syllabe parmi d'autres ; c'est ce que l'on pouvait appeler naguère l'accent tonique. On n'emploie plus tellement ce mot-là en français. Et l'accent en tant que façon particulière de prononcer une langue. Alors est-ce que c'est un hasard si en français on a choisi le même mot ? Heu, ben, certaines études suggèrent que oui. Et à la fois, dans ce qu'on appelle l'accent au sens étranger, social ou régional. Des éléments qui relèvent de l'intonation et d'autres plus de l'articulation des voyelles, des consonnes et en ça, les nouvelles technologies permettent de faire la part des choses un peu.
– Entre les deux, pourquoi est-ce qu'on dit – Autour de la question : Pourquoi y a-t-il tant d'accents ? – Pourquoi est-ce qu'on dit que les Marseillais, ils ont l'accent et on l'entend. Et pourquoi les Parisiens, nous, à Paris en tout cas, on dit qu'ils n'ont pas d'accent ?
– Alors pourquoi tant d'accents ? Pourquoi y a-t-il des accents plutôt que pas d'accent déjà ? Les accents, si on entend par là donc une, un ensemble de traits de prononciation lié à une origine linguistique, géographique ou sociale. Un accent est avant tout défini par la perception. Pourquoi est-ce qu'il y a des accents ? Pourquoi est-ce qu'on ne parle pas tous de la même manière ? Parce que deux forces s'exercent sur le langage. Une qui favorise l'intercompréhension, une autre plutôt l'affirmation d'une identité. Alors, voilà une communauté linguistique entièrement homogène n'est pas possible, parce qu'on a tous notre façon de parler, on a une personnalité spécifique, en même temps qu'un désir mimétique qui nous poussent à copier nos...
– Ceux qu'on entend.
–... nos modèles. Hein ! On n'a pas la même morphologie non plus, pas la même perception. Et c'est précisément du décalage entre la production, la perception que peut-être naissent les accents. Parce que de petites différences articulatoires peuvent avoir de grandes conséquences perceptives et vice-versa.

Activité 1 p. 64 (28)

Ce matin-là, je n'avais pas réussi à démarrer ma voiture, alors je pris le bus pour me rendre à mon entretien. J'avais reçu une lettre l'avant-veille qui m'invitait à me présenter à la célèbre maison d'édition. L'éditeur avait lu mon manuscrit que j'avais envoyé quelques mois auparavant. J'étais heureux, mais l'idée de me retrouver face à un professionnel de la littérature francophone m'angoissait terriblement.
J'arrivai avec vingt minutes d'avance au rendez-vous. Je bus un café, puis j'entrai dans le bâtiment où se trouvaient les bureaux de la maison d'édition. J'avertis la secrétaire de ma présence qui me confirma que l'éditeur m'attendait.
En ouvrant la porte de son bureau, j'eus immédiatement l'impression de faire partie de la communauté des écrivains francophones.

Unité 4

Activité 1 p. 72 (29)

Viva la femme... Viva... Tu es infâme... moi, je suis pas un femme, je suis une femme... femme...le mari est le chef de la famille... la barbe...femme ... je voudrais tout d'abord vous faire partager une conviction de femme... 40 ans après le MFL... Time is now for women's rights....il suffit d'écouter les femmes...
Les femmes toute une histoire. Stéphanie Duncan.
– Bonjour, bienvenue dans *Les femmes toute une histoire*, le magazine de France Inter sur les femmes, leur actualité, leur histoire jusqu'à seize heures. Réalisé par Lauranne Thomas assistée de Jérôme Boulay. À la programmation musicale Thierry Dupin et à la technique Clément Vuillet.
« Et un des dangers qu'on signale souvent, c'est qu'une femme qui fait un métier d'homme devient un homme.
– Oui ben justement, dans le cas de madame Picot, elle a su l'éviter. Et je crois que la réussite dépend dans une grande... pour une grande part, de la faculté de rester femme. »
Excusez-les, c'était 1965. Et oui. Dans la très avant-gardiste émission d'Eliane Victor, ça s'appelait *Les Femmes aussi*, une émission féministe, c'était avant soixante-huit, eh oui. Alors quand vous entendez ça Cécile Chelalou et Sophia Dussol, ça vous semble à des années-lumière ?
– Pas du tout (rires).
– Ah bon ? Ah bon parce que vous avez entendu des réflexions comme ça sur vous depuis que vous travaillez dans le bâtiment ?
– Pas...
– Quand j'étais plus jeune...
– Ouais, maintenant plus trop mais...
– Cécile
– Première expérience euh en tant que chargée d'affaires, oui j'ai eu quelques ouvriers qui m'ont envoyée balader parce que j'étais une femme.
– Sur un chantier, vous n'aviez pas votre place ?
– Non, surtout pour donner des ordres.
– Et vous Sophia Dussol ?
– Les clients qui appellent pour avoir des devis, ils pensent surtout qu'on est des secrétaires et non pas des personnes qui effectuent le travail.
– Donc ils sont un peu surpris quand ils vous voient arriver sur le chantier ?
– Oui, je leur explique quand même au téléphone qu'est-ce qu'il en est.
– Un fois que vous avez expliqué les choses, peut-être que ça se passe assez bien finalement ?
– Ça arrive, une fois sur trois c'est le contraire.
– Ça veut dire que ça peut être un désavantage dans votre profession donc je rappelle que vous êtes toutes les deux dans le bâtiment, vous êtes dans la peinture, le carrelage, euh...
– Oui
– Le parquet, etc. donc vous travaillez dans la rénovation des maisons, des appartements. Vous travaillez ensemble. Est-ce que vous avez l'impression qu'on vous refuse des contrats parce que justement vous êtes des femmes ?
– C'est déjà arrivé euh... qu'on poliment nous demande de faire le devis et par derrière c'est une autre entreprise qui viendra parce qu'on n'est pas capable de porter du carrelage, que ça va mettre du temps, que voilà...
– Ouais
– On n'est physiquement pas capables de le faire.

Activité 1 p. 74 (30)

Chez Airbus, la parité salariale est pratiquement acquise. En revanche, malgré une politique de recrutement volontariste, une seule femme siège au conseil d'administration et aucune dans le comité exécutif. Depuis 2004, plusieurs accords ont été signés pour la parentalité et l'évolution de carrière des femmes. Maryline Brugidou, responsable du réseau Équilibre, élue CFE-CGC d'Airbus France, a participé aux négociations.
– Le vivier en amont était faible. Au niveau des écoles d'ingénieurs, c'est très faible. Donc, il fallait attirer des gens. EADS a fait des forums partout. Y'a eu un réseau qui s'appelle « elles bougent ». Enfin, y'a plein plein de choses et d'initiatives. Malgré cela, on était toujours dans un flop. Donc y'a eu quelque chose de novateur pour y arriver, un engagement chiffré de la direction en disant chez EADS y'aura 5 femmes exécutives d'ici 2016 et vingt autres en-dessous à des postes très élevés. Enfin, la direction va, je vais pas dire mettre des quotas, mais on en n'est pas loin. Nous commençons à avoir un vivier en amont que nous n'avions pas. Donc, en fonction de femmes qu'il y a, pour les promotions il faut qu'il y ait autant de femmes promues que de pourcentages de femmes. Ça, c'est maintenant obligatoire chez nous.
– La bonne parole est portée jusqu'aux écoles.
– Nous avons notre propre lycée technique chez Airbus où nous avons fait une publicité énorme pour que les femmes arrivent dans les métiers du technique. Nous avons des partenariats avec le rectorat aussi très importants. Y'a un vrai travail en région. Le résultat pour nous, il est encore insuffisant.

Activité 1 p. 75 (31)

Le CV anonyme alors est-il aujourd'hui un outil de recrutement adapté et répond-il vraiment finalement au problème de la discrimination ?
– Au Conseil général de l'Essonne, tous les recrutements passent désormais par le CV anonyme, un sociologue spécialiste des relations sociales au travail participe au comité de suivi. Plus de deux mille candidatures ont été reçues, cent quatre-vingt-trois agents ont été embauchés et déjà l'outil semble efficace pour Fabien Taste, directeur général des services.

« Déjà, peut-être deux choses apparaissent : la première, c'est qu'on a l'impression d'avoir plus de candidats, donc on pense que les phénomènes peut-être d'autocensure, c'est-à-dire la personne qui se disait : « Ben de toute façon, moi je candidate pas parce qu'ils me prendront pas. Ils me prendront pas parce que j'ai un nom à consonance étrangère. » On pense que cette autocensure, elle est un peu levée. Puis il y a une deuxième chose qui apparaît, c'est qu'*a priori*, ce que les techniciens appellent l'effet « Prénom discriminable », on a l'impression d'après les premières statistiques qu'on a que cet effet est gommé voilà ».

– Si en 2006, le CV anonyme avait souffert d'un manque de soutien autant des patrons que des syndicats, une étude en 2011 avait souligné les effets pervers du CV anonyme. Accusé de gommer la personnalité du candidat, il revenait par exemple à donner trop d'importance aux diplômes, il pouvait également priver le candidat de l'indulgence d'un recruteur. Des recruteurs qui ne se disaient pas tous à l'aise avec cet outil, face à un candidat qui avançait masqué. Pour Fabien Tastier, le CV anonyme n'est de toute façon pas une baguette magique anti-discrimination.

– C'est un outil qui nous paraît utile, on a beaucoup de volontarisme, on fait, on fait une expérimentation sérieuse mais il s'agit pas d'être dans une démarche punitive vis-à-vis des recruteurs, de leur dire : « C'est mal, il faut absolument arrêter ça, etc. ». Au contraire, il faut les accompagner pour qu'ils évoluent vers, vers un comportement, vers une attitude, vers une, vers une acculturation du recrutement qui favorise au maximum l'égalité des chances de tous les candidats. Donc, il n'y a pas de recette miracle, il n'y a pas l'outil qui permet comme ça en un coup de baguette magique de tout solutionner, il y a la convergence de plusieurs instruments et puis une vraie politique managériale auprès des recruteurs qui les met dans les meilleures dispositions pour donner à chacun le maximum de chances d'être recruté.

– Alors chez Axa en revanche, on vient d'abandonner le CV anonyme. Pourtant l'entreprise avait été l'une des rares à l'appliquer dès 2006. Aujourd'hui, Catherine Herlaiemme Deslandes, responsable égalité diversité, l'estime un peu désuet à l'heure des réseaux sociaux.

– C'était une bonne idée à remettre dans son contexte. Dix ans plus tard, dans un monde qui vit une transformation digitale, donc de fait des entreprises qui, elles aussi, vivent une transformation digitale. Voilà, c'est plus forcément une bonne idée, en tout cas, elle ne m'apparaît pas en adéquation avec les pratiques des candidats, des collaborateurs. Et alors il y a quelques jours, je discutais avec une collaboratrice qui me racontait qu'on lui avait demandé son CV et elle me disait : » Mais, on m'a demandé un CV mais j'ai pas de CV. En revanche, mon LinkedIn, il est à jour et il y a même des recommandations qui attestent de mes diverses compétences. » Donc là, j'étais vraiment agréablement surprise parce que ça nous confortait dans notre décision d'avoir arrêté le CV anonyme.

– Alors Annabelle, le CV anonyme permet-il finalement de passer outre les barrières des préjugés puisqu'au final, au bout du compte, il faut bien se retrouver à l'entretien d'embauche ?

– Oui face au jury et bien les avis sont aussi partagés. À cinquante ans, Jean-François Bergelin vient d'être recruté sur CV anonyme.

– Alors il a été utile sur un critère important, c'est mon âge puisque même si je suis fonctionnaire, à partir d'un certain âge, c'est un peu plus difficile de changer de collectivité. Et le fait d'avoir un côté anonyme à ce niveau-là, ben ils avaient en face des compétences mais pas quelqu'un qui... voilà qui potentiellement va peut-être partir dans un avenir proche de la collectivité.

Activité 1 p. 76 (32)

1. Aujourd'hui, les entretiens d'embauche sont de plus en plus longs : le directeur des ressources humaines prend le temps de relire les lettres de motivation, de recevoir les candidats et peut, s'il le souhaite, exiger un test de personnalité.
2. Dans le domaine du travail, le taux d'emploi des femmes n'a cessé d'augmenter. Globalement, les métiers les plus féminisés restent les services d'aide à la personne.
3. Alors que la France avait été un des premiers pays à instaurer le suffrage universel masculin, le droit de vote n'a été attribué aux femmes que tardivement, en 1944, et inscrit comme principe fondamental de la République dans le préambule de la Constitution, en 1946.
4. La majorité des femmes a encore aujourd'hui un salaire inférieur à celui des hommes mais la présence d'une majorité de femmes au Parlement prouve que les représentations sont en train de changer.
5. Les journées du patrimoine sont un bon exemple en matière d'égalité. Le succès de la manifestation repose sur la gratuité, l'accessibilité et l'intérêt des Français pour l'histoire des lieux et de l'art.

Activité 2a p. 78 (33)

1. Embaucher cinquante personnes juste pour créer un site web, non mais ça va pas la tête ?
2. Une publicité pour les médicaments sur un air de rap : c'est bien la première fois que je vois une chose pareille !
3. Non mais je rêve ! Quand t'as voulu te percer le nez, j'ai rien dit. Quand c'était la langue je t'ai laissé faire. Mais là, un tatouage ? T'es complètement ouf, mon pauvre !
4. C'est pas vrai, il est encore en retard à une réunion ! Il sait qu'il est en période d'essai au moins ?
5. Encore un rappel de facture ! Mais c'est pas possible, ça ! Ça fait trois fois que je lui dis que cette facture est payée.
6. Mais qu'est-ce qui vous prend ? On n'amène pas ses enfants au travail voyons ! Et pourquoi pas votre chien une prochaine fois, tant qu'on y est !
7. Écoutez, Françoise, je m'étonne de votre attitude aussi sexiste. Je ne vois pas (de) mal à ce que chacun d'entre nous suive un code vestimentaire strict.

Activité 2b p. 78 (34)

1. Embaucher cinquante personnes juste pour créer un site web, non mais ça va pas la tête ?
2. Une publicité pour les médicaments sur un air de rap : c'est bien la première fois que je vois une chose pareille !
3. Non mais je rêve ! Quand t'as voulu t(e) percer le nez, j'ai rien dit. Quand c'était la langue je ch't'ai laissé faire. Mais là, un tatouage ? T'es complèt(e)ment ouf, mon pauvre !
4. C'est pas vrai, il est encore en r(e)tard à une réunion ! Il sait qu'il est en période d'essai au moins ?
5. Encore un rappel de facture ! Mais c'est pas possible, ça ! Ça fait trois fois, que j(e) lui dis que cette facture est payée.
6. Mais qu'est-ce qui vous prend ? On n'amène pas ses enfants au travail voyons ! Et pourquoi pas votre chien une prochaine fois, tant qu'on y est !
7. Écoutez, Françoise, je m'étonne de votre attitude aussi sexiste. Je n(e) vois pas d(e) mal à ce que chacun d'entre nous suive un code vestimentaire strict.

Activité 2b
Le + expression p. 78 (35)

C'est incroyable ! Invraisemblable. C'est la première fois que je vois une chose pareille.
C'est la meilleure ! Non mais je rêve ! C'est pas croyable / pas possible ! C'est pas vrai ça !
Je m'étonne de votre attitude. Je ne comprends pas comment vous pouvez dire cela.
De quel droit me donnez-vous des ordres ?
Qu'est-ce qui vous prend ? Ça vous fait rire ?
Ça va pas la tête ? Ça va pas la teutê ? T'es pas bien ? T'es pas ienb ? T'es complètement ouf ! T'es complètement fou !

Activité 1 p. 81 (36)

– Bonjour Jean-Noël Jeanneney !
– Bonjour !
– Alors dois-je rappeler que vous êtes historien, professeur émérite à l'Institut d'Études Politiques de Paris, vous avez été ministre, président de Radio France...
– Et de RFI, j'y tiens !
– Et de RFI, oui, oui, c'est vrai. Vous êtes producteur de l'émission *Concordance des temps* sur France Culture que je recommande, mais France Culture, ce sont nos amis. Vous êtes l'auteur de nombreux livres, sur Georges Mandel ou la grande guerre, par exemple et pour l'anecdote, mais ce n'est pas une anecdote pour nous, vous êtes le parrain de l'émission puisque vous avez été notre premier invité, il y a un peu plus de quatre ans maintenant.
– Quel honneur pour moi !
– Merci. Bonjour Grégoire Kauffmann.
– Bonjour.
– Vous êtes, vous, docteur en Histoire et vous enseignez à Sciences Po à Paris. Vous avez écrit une biographie d'Édouard Drumond en 2008. Alors, nous allons parler des rebelles, de textes de rebelles, de textes fondateurs comme on dit souvent. Est-ce qu'on peut donner une définition du rebelle ? Qu'est-ce qu'un rebelle finalement ?
– C'est une acception...
- Jean-Noël Jeanneney
– Une acception assez large le mot « rebelle ». Nous aurions pu aussi choisir « résistant » mais c'était peut-être plus étroit ou « révolté ». « Rebelle », il me semble que ce sont ceux qui, à titre individuel ou collectif, à un moment donné, ont jugé qu'il fallait se poser contre les tendances naturelles d'une société, c'est-à-dire « conserver », « perpétuer », « transmettre », ce qui souvent est honorable. À un moment donné, un ressort les a poussés à dire « non, nous refusons cela et nous nous dressons à tout risque » contre ce mouvement spontané d'une civilisation, d'une société. Les motivations de ce refus sont évidemment multiples et ce que nous tenons à souligner, c'est que certains rebelles ont parfois abouti à instaurer des ordres nouveaux qui ont appelé à leur tour des rebellions. Nous n'en faisons pas des saints de vitrail, nos rebelles.
– Oui, c'est ce que vous précisez dans le livre Jean-Noël Jeanneney et Grégoire Kauffmann, quand on dit « rebelle », on a souvent l'impression que ce sont des hommes et des femmes qui prônent le progrès, mais il y a aussi des rebelles qui ont prôné la... par exemple, vous en parlez, on va en parler la contre-révolution.
– Oui, c'est-à-dire qu'on peut...
– Les anti-lumières de Zeev Sternhell, par exemple.
– On peut s'opposer évidemment à l'ordre établi au nom d'un ordre ancien. Il y a des rebellions qui sont inspirées par une nostalgie obsédante de la France d'Ancien Régime et c'est le cas dans l'anthologie où on a souhaité reproduire aussi un... toute une partie consacrée à la contre-révolution où figurent des textes de Joseph De Maistre ou encore de Charles Maurras. Ce sont des contre-révolutionnaires qui incarnent une forme de réaction et qui s'opposent à la modernité, ce sont des antimodernes et les antimodernes peuvent également eux aussi être des rebelles.
– Il y a donc des rebelles conservateurs ?
– Il y a tout à fait des rebelles conservateurs, d'ailleurs on a aussi dans l'anthologie, certains textes de Mauriac qui, sans être un conservateur, au moins combat aussi pour la défense d'un certain catholicisme et qui peut lui aussi combattre le présent, la modernité au nom de valeurs anciennes.

Activité 1 p. 84 (37)

1. Il se peut qu'on soit obligé d'attendre plusieurs semaines avant d'avoir les résultats définitifs.
2. Il aurait raté son train que ça ne m'étonnerait pas. Il est toujours tête en l'air.
3. Il n'a sans doute pas eu le temps de se préparer. Habituellement, c'est quelqu'un de très compétent.
4. Ce serait donc sa sœur, la véritable auteure de ce livre ? Ça me semble complètement fou !
5. J'ai peur qu'elle ne revienne pas...

Activité 3 p. 84 (38)

Dossier 5x3F _ L'accusé était très amoureux de sa femme. Cette dernière travaillait énormément. Profession : architecte. Contrat très important avec une chaîne de supermarché. Travail avec le chef de chantier. Mari jaloux. Fait suivre sa femme. Sans succès. Décide de suivre lui-même sa femme. Aperçoit sa femme embrasser le chef de chantier. Il le suit jusqu'à sa voiture, prend un outil contondant et frappe la victime. Trois coups sur la tête. Il dissimule ensuite le corps sur le chantier et rentre chez lui avant le retour de sa femme.

Unité 5

Activité 1 p. 90 (39)

– Quand on fait un film, en tout cas, c'est ce que vous dites vous, il faut avoir l'ambition d'une vision internationale. Il faut

absolument penser que ce film-là va et doit être vu ailleurs.
– Exactement, moi, j'ai toujours dit : je ne fais pas un film pour mon pays, ni pour ma ville ni pour ma famille. Je fais un film qui sera vu par n'importe qui à travers le monde. Pour moi, c'est comme une lettre que j'écris, je la poste et voilà, ceux qui peuvent la lire, la lisent. En tant que cinéaste pour moi, c'est aussi un devoir et c'est aussi une démarche de partir d'une histoire qui me concerne, qui concerne une communauté de ma ville ou mon pays mais qui, la question reste universelle parce que, pour moi, tout là où il y a des humains, on a les mêmes problèmes. Et le cinéma crée des émotions et l'émotion n'est pas blanc ni noir ni jaune : elle est juste humaine. [...]
– Qu'est-ce que vous attendez au fond vous (alors peut-être des autorités de la transition et puis pour celles qui viendront ensuite) pour aider justement à soutenir, à développer le cinéma dans votre pays ?
– Euh moi, je pense que déjà il faut que les politiques comprennent l'enjeu du cinéma en Afrique. Pour moi, le cinéma c'est un art utilitaire pour nos pays africains parce qu'on a des populations qui sont beaucoup analphabètes. Et pour moi, le cinéma, ça peut être vraiment un canal pour envoyer des messages et aussi, pour raconter nos propres histoires au reste du monde qui est. L'Afrique est toujours le pays mais pas le continent et pour que nous, on se filme, quoi, en tant qu'Africains, faut qu'on se filme, faut qu'on se raconte, faut que à la rencontre des cultures, qu'on arrive avec la nôtre du moins, donc qu'on arrive avec notre culture, on propose. N'empêche que d'autres personnes nous racontent mais faut que nous-mêmes, nous nous racont(i)ons et je pense qu'au Burkina, j'espère que la transition va être... vraiment puisqu'on dit maintenant que « plus rien ne sera comme avant », on va profiter aussi de ce slogan pour justement poser des questions réelles de financement, de redynamiser le secteur du cinéma.

Activité 1 p. 92 40

Le 7/9 de l'été sur France Inter
– Une partie de catch bat son plein dans le monde du livre aux États-Unis. Deux principaux acteurs : le géant de la distribution en ligne, Amazon, et l'éditeur Hachette. Amazon veut contraindre Hachette à baisser ses prix sur les livres électroniques. Tous les coups sont permis : réduction des stocks des livres Hachette dans les entrepôts Amazon, commandes bloquées, délais de livraison, l'entreprise demande même au lecteur de faire pression sur l'éditeur. Mais un troisième acteur est entré en jeu : les écrivains. 900 auteurs américains dont Stephan King, Paul Auster, John Grisham dénoncent les pratiques d'Amazon dans une pétition publiée par le New York Times. Histoire américaine, dirat-on : est-ce qu'elle pourrait arriver en France ? Premier invité de la matinale, Renny Aupetit,
Bonjour monsieur.
– Bonjour.
– Vous êtes libraire dans le 20e arrondissement de Paris, *Le comptoir des mots*, et vous avez fondé un réseau de mots : 800 libraires aujourd'hui et 1600 points livres qui, comme Amazon, proposent d'expédier des livres à domicile. D'abord, qu'est-ce que vous inspire cette histoire américaine que je viens de résumer ?
– Alors, je crois qu'il faut remettre les choses dans leur contexte : Amazon est arrivé il y a une quinzaine d'année continue à perdre de l'argent et il y a encore quinze jours, a annoncé des résultats catastrophiques et donc a perdu 10 % en bourse, donc, on va dire qu'Amazon est un peu tendu et, en fait, mène une guerre qu'on pouvait imaginer déjà il y a quelques années mais aujourd'hui, Amazon est en train de se fâcher un petit peu avec tout le monde. Donc, maintenant, ce sont effectivement les auteurs qui montent au créneau et moi, j'aimerais bien qu'un jour ce soient les internautes qui montent au créneau, parce qu'en fait, en leur promettant de la culture pour moins cher, ben en fait Amazon est en train de dézinguer complètement la filière culturelle que ce soit en France ou dans d'autres pays.

Activité 1 p. 93 41

– Qui est-ce qui fait main basse sur cette culture en mouvement, en transformation et des fois, en déliquescence ?
– Ben c'est parce que... c'est des industries, en fait. C'est-à-dire qu'il y a, les industries, c'est justement comment les industries culturelles remplacent peu à peu la politique culturelle, comment elles prennent de plus en plus de place, parce que, aussi pour une politique culturelle, il y a de moins en moins d'argent. Donc, on fait de plus en plus appel à des entreprises privées pour financer la culture et après toute la question c'est de savoir jusqu'où on peut aller et quelles sont... est-ce que parfois ça change le visage même de la culture, du contenu culturel.
– Ça change vraiment, alors vous avez tout un chapitre sur le mécénat qui est assez intéressant : vous montrez que, finalement, jusque dans les années 1980, ça existe à la marge, enfin, y'a du mécénat d'artiste plus que de culture ou plus que de production culturelle, alors que dans les années 2000, on est quasiment à 400 millions d'euros par an de mécénat. Qu'est-ce que concrètement ça change ?
– Alors, déjà, ça permet de financer beaucoup de choses, hein, c'est... il y a de l'utilité aussi du mécénat. Après, là où cela peut changer c'est sur le contenu, par exemple, même des expositions, de, peut-être parfois des pièces de théâtre. Par exemple, concrètement on a rencontré le patron du Grand Palais, Jean-Paul Cluzel, qui nous racontait concrètement qu'une exposition, Auguste, il la referait plus cette année, parce que comme il a moins d'argent du ministère de la Culture et que les mécènes du coup sont de plus en plus importants, les mécènes ne financent pas toutes les expositions, ils financent les expositions les plus « grand public », les plus... ce qu'ils appellent, ce que Jean-Paul Cluzel appelait luimême, le « blockbuster », la course au blockbuster : ça veut dire que c'est plus rentable pour un mécène de financer une exposition Niki de Saint Phalle que de financer une expo Auguste, donc ça veut dire moins d'expositions plus « exigeantes », entre guillemets, moins de diversité, dans le contenu culturel. Après, peut se poser aussi la question pour les pièces de théâtre : est-ce qu'il va y avoir de pièces de théâtre, moins de pièces de théâtre « exigeantes », entre guillemets, parce qu'elles sont plus difficiles à faire financer par les mécènes.
– Oui, parce que ce que vous montrez qui est intéressant, c'est que contrairement à l'image que l'on en a, la France n'est pas du tout un territoire hostile au mécénat, notamment, parce qu'elle s'est faite la championne du monde quasiment de la défiscalisation à travers le mécénat.
– Depuis la loi Aillagon de 2003, effectivement, on a un des dispositifs les plus avantageux au monde, selon vraiment même les personnalités dans la culture qui ne sont pas cataloguées entièrement anti-mécénat. Les mécènes eux-mêmes disent que les entreprises, on a l'un des systèmes les plus avantageux au monde, qui après a été copié plus récemment par l'Italie, etc., donc, la France n'est pas hostile au mécénat. Après, la question qui se pose c'est que : qui dit mécénat, dit souvent contrepartie. Quelle contrepartie ? Et jusqu'où ?
– Alors, la plupart des mécènes, disent : « non, y'a pas de contrepartie ».
– Alors, pour l'instant, c'est assez, c'est pas grand-chose, c'est-à-dire c'est un logo sur une affiche, euh, et ça peut ne pas aller plus loin. Après, forcément parfois se posent aussi des questions, c'est aussi pour cela qu'il y a de plus en plus d'expositions depuis récemment autour de marques, les expositions Cartier, etc. qui sont financées en partie par ces marques. Et après la question se pose de jusqu'où elles peuvent, comment elles peuvent influer sur ces expositions et avoir vraiment un œil là-dessus et changer le cours des choses ?
– Et on sait à quel point effectivement investir dans des opérations artistiques ou culturelles peut changer une image.

Activité 1 p. 94 42

1. Non, je ne suis pas là. Je suis dans un petit café. D'ailleurs, c'est super sympa, je t'y amènerai un jour !
2. Demain, je pars en Tanzanie voir mon frère qui vit là-bas depuis deux ans. Il adore ce pays. Je ne suis pas sûr qu'il rentre un jour !
3. Si tu peux, apporte une bouteille de vin et n'oublie pas de passer à la boulangerie prendre le dessert puisque tu habites tout près !
4. Dehors, il pleut. Je te propose d'aller au café. Tu peux venir avec Léonie, si tu veux !
5. Cet été, j'hésite entre, partir en Guadeloupe, passer une semaine à Québec chez des amis, aller en Ontario ou (tu vas rire), en Corse !

Activité 2a p. 96 43

1. Non, mais regardez cette œuvre. Franchement, ce n'est pas banal ! On dirait qu'elle a été conçue spécialement pour cette expo !
2. Oui, alors, entre nous, tout le monde dit du bien de ce restaurant mais personnellement, je dirais que ça manque un peu d'originalité, vous ne trouvez pas ?
3. J'sais pas... c'est vraiment particulier... ce mélange de sucré salé. Ça donne un goût tout à fait singulier.
4. Elle a un profil atypique : j'adore son côté décalé. Cela fait toute son originalité. Je crois que c'est vraiment ce qui fait son unicité.

Activité 2c p. 96 44

1. Nan, mais regardez cette œuvre. Franchement, c'est pas banal ! On dirait qu'elle a été conçue spécialement pour cette expo !
2. Ouais, alors, entre nous, tout l(e) monde dit du bien d(e) ce resto ? mais perso ? j(e) dirais qu(e) ça manque un peu d'originalité, vous n(e) trouvez pas ?
3. J'sais pas... c'est vraiment particulier... ce mélange de sucré salé. Ça donne un goût tout à fait singulier.
4. Elle a un profil atypique : j'adore son côté décalé. Cela fait toute son originalité. Je crois que c'est vraiment ce qui fait son unicité.

Activité 2c 45
Le + expression p. 96

Ça en vaut la peine ! C'est magique, incroyable, sensationnel, exceptionnel, fantastique, remarquable !
C'est trop bien ! C'est top ! C'est le pied !
C'est génial ! C'est trop cool ! C'est explosif !
C'est original, unique. Ça sort de l'ordinaire. C'est hors du commun. C'est tout à fait singulier. C'est vraiment particulier. Ça change. Ce n'est pas banal. C'est inattendu.
Je vous recommande ce plat. Ce restaurant a bonne réputation. Tout le monde en dit du bien.
Chui fan. Chui dingue de ce truc ! C'est une merveille. C'est sensationnel.

Activité 1 p. 99 46

7 milliards de voisins : on est ensemble. Bienvenue si vous nous rejoignez : *7 milliards de voisins.* Les séries télévisées aujourd'hui, c'est le sujet qui nous occupe. Que racontent-elles sur nos sociétés ? Qui sont les accrocs aux séries ? Pourquoi ? Comment les séries participent à une mondialisation des modes de vie, du moins, en apparence ? On en discute avec Pierre Langlais qui est journaliste spécialisé des séries télévisées qui présente chaque samedi sur une radio de service public, Saison 1, épisode 1, donc émission spécialisée dans les séries, la radio, c'est Le Mouv'. On en parle aussi avec Jean-Yves Le Naour, historien, vous avez publié *Plus belle la vie : la boîte à histoires,* et puis, vous, les voisins et les voisines, que regardez-vous ? Appelez-nous pour nous dire quelles sont les séries qui vous fascinent et pourquoi au 33 1 84 22 71 71. [...]
– Rien à voir avec *Plus belle la vie,* hein, qui est la série française qui est censée fédérer toute la famille devant l'écran de télévision, maintenant devant Internet, si on regarde les rediffusions, euh, le soir où là, on est sur des problématiques très simples à comprendre. Jean-Yves Le Naour
– Oui, très simples à comprendre, en fait, l'idée c'est de parler, de parler du réel et donc, de parler du quotidien des Français et donc, de ce que les Français parlent. Donc ils peuvent... Ils ont abordé tout un tas de problèmes : ça peut être l'obésité, ça peut être la crise bancaire, même des questions internationales, la question tibétaine...
– Il va y avoir un mariage pour tous dans *Plus belle la vie*...
– Il y a eu, ça y est, y'a eu....oui, oui.
– Bien sûr en juillet, et la question de l'homosexualité.
– Et l'épisode a été tourné au moment du débat, avant le débat parlementaire.
– Non, non, juste après.
– Au moment des manifs.
– Juste après.
– Vu que ça a été validé, ils ont tous tourné le...
– De toute façon, c'était déjà c'était dans l'air puisqu'avant l'élection de François Hollande, déjà un des candidats, euh, un des acteurs qui est homosexuel et qui va se marier a dit : « Moi, je vais voter pour le candidat qui promet le mariage homosexuel » et qui déjà avait annoncé son intention de se marier, si la loi passait,

etc., et donc, on savait qu'il y aurait un mariage homosexuel dans *Plus belle la vie*.
[...]
– Je voudrais qu'on revienne avec vous, Jean-Yves Le Naour, sur le phénomène, car c'est un phénomène en France, le phénomène *Plus belle la vie*, donc, sur les écrans depuis 9 ans, la plus grande longévité, hein, dans l'histoire de la télévision française en termes de nombre d'épisodes puisque c'est tous les soirs, forcément, hein, du lundi au vendredi... voilà... parce que sous des dehors d'une série comme ça un peu plan-plan, très classe moyenne, ménagère de moins de 50 ans, programme familial, il y a une véritable audace dans les scénarios, dans les personnages ?
– Oui, mais d'abord quand vous dites « ménagère de moins de 50 ans », c'est faux parce que, quand on regarde les catégories de personnes qui regardent, c'est vraiment très, quelque chose de très éclaté : y'a des jeunes, y'a des vieux, y'a des riches, y'a des pauvres, y'a des diplômés, y'a des ouvriers... c'est une audience très très atypique et en tout cas, euh...
– Bien qu'on ne voie pas beaucoup d'ouvriers dans la série.
– Pour le coup, on ne voit pas beaucoup d'ouvriers.
– Et jamais de pauvres, hein, vraiment pauvres.
– Oh, y'a parfois eu des chômeurs, y'a parfois eu des SDF, la question des SDF a été abordée, euh, quelqu'un qu'avait planté sa tente dans le quartier du Mistral tous les soirs...
– On a un peu l'impression que les scénaristes lisent la presse et qu'ils se disent : ben de quoi on va parler dans le prochain épisode et qu'ils reprennent un peu la presse, un peu comme nous pour faire nos émissions, non ?
– Parfois, mais vous savez les idées sont dans l'air, les débats sont dans l'air, hein, donc, ils n'ont pas besoin d'aller chercher bien loin.
– Alors, la série devance l'actualité, accompagne l'actualité, arrive derrière ?
– Elle accompagne. Elle a été audacieuse, elle est audacieuse pour la télévision française, si vous voulez, la télévision du service public, la télévision à une heure de grande audience...[...]
– Y'a une certaine audace, de voir aussi la diversité de la société française parce que, longtemps la télé française a été en noir et blanc mais quand je dis en noir et blanc, c'était plutôt en blanc et blanc, hein. Il a fallu attendre Mouss Diouf dans *Julie Lescaut*, et encore, c'était un second, un acteur de second plan. Là, vous avez des acteurs à part entière qui sont essentiels à la série. D'ailleurs, il n'y a pas véritablement d'acteurs de premier plan et de second plan : ils sont un peu tous situés sur le même plan, qui sont issus de la diversité, qui sont arabes, qui sont noirs, etc., etc. Et ça, c'est l'idée de refléter la société française au plus près, et bon, comme cette fiction est censée se passer à Marseille, c'est la porte d'entrée de la France, la porte de l'Orient, la porte de l'immigration, etc., etc. Donc, c'est le pays, la ville du comment, du métissage.

Unité 6

Activité 1 p. 108 (47)

– Évidemment au Comité Colbert, nous avons des critères tout à fait précis et nous, nous considérons que dans ce périmètre du luxe le chiffre d'affaires mondial est de l'ordre de 80 milliards d'euros.
– Oui, mais on pourrait aussi dire qu'il est de 1 000 milliards d'euros si on inclut des tas d'entreprises, qui, ici, ne sont pas considérées comme luxe mais qui ailleurs peuvent l'être ?
– Absolument.
– Par exemple ?
– Tout dépend du périmètre que l'on retient. Doit-on mettre dans la définition du luxe les bateaux, les voitures ? Hélas en France nous n'avons plus de voitures de luxe, mais les Italiens ne diraient pas la même chose, ni non plus les Allemands et ni peut-être non plus les Anglais.
– Mais plus prosaïquement par exemple, je pense à une marque de chaussures suisse qui s'appelle Bailly. Ici, c'est pas des chaussures de luxe ?
– Non
– Mais ailleurs, si ?
– Ailleurs, certainement. En Chine, on considérera Bailly comme une marque de luxe. Et donc, ce périmètre... de ce périmètre va dépendre effectivement ce qu'on va appeler luxe ou pas. Nous, en France, on aime bien parler d'un luxe authentique et les 78 maisons du Comité Colbert incarnent ce luxe authentique.
– Alors selon vos critères, madame, et selon les critères du Comité Colbert, ça fait combien d'emplois le luxe en France ?
– Il faut noter que, dans une période où l'on parle beaucoup de destruction d'emplois industriels, nous sur les 5 dernières années, nous avons augmenté cet emploi de 10 %, et donc c'est vraiment un exploit réalisé par ces PME du secteur du luxe.
– D'autant que ce sont des gens qui travaillent dans ce secteur qui sont extrêmement spécifiques. Ce sont des métiers qui se perdent parfois d'ailleurs.
– La réalité de notre secteur repose sur des secteurs sur ces savoir-faire de ces artisans que ce soit dans le cristal, l'orfèvrerie, la porcelaine ou les métiers du cuir ou encore de la décoration.

Activité 1 p. 110 (48)

Je m'appelle Jacques Carles et je suis président du Centre du Luxe et de la Création ainsi que du cabinet Carles et associés.
Nous avons développé une méthode en collaboration avec le ministère du redressement productif pour mesurer l'impact des délocalisations. Alors, y'a pas de chiffres. Pourquoi ? Pour une raison très simple, c'est que les entreprises, elles ne communiquent pas là-dessus. Et non seulement elles ne communiquent pas mais elles n'ouvrent pas leurs comptes. Donc c'est extrêmement difficile de dire : voilà il y a une évolution de 10, 15, 20 % par an, on ne le sait absolument pas. Mais alors, on sait quand on vit dans le milieu que beaucoup d'entreprises font évoluer leur sous-traitance ou délocalisent en partie, tout en tenant pour certaines d'entre-elles des discours très « made in France » parce qu'on peut mettre un « made in France » même si une partie significative de la conception et de la fabrication du produit n'ont pas été réalisées en France.

Activité 1 p. 111 (49)

– Oui, mais justement, est-ce que tout rapport au luxe n'est pas toujours un rapport au snobisme parce que finalement le luxe c'est aussi l'envie de se distinguer, d'avoir ce que les autres n'ont pas, et donc il y a une forme de mépris envers ce qui serait la masse ou ceux qui auraient moins de goût que moi, qui possèdent ce que personne n'a ou est-ce que justement il n'est pas du tout affaire de goût ? Est-ce qu'il y a encore du goût dans cette conception du luxe, ou est-ce que c'est simplement un marqueur social et au fond une forme de snobisme ?
– Alors moi, j'ai envie de vous répondre en reprenant la distinction classique, entre mode et, mode et goût. Dans la logique qu'on a décrite tout à l'heure, à savoir avec Smith ou même Bourdieu, on pourrait dire que le goût, c'est ce qui est mis à la marge, précisément parce que au XVIIIe siècle...
– C'est secondaire ?
– Voilà. Au XVIIIe siècle, l'opinion qui dicte les modes ou ce que l'on appelle l'Empire des modes, c'est précisément ce qui dépossède l'individu de l'exercice de son goût, donc l'opposition elle est extrêmement tranchée. Une logique de distinction, c'est celle qui conduit les individus à adopter un certain nombre de codes, de postures, d'attitudes qui sont totalement euh... en... qui peuvent être en contrepoint de son goût, qui peuvent correspondre à son goût mais qui ne sont pas conduites à la base par son goût. Donc, de ce point de vue là, sélection... Et la logique de distinction, elle fait évidemment elle pousse, mais elle pourrait... on pourrait la lire, là, dans les déclarations de Rousseau... euh de Rousseau, de Flaubert pardon, elle est celle qui conduit à élaborer une forme, précisément par contraste avec la masse des formes existantes. Donc indépendamment de savoir si cette forme est en tant que telle en soi, souhaitable, appréciable, esthétiquement valorisée ou valorisable. Donc, ces deux... la logique de la distinction et la logique du goût sont évidemment des logiques qui s'opposent. Ensuite, toute la question, c'est comment je réintroduis au fond dans un univers industriel capable de dupliquer, c'est la question, c'est la catastrophe que découvre Flaubert au 19e siècle. La catastrophe de Flaubert, c'est évidemment, c'est celle de l'industrialisation, c'est celle de... c'est les mécanismes de l'État, à savoir la possibilité à une époque de pouvoir reproduire à l'infini des formes qui existaient de manière rare, et qu'on retrouve à travers toute la rhétorique de l'artisanat aujourd'hui, à savoir comment est-ce qu'on va pouvoir réintroduire un état d'exception dans une logique industrielle, qui au contraire est une logique de normalisation et qui balaye en permanence, constamment l'exception beaucoup plus vite, d'ailleurs quasiment dans le même tempo que les états d'exception qui s'élaborent, donc il y a une sorte de course qui est interminable.

Activité 2a p. 114 (50)

1. Nathalie, regarde ça ! Cette robe, elle est pas mal du tout ! Ça serait parfait pour ta soirée, non ?
– Non, mais tu as vu le prix ? C'est de la folie ! Ils abusent !
2. Comment peut-on montrer de telles images ? Ça m'écœure !
– C'est sûr, quel manque de pudeur ! Quand je te dis que ta télé ne sert à rien !
3. Mes chers amis, mais regardez cette œuvre ! Ne trouvez-vous pas cela totalement indécent ?
– C'est vrai, c'est abject ! Je ne comprends pas que ce soit exposé ici ! C'est déplorable !
4. Tu l'as fini ?
– Oui et j'ai trouvé ça vraiment nul ! Quand je pense qu'il a eu un prix, c'est exagéré.
5. Il est trop gentil c'est pour ça qu'il s'est fait arnaquer, c'est déguelasse !
– Tu m'étonnes. J'suis dégouté pour lui.

Activité 2c p. 114 (51)

1. Nathalie, regarde ça ! Cette robe, elle est pas mal du tout ! è' s(e)rait parfaite pour ta soirée, non ?
– Non, mais t'as vu le prix ? C'est d(e) la folie ! I-z-abusent !
2. Comment peut-on montrer de telles images ? Ça m'écœure !
– C'est sûr, quel manque de pudeur ! Quand je te dis que ta télé ne sert à rien !
3. Mes chers amis, mais regardez cette œuvre ! Ne trouvez-vous pas cela totalement indécent ?
– C'est vrai, c'est abject ! Je ne comprends pas que ce soit exposé ici ! C'est déplorable !
4. Tu l'as fini ?

Activité 2c Le + expression p. 114 (52)

C'est (trop) nul ; c'est pourri.
Ça m'emballe pas.
C'est pas génial / pas terrible.
Ça ne sert à rien ; c'est inutile / superflu.
C'est répugnant / ignoble / abominable / déplorable !
Ça m'écœure / m(e) dégoute.
C'est abject ; ça me répugne ; c'est dégueulasse / dégueu
C'est exagéré / excessif / d(e) la folie / d(e) l'abus ; i'z'abusent !
C'est immoral / indécent / méprisable !

Activité 1 p. 117 (53)

Dans tes rêves, tu fais la sieste sous des abeilles, y'a des ruches suspendues aux réverbères et des banques du miel qui ne prêtent pas qu'aux riches. Dans tes rêves, tu cours dans le jardin d'Eden rempli d'herbes folles pourchassé par des méchants nains de jardin et la jolie Eve qui veut te faire croquer sa pomme. Dans tes rêves, tu cultives le ciel pour qu'il ne nous tombe pas sur la tête, tu fais la causette avec des arbres centenaires, célestes qui ont résisté aux guerres des hommes. Dans tes rêves, y'a le pays de ton enfance. C'est celui de l'utopie, y'a pas de moral à la fin, tout est possible. Tu deviens un autre. Alors, si on l'écoutait un peu plus ce fameux rêveur qui sommeille en nous ? [...]
Et pour cette nouvelle rêve-party, une jolie rencontre d'imaginaire dont je me suis inspirée. On l'appelle le jardinier planétaire. Il est ingénieur horticole, paysagiste poète, écrivain philosophe, jardinier du développement durable, créateur, entre autres, du Parc André Citroën à Paris, inventeur du jardin en mouvement à l'image d'un monde humaniste plus ouvert, ce qui fait beaucoup pour un seul homme.
– Bonjour, bonsoir Gilles Clément.
– Bonsoir.
– Jardinier planétaire...
– ...non, non, non, non, c'est pas tout à fait ça !
– Ah bon ?
– Non, c'est la planète regardée comme un jardin dans lequel il y a beaucoup de jardiniers, c'est-à-dire tout le monde en fait, sauf que l'on ne le sait pas forcément. On est bon ou on est mauvais,

conscient ou pas conscient d'être jardinier mais on intervient. Ça c'est, c'est vraiment pas moi qui peux me déclarer comme ça tout à coup jardinier planétaire. Non, non, c'est tout le monde ! [...]
– Gilles Clément, vos fameux jardins en mouvement, vos fameux jardins de résistance, y'a pas de nain de jardin dedans (non, pas vraiment), y'a pas de rose qui parle, y'a de la place pour les herbes folles, y'a une ouverture, en quoi ils résistent ces jardins-là ?
– Ils résistent à l'arasement, ils résistent à la mort aussi parce que, dans les jardins où il est question de faire propre et qui se soumettent aux injonctions du marché, il faut utiliser des produits qui tuent, qui tuent rapidement pour faire propre justement.
– Dans les vôtres, y'a pas d'engrais, alors ?
– Si ! L'engrais n'est pas un poison. Il y a des engrais naturels, y'a de la matière organique qui se décompose, y'a du compost, y'a du fumier, des choses de ce genre, c'est pas dangereux. Surtout si l'on a réussi, ce qui est assez difficile, à trouver du fumier d'un animal qui n'est pas bourré d'antibiotiques ! Et ça, il faut connaître des gens, sinon, on tue aussi son propre compost en le stérilisant. Donc, aujourd'hui, on est dans cette situation-là : comment fait-on pour ne pas se suicider ? Donc, voilà, on essaie de faire un jardin où on préserve la vie, c'est tout, c'est pas autre chose que ça. Alors, ça devient un jardin de résistance puisqu'on désobéit. On fait exactement ce qu'on nous dit de ne pas faire.
– Ce sont des jardins altermondialistes, alors ou euh...?
– Ben, peut-être, je ne sais pas si je dirais la chose comme ça ! Mais en tout cas, ce sont des jardins qui permettent à la diversité de s'exprimer, et donc, puisque nous en sommes dépendants, de nous être utiles quoi qu'il en soit.
– Et en même temps, vous dites que même si on n'a pas de jardin, chacun peut devenir un bon jardinier planétaire.
– Oui, parce que, pour moi, un jardinier planétaire, c'est celui qui fait un geste de telle sorte dans son quotidien tous les jours que, il ne va pas altérer la qualité de l'eau qui est dans cette bouteille que nous avons là, hein, c'est pas très radiophonique non plus.
– On la boit !
– Voilà on la boit. Or, cette eau, elle a déjà été bue par des plantes, par des animaux et par des humains. Elle s'est recyclée. Elle est allée faire quelque chose en s'évaporant, elle est allée faire des nuages qui sont retombés ailleurs, on la reboit... Qu'est-ce qu'on fait avec tout ça, quoi ? Si on prend conscience de tout ça dans un espace fini, on réagit complètement autrement. On essaie d'aller un peu avec et pas contre ces énergies qui sont là, qui sont mises au point, qui sont pour nous, qui sont des dons... c'est des choses gratuites. [...]
– À vous écouter l'un et l'autre, Gilles Clément et Olivier Darné, entre les banques de miel, de reines et les jardins de la résistance, vous êtes dans des rêves et des utopies concrètes, hein, mais de résistance, finalement l'un et l'autre ?
– Oui mais on ne voit pas comment on pourrait faire autrement. Ce n'est qu'une affaire de bon sens avec de l'invention. Olivier est un artiste et c'est très important. Mais, on part de constats : c'est pas très idéologique finalement ! On est terre à terre, nous !
– Oui, mais terre à terre, enfin, vous pourriez suivre le mouvement et ne pas le contrer, le mouvement ?
– Il n'est pas question de suivre un mouvement absurde, idiot, qu'on analyse comme étant idiot, dangereux surtout.
– Oui, mais comme tu le dis, on part effectivement de constats, mais on part aussi de désir et de colère et que d'une certaine façon, ça met en mouvement ça, l'énergie, le désir et la colère.

Unité 7

Activité 1 p. 128

54

Entretien avec Christina Gierse, rédactrice en chef du site Internet « vivre à l'etranger.com » du groupe Studyrama. Allons-nous perdre tous nos jeunes talents ? La France est-elle devenue une terre d'émigration ? C'est une question à laquelle a tenté de répondre une enquête de la chambre de commerce et d'industrie de Paris. Les résultats sont éloquents. Oui, la France perd chaque année des forces vives mais est-ce que c'est vraiment inquiétant ? Est-ce qu'on peut parler, Christina, d'exode massif des Français ?
– Alors le mot exode est quand même un peu fort mais il est vrai que les chiffres indiquent une nette tendance à la hausse. Ainsi, la communauté des Français vivant à l'étranger compte quelques 70 000 membres supplémentaires chaque année soit une augmentation de 3 à 4 % par an. Cependant, il faut relativiser un petit peu, cette tendance ne date pas d'hier puisqu'elle a débuté en 2000, ce qui relativise le seul effet crise.
– Ces personnes qui partent sont plutôt jeunes, diplômées donc en quête d'une meilleure situation professionnelle ?
– Oui, alors c'est ce qui ressort de cette étude. La moitié de ces expatriés ont un niveau de diplôme bac + 5 minimum et plus de la moitié d'entre eux, 57 %, gagne plus de 30 000 euros net par an. Mais le fait que l'on retrouve cette population de diplômés parmi les expatriés n'est pas vraiment étonnant. Pourquoi ? Parce qu'il existe aujourd'hui de nombreux accords d'échanges entre écoles et universités, de nombreux stages obligatoires à faire à l'étranger. Ce qui explique aussi cette proportion de jeunes importante qui partent. En revanche, alors ce qui est plus surprenant dans cette étude c'est la tendance au départ d'entrepreneurs, de jeunes qui partent à l'étranger pour créer une entreprise. C'est une catégorie toujours plus nombreuse parmi la communauté des expats. En 2013, près de 2 Français sur 10 installés à l'étranger étaient des créateurs d'entreprise contre seulement 1 sur 10 en 2003, dix ans auparavant.
– Qu'est-ce qui les pousse ces entrepreneurs justement à quitter la France ?
– Alors certains y voient le signe d'un ras-le-bol fiscal dû à la charge trop lourde qui pèserait sur les entreprises en France, d'autres y voient tout simplement le signe d'une jeune génération beaucoup plus mobile, plus souple et donc plus à même d'aller chercher des opportunités de business là où elles se trouvent c'est-à-dire à l'étranger en ce moment.
– Finalement Christina, fuite des cerveaux ou pas ?
– Alors, il est vrai qu'un certain nombre de jeunes partent faute d'opportunités professionnelles, hein, ça on peut pas le nier. Mais cette attraction de l'étranger ne concerne pas que les jeunes Français, elle concerne aussi les jeunes Allemands, les jeunes Anglais donc voilà, il faut encore une fois relativiser un petit peu et surtout il faut savoir que plus de la moitié des Français qui partent vont dans un autre pays européen.
– Et bien merci Christina Gierse, rédactrice en chef du site Internet « vivre à l'etranger.com » du groupe Studyrama pour un dossier à retrouver « Allons-nous perdre tous nos jeunes talents ? ».

Activité 1 p. 130

55

Les Français sont de plus en plus nombreux à émigrer et le phénomène s'est accru ces 10 dernières années. Parmi les destinations les plus prisées, le Canada figure en bonne place. D'après les derniers chiffres officiels publiés en 2013, on estime à 150 000 le nombre de Français installés dans ce pays. Dans leur grande majorité, ils optent pour la province du Québec, sans doute pour des raisons de proximité historique et linguistique. Le Canada est souvent présenté comme une nouvelle terre promise pour les jeunes actifs ainsi que pour tous ceux qui veulent tirer un trait sur le climat économique et social plutôt morose qui règne en France. Les immigrants français tentés par le rêve canadien sont en moyenne plutôt jeunes (entre 25 et 40 ans), plutôt célibataires, davantage masculins que féminins, et avec un haut niveau de qualification professionnelle. Ils sont attirés outre-Atlantique par la perspective de trouver plus facilement un emploi, les grands espaces, un cadre de vie agréable et pour certains, par la proximité des États-Unis. Pourtant, rien n'est gagné d'avance pour les Français qui débarquent à Montréal et qui viennent grossir les rangs des 100 000 « Frenchies » que compte la deuxième plus grande ville du Canada. Les obstacles à leur intégration sont nombreux, et d'abord administratifs : pas facile d'obtenir le visa adéquat pour prolonger son séjour sur place, pas toujours facile non plus de trouver un emploi et de faire reconnaître des diplômes et des expériences françaises, le Canada ayant une politique d'immigration professionnelle choisie très sélective.
Expatriés français : le rêve canadien, c'est un reportage d'Élodie Vergelati.
[...] Direction le Vieux Montréal maintenant. À quelques blocs du port qui longe le fleuve St-Laurent et des rues pavées fréquentées par les touristes se dresse un bâtiment ancien du 19e siècle avec un drapeau français à son fronton. C'est là qu'est installée l'Union Française de Montréal, une association philanthropique, fondée en 1886, pour aider les immigrants français nécessiteux. Aujourd'hui, l'association oriente les expatriés dans leur démarche d'intégration. Marianne Bouygues, coordinatrice chargée des projets culturels mais aussi bénévole est une mine de conseils pour les nouveaux arrivants qui ont parfois le sentiment de piétiner.
– Le manque de préparation, ça veut dire ne pas savoir où on met les pieds. Ca veut dire, ne pas savoir que la culture est différente, que la langue cache des écueils qui sont culturels, qui sont d'ordre historique. Donc, il faut se préparer à ça. Et souvent, les gens ne sont pas préparés parce que ... On voit aussi des gens qui viennent fuyant un petit peu les problèmes économiques en France. Et moi, je me souviens de l'exemple d'un couple. Sa femme travaillait, visa de résident permanent, lui n'arrivait pas à s'intégrer. Mais, il n'arrivait pas à s'intégrer, mais il était dans le ..., disons dans..., pas dans la critique mais il était déçu. Mais le processus c'est de savoir pourquoi il est déçu. Il était pas préparé, il ne faisait pas de contacts. Ici, il y a deux mots très très importants c'est bénévolat, réseautage. Ça fonctionne.

Activité 1 p. 131

56

– Alors, on va pouvoir commencer. Donc re-bonjour à toutes et à tous ! Donc, avant de commencer, permettez-moi de vous souhaiter la bienvenue en France et la bienvenue à l'Office français de l'immigration et de l'intégration. Alors, vous êtes tous sur le point d'avoir votre premier titre de séjour. Donc le titre de séjour, c'est acquis, pour cette fois-ci, donc c'est la raison pour laquelle nous vous avons convoqués pour signer le contrat d'accueil et d'intégration. [...]
– Ben j'ai envie de dire que, n'en déplaise à certains, que je me sens pas mal de trucs. Je me sens algérien, je me sens français, je me sens artiste des fois. Si on veut être, on va dire factuel, évidemment j'ai grandi en regardant le Club Dorothée, je regardais Antenne 2, en écoutant Charles Aznavour. Donc oui, j'ai grandi comme quelqu'un qui est né ici. Je parle comme un mec d'ici. Moi quand je suis venu d'Algérie ici, c'était pas la classe de venir de là d'où je venais et en fait en grandissant j'ai compris que nous aussi on était un peuple, nous aussi, on avait une histoire. Nous aussi, on avait de quoi être fier et forcément c'est pas ce qu'on t'enseigne, en tous les cas pour quelqu'un qui a grandi ici dans les années 1980. [...]
– Qu'est-ce que ça vous évoque vous l'intégration ?
– On est intégré, tout va bien, hahaha !
– Dans le 16e arrondissement, les problèmes d'intégration se sentent probablement moins qu'ailleurs.
– Vous-même, vous vous sentez intégré ?
– Ben moi, je suis d'une famille qui suis française depuis plus de mille ans donc j'ai la prétention d'être un peu intégré.
– Je passe peut-être, bon pour les gens je suis un étranger mais j'ai tous les défauts, les qualités de ce pays. On l'a adopté, j'espère qu'ils m'ont adopté aussi. Voilà.
Pardon
Il vient du Mali, là ...
Ils viennent tous du Mali
Voilà.
– Quand tu rentres dans certaines chambres du foyer, tu vas te croire dans un bidonville. On peut pas se dire quelque part qu'on vit en métropole française.
Donc, ça c'est pas la vraie intégration. Mais malgré que c'est devenu un thème politique : journée d'intégration, ministère de l'Intégration etc., etc. Malgré que les démarches qu'on mène, malgré les efforts qu'on fournit, on est toujours confronté à des obstacles qui ne permettent pas la vraie intégration. [...]
– Ici dans les banlieues qui pullulent, t'as de tout et t'as des grands malins. Plus on ferme de choses ici, plus les gens iront ailleurs, parce que, comme on dit on a des Léonard de Vinci, on a des super cerveaux et on en fait rien du tout sous prétexte que la France, ça a une gueule. Un grand nez... je ne sais pas, moi aussi je pourrais faire des clichés, une baguette

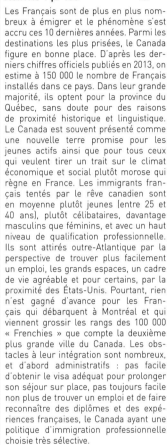

sous le bras et un saucisson, c'est ça la France ! Moi je ne crois pas que ce soit ça la France ! [...]
Y'a la France qui fait la pub dans le monde depuis des siècles. Pays de la liberté, pays de nanani, pays de l'égalité, de la fraternité. Mais à qui ça donne pas envie de venir s'il te plait ?

Activité 1 p. 132

57

1. Le professeur a dit à ses étudiants que l'intégration en France ne serait pas si facile et qu'ils allaient devoir fournir des efforts pour comprendre cette culture étrangère.
2. Très énervée par la prise de position de son adversaire sur le thème de l'immigration lors du débat, Mme Denis a perdu son calme et a dit à M. Guerin qu'il devrait vérifier ses sources avant d'intervenir.
3. Thomas a dit qu'il avait très peu de compétences en anglais mais qu'il était prêt à se perfectionner pour pouvoir travailler à l'étranger.
4. Le directeur nous a dit que l'entreprise allait se développer avec l'installation d'une filiale au Brésil dès l'année suivante.
5. Lors de la visite de la cité de l'immigration, le guide a dit à un groupe de lycéens d'être plus attentifs et plus silencieux.
6. À chaque fois que l'on me pose des questions sur mes origines, je dis que je suis issue d'une double culture, celle de mes parents partagés entre le Mali et la France.

Activité 2 p. 132

58

« Nous devons assumer notre passé. Pourquoi ne pourrions-nous pas le faire ? »
« Cessons d'être ignorants. »
« Nos enfants doivent savoir ce qui s'est passé. »
« Le débat sur les réparations ne sera jamais épuisé ».
« La République a parfois tergiversé sur les droits des habitants. »
« Que seront les différences de demain si ce n'est embellissement ? »

Activité 2a p. 134

59

1. Hier, je suis rentrée dans un magasin et je suis tombée sur un pauvre type qui m'a expliqué que je ne pouvais pas toucher les vêtements si je ne voulais pas les essayer.
2. Mais quel con ! Il ne m'a pas prévenu et a modifié l'ensemble de mon discours à la dernière minute.
3. Mais je t'emmerde ! Ça fait 10 fois que je te dis que je n'ai pas de....
4. Mais c'est débile ! Vous allez faire le même trajet dans deux voitures différentes ? Mais organisez-vous et partagez-vous les frais !
5. T'es vraiment le roi des imbéciles, je t'avais prévenu que tu aurais des problèmes à traîner avec ces « soi disant » copains qui passent leur temps à sécher les cours.

Activité 2b p. 134

60

1. Hier, chui rentrée dans un magasin et chui tombée sur un pauv' type qui m'a expliqué que ch'pouvais pas toucher les vêtements si je voulais pas les essayer.
2. Mais quel con ! Il ne m'a pas prévenu et a modifié l'ensemble de mon discours à la dernière minute.
3. Mais je t'emmerde ! Ça fait 10 fois qu'ch'te dis qu'j'ai pas de....
4. Mais c'est débile ! Vous allez faire le même trajet dans deux voitures différentes ? Mais organisez-vous et partagez-vous les frais !
5. T'es vraiment le roi des imbéciles, ch' t'avais prévenu qu't'aurais des problèmes à traîner avec ces « soi disant » copains qu'arrêtent pas d' sécher les cours.

Activité 2b
Le + expression p. 134

61

C'est complètement débile !
C'est stupide !
C'est con !
Pauvre mec ! Pauvre tâche !
Mais tu es bête !
Mais tu es débile !
Mais t'es con ou quoi ?
T'es le roi des imbéciles !
T'es le roi des crétins
Espèce d'abruti
Espèce d'imbécile
Espèce d'idiot
Quel con !
Quel abruti !
T'es conne !
Connard !
Connasse !
Mais qu'il est con, conne !
Quel sale type ! Quelle ordure ! Quel salaud !
Quelle salope ! Quel fumier ! Quel gros con !

Activité 1 p. 137

62

Madame Billard, je vous présente ma fille Ginette. Je vous ai apporté de la moutarde forte, du Tabasco et puis, un pot de cornichons.
– Très bien, je vous remercie.
– Elle est gentille, ma fille, hein ?
– Oui, mais qu'est-ce qu'elle est laide !
– Évidemment, vu comme ça, personne n'a forcément envie de vivre avec Tatie Danielle. Mais la cohabitation jeunes / vieux, ça peut être autre chose. Depuis quelques années, des maisons intergénérations commencent à voir le jour, maisons, immeubles, dans lesquels chacun possède son espace privé, mais dispose aussi de lieux collectifs, cuisine, crèche, salles communes et chacun réapprend à vivre ensemble.
Et si c'était une solution d'avenir ? Car c'est la première fois dans l'histoire de l'humanité, que nous vivons si longtemps. Dans 15 ans, 1 Français sur 3 aura plus de 60 ans ! En 2050, près de 5 millions de personnes auront plus de 80 ans. Du coup, nous ne devons plus seulement nous préoccuper de la vie de nos parents vieillissants, mais de celles de nos grands-parents, voire de nos arrières grands-parents, alors pouvons-nous vraiment continuer à vivre en nous ignorant et en nous excluant ?
Dans une société qui a valorisé l'émancipation individuelle, pour ne pas dire l'individualisme, pas facile de renouer ce lien-là même si, finalement, on a peut-être tous à y gagner, les plus jeunes pour trouver un logement et des aides et à la mesure de leurs ressources économiques souvent modestes, et les plus âgés pour éviter l'isolement.
Alors, vivre ensemble, vieux et jeunes, est-ce possible, est-ce souhaitable ? Comment envisager les solidarités entre générations ? Et cela peut-il faire partie des solutions face à la séniorisation de notre société ?
J'attends vos témoignages et vos questions au 01 45 24 70 00 et sur les réseaux sociaux... [...]
– Pardonnez-moi, finissez Arnaud de Saint Simon.
– Oui, voilà c'est tout simplement que les personnes âgées ont beaucoup de choses à nous transmettre dans l'expérience de vie et le savoir et dans la transmission du savoir, il y a beaucoup d'associations qui mettent en rapport des personnes âgées avec des enfants ou des collèges en difficultés pour qu'elles les aident et là, de nouveau, ça aide les enfants dans le savoir et l'acquisition de connaissances et le savoir-vivre (c'est vrai, oui) et ces personnes âgées se rendent utiles. On n'est plus dans l'habitat mais on est dans la même mécanique intergénérationnelle.
– Je crois qu'on a retrouvé Carole. Bonsoir Carole.
– Oui, bonsoir.
– On vous écoute.
– Oui, donc, je suis chargée de projet intergénérationnel au ministère de l'Éducation nationale.
– Carole Gadet, bonsoir !
– Ah bah, on vous a reconnue. Vous voyez que... Catherine Bergeret Amselek.
– Oui, voilà ! Donc, moi, je voulais témoigner d'un programme que nous développons au niveau national sur cet axe intergénérationnel. L'idée, c'est de rapprocher les générations, donc, de l'école maternelle au lycée avec donc, des étudiants, des séniors qui travaillent ensemble en fonction des domaines scolaires. Et ce programme, nous le développons, nous sommes les seuls en Europe à développer ce programme de façon officielle et pour moi, c'est effectivement un vrai projet de société, de repenser effectivement, effectivement l'intergénérationnel autrement et de rapprocher les générations pour un mieux vivre ensemble, voilà !
– Alors qui est le plus demandeur dans cette histoire : est-ce que ce sont ceux qu'on appelle les seniors ? Comment les accueillent, au départ, les enfants, les collégiens ?
– Ah bah, il y a une préparation. Donc, il y a des formations, hein. C'est vrai que ces projets intergénérationnels ne s'improvisent pas. Donc, il y a une sensibilisation des générations pour, justement, le pourquoi travailler ensemble. Et ensuite, en fait, il y a une demande aussi grande de la part des jeunes que des seniors parce que, y'a vraiment l'idée, c'est la transmission, le partage et le savoir, savoir-être, savoir-faire et l'idée c'est comment travailler ensemble en fonction des compétences des uns et des autres et donc, nous travaillons autour d'ateliers intergénérationnels autour de la lecture, autour des sciences, autour du numérique, autour de l'histoire, les questions mémorielles, la transmission et donc, y'a vraiment un apport pour les différentes générations. Ce programme, vraiment, est vraiment fondamental pour l'éducation aujourd'hui.

Activité 1 p. 140

63

1. La MJC de l'arrondissement a été victime d'un détournement de fond orchestré par son directeur.
2. Les enfants du quartier ont été accompagnés par des professionnels pour créer leur radio.
3. Miguel s'est fait engager par une ONG pour une mission de longue durée au Cameroun
4. Cet artiste s'est laissé tenter par un engagement politique durant la campagne présidentielle.
5. Ce jeune bénévole est apprécié de tous les bénéficiaires de l'association sportive dans laquelle il intervient.
6. Les locaux du centre social sont ornés des œuvres des élèves du cours de dessin.

Unité 8

Activité 1 p. 146

64

– Dis, papa, c'est quoi un parti politique ?
– Un parti politique, c'est...euh... un groupe de personnes qui partagent les mêmes intérêts, les mêmes opinions, les mêmes idées et, qui s'associent dans une organisation.
– Ah, bah, c'est comme mon club de foot alors ?
– Euh, ben, pas tout à fait ! L'objectif d'un parti politique, c'est de se faire élire afin d'exercer un pouvoir et de mettre en œuvre un projet pour faire fonctionner tout un pays. En gros, l'objectif d'un parti politique, c'est de gouverner.
– Ah... mais pourquoi, en France, on parle de « gauche » et « de « droite » ?
– Ça date de la révolution ! En 1789, les partisans du roi étaient assis à droite et les autres, à gauche. Aujourd'hui, on parle de sensibilités politiques même si tous les partis ont le même objectif : faire en sorte que le pays se porte bien.
– Alors, pourquoi ils se rassemblent pas ?
– C'est un peu compliqué. Chacun a sa façon de penser, sa manière de voir les choses et croit savoir comment faire pour que le pays fonctionne.
Tiens, par exemple, à droite, on pense que le rôle de l'État, c'est de favoriser l'envie d'entreprendre, en aidant les individus à créer leur entreprise. L'État laisse au citoyen le maximum de liberté pour agir et, en particulier, pour travailler. À gauche, on pense que l'État doit intervenir davantage auprès des individus afin de réduire l'écart entre riches et pauvres, en prenant des mesures en faveur de l'accès aux soins pour tous, et l'égalité des chances de réussite à l'école. En résumé, la gauche pense que c'est à l'État d'agir pour le bien de tous ; la droite, elle, préfère que l'État garantisse plus de liberté à chaque individu.
– Mouais, c'est un peu compliqué...euh, moi, je dois me situer où : à gauche ou à droite ?
– Tu peux être au centre aussi ! Comme au foot ! Mais ce que je peux te dire c'est que, déjà, tu dois attendre 18 ans, pour voter et désigner celle ou celui qui représentera les différents niveaux de la « vie de la cité », comme le disaient les Grecs et les Romains de la République... alors, t'as le temps d'y réfléchir !

Activité 1 p. 148

65

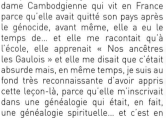

Un détail mais qui m'avait frappé, il y a très peu de temps, j'ai discuté avec une dame Cambodgienne qui vit en France parce qu'elle avait quitté son pays après le génocide, avant même, elle a eu le temps de... et elle me racontait qu'à l'école, elle apprenait « Nos ancêtres les Gaulois » et elle me disait que c'était absurde mais, en même temps, je suis au fond très reconnaissante d'avoir appris cette leçon-là, parce qu'elle m'inscrivait dans une généalogie qui était, en fait, une généalogie spirituelle... et c'est en cela que je pense qu'il y a quand même des, des, des, des symboles qui sont des symboles forts et qui peuvent avoir une efficacité réelle parce que précisément ils vous inscrivent dans une geste qui dépasse les générations et qui dépasse es personnes et qui sont des gestes civilisatrices et qui dépassent, encore une ois, les races, les appartenances ethniques, etc.

Activité 1 p. 149 (66)

On va parler d'Europe, *Allô l'Europe*, au sujet d'un livre ce matin. Ça s'appelle : *Votre histoire. Les 100 dates qui ont fait la nation européenne.* C'est écrit par le député européen Philippe Juvin, un livre qui compile les témoignages d'autres députés européens sur l'histoire de leur pays respectif. Un livre, donc, qui rend compte d'une vision humaine et variée de l'Europe. On voit ça avec Jose Manuel Lamarque, Emmanuel Moreau.

- Messieurs, bonjour !
- Bonjour ! Comment s'est créée la civilisation européenne ? Jose Manuel, Philippe Juvin répond à cette question d'une façon très accessible et originale à travers 100 événements historiques particulièrement choisis.
- Et vous l'avez remarqué, Emmanuel, il n'y a pas 1515. Non, non. 1517, oui, Martin Luther fait le vœu de devenir moine. 1519, c'est l'élection de Charles Quint. Philippe Juvin, vous commencez votre ouvrage par Les voyages d'Ulysse. Ulysse, en grec, se dit Odusseús, c'est donc l'Odysée européenne ?
- On commence par un voyage parce que je crois qu'une des caractéristiques, il y en a d'autres, de l'homme européen, c'est que c'est un homme qui voyage. Il découvre le monde, il apporte au monde ce qu'il croit être bon, il prend au monde ce qu'il croit être bon aussi pour lui. Il est un vecteur de dissémination des connaissances et d'ailleurs, quand on compare la Chine qui était, au fond, l'autre grand site de civilisation à cette époque, eh bien, la Chine n'a pas de grand voyageur au sens grand voyageur européen. Il y a eu des grands voyageurs chinois mais qui n'ont pas eu cette volonté d'apporter au monde quelque chose. Et nous, nous avons cette caractéristique de conquérir. L'homme européen voyage.
- Alors, une particularité dans votre ouvrage, hein, les 100 dates qui ont fait la nation européenne, y'a 100 dates. Attention, elles sont pas que politiques ou scientifiques parce qu'à un moment, on tombe sur Don Quichotte.
- Il n'y a pas que 100 dates historiques, par exemple, au sens militaire. On est dans la conquête au sens général, y compris intellectuel. Ce sont des dates qui doivent rendre fiers les Européens d'un passé collectif. Pourquoi il y a Shakespeare, pourquoi y'a Dante, pourquoi y'a Don Quichotte ? Parce que ce sont des œuvres qui ne sont pas britanniques, qui ne sont pas italiennes, qui ne sont pas espagnoles, ce sont des œuvres universelles qui parlent à tout le monde.
- Philippe Juvin, cet ouvrage, on peut donc le lire comme les 100 dates comme on vient de le dire, importantes mais il ne faut pas le lire comme quelque chose qui nous représente l'influence européenne à travers le monde.
- Alors, indéniablement, la civilisation européenne est une civilisation dominante largement dans l'histoire. Donc, c'est vrai, elle a dominé le monde. Je préfère dire « elle a éclairé le monde ». Mais le but principal de l'ouvrage, c'est certes à travers 100 histoires que je raconte montrer la maturation lente de cette civilisation européenne, c'est en fait, l'idée de donner d'une manière collective, aux Européens, cette conscience qu'ils proviennent du même terreau de civilisation. Et quand je suis à Athènes, et quand je suis à Prague et quand je suis à Berlin, je me sens chez moi alors que quand je suis à Chicago, je ne me sens pas chez moi. Pourquoi j'ai ce sentiment ? Parce que de tous ces pays européens, il y a cette même base, cette même racine qui vient de très loin et qui fait que nous avons été nourris aux mêmes sources de civilisation.
- Est-ce qu'on peut dire que c'est un plaidoyer pour l'Europe ?
- Non seulement c'est un plaidoyer mais je pense que c'est une nécessité absolue. La question identitaire est fondamentale. La vraie question, c'est : pourquoi, moi, Français, je veux avoir la même communauté de destin qu'un Italien ? Et ça, les institutions européennes n'y répondent pas. Et c'est pourtant fondamental. Si nous n'y répondons pas, eh bien, un jour, le sentiment de crainte, la fatigue de l'autre, du temps qui passe fera qu'on se divisera. Et donc, je crois indispensable de rendre les Européens fiers de ce qu'ils sont, encore une fois, collectivement, c'est-à-dire les héritiers de Rome, de la Grèce, de la chrétienté, des Lumières et bien d'autres choses que je décris dans ce livre.
- Philippe Juvin, quand on lit votre livre on se dit, ben, qu'il faudrait l'offrir à tous ceux qui représentent et toutes celles qui représentent les institutions européennes dans leur grande majorité pour leur faire comprendre que l'aventure européenne, c'est pas une aventure technocratique, c'est une aventure humaine.
- Ça devrait être le cas, en tout cas, vous avez absolument raison. Il est illusoire de penser qu'à long terme nous accepterons de vivre ensemble face aux crises, aux difficultés majeures que nous allons rencontrer si nous n'avons pas ce sentiment de vivre ensemble. Tout ça ne sera possible que le jour où on leur apprendra qu'au fond, ils viennent du même endroit et ce n'est pas le cas, aujourd'hui, parce qu'on a une Europe purement technocratique mais sans épaisseur d'âme, sans conscience collective. Et c'est ça qui manque profondément à l'Europe et qui peut la mettre en danger mortel.

Philippe Juvin, député européen maire de La Garenne-Colombes dans les Hauts-de-Seine et, au micro de Jose Manuel Lamarque, Emmanuel Moreau. On rappelle le titre de son livre chez Lattès : *Notre Histoire. Les cent dates qui ont fait la nation européenne.*

Activité 1 p. 150 (67)

1. Croyez-vous vraiment que le gouvernement actuel puisse satisfaire l'ensemble des citoyens ?
2. Dire que même Madame la Ministre s'étonne que la majorité des enseignants aient manifesté suite à la réforme scolaire proposée !
3. Après avoir écouté longuement ce candidat, je crois que c'est le seul qui connaisse avec autant d'exactitude les différents projets énergétiques des institutions européennes. Je voterai donc pour lui.
4. Ce qui me semble anormal dans les débats politiques télévisés, en général, c'est que les candidats soient aussi peu diplomates dans leur propos.
5. Il est indispensable que le candidat à la présidence soit âgé de 23 ans. Dans le cas contraire, sa candidature se verra refusée.
6. Elle aurait bien aimé soutenir la candidature de ce jeune candidat mais elle aurait voulu qu'il ait un peu plus d'expérience.
7. Il se peut que ce candidat réussisse à obtenir les 500 signatures dont il a besoin pour que sa candidature soit officiellement reconnue.
8. Voulez-vous que nous renoncions à la création de ce parti sous prétexte que nous n'avons pas un quota suffisant de femmes ?

Activité 3 p. 150 (68)

1. Croyez-vous qu'une nation soit indispensable ? Croyez-vous qu'une nation est indispensable ?
2. J'aimerais un Président sur qui je peux compter. J'aimerais un Président sur qui je puisse compter.
3. Je trouve curieux que la France n'ait pas su développer son économie. Je trouve que la France n'a pas su développer son économie.
4. Il est certain qu'il faut être hypocrite pour faire de la politique. Il est possible qu'il faille être hypocrite pour faire de la politique.
5. J'admets que la cohabitation n'est pas chose facile. J'admets que la cohabitation ne soit pas chose facile.

Activité 2a p. 152 (69)

1. Oui, je comprends. Ceci étant dit, il me semble que la priorité aujourd'hui porte sur la réduction des coûts fixes de l'emploi.
2. Chérie, je sais bien que nous devons en parler mais ça peut peut-être attendre, non ?
3. Écoutez, je vous remercie de me poser la question. Pour en revenir au sujet qui nous rassemble aujourd'hui, permettez-moi de vous dire que je mettrais tout en place pour respecter les objectifs que je me suis fixé.
4. Ah tu crois ? Franchement, je ne sais pas mais si tu veux, je vais y réfléchir. Et puis, on en rediscute demain !

Activité 2c p. 152 (70)

- Oui, je comprends. Ceci étant dit, i'm'semb' que la priorité aujourd'hui porte sur la réduction des coûts fixes de l'emploi.
- Chérie, je sais bien que nous devons en parler mais ça peut p'têt' attend', non ?
- Écoutez, je vous remercie de me poser la question. Pour en revenir au sujet qui nous rassemble aujourd'hui, permettez-moi de vous dire que je mettrais tout en place pour respecter les objectifs que je me suis fixé.
- Ah tu crois ? Franchement, je ne sais pas mais si tu veux, je vais y réfléchir. Et puis, on en rediscute demain !

Activité 2c Le + expression p. 152 (71)

- Il est vrai que c'est compliqué. Effectivement, il faut s'en occuper. Je comprends que tu dises cela.
- Vous venez de soulever un point important. Je vous remercie de me poser la question.
- C'est une remarque très intéressante. I'm'semb' que c'es pas l'sujet du jour. Ca peut p'têt'attend', non ? Je vais y réfléchir. Ce n'est pas la priorité. Nous avons d'autres urgences.
- On verra ça plus tard. Ça vaut la peine d'y réfléchir.
- On en r(e)parle ? On voit ça plus tard ? On s'dit quoi ?

Activité 1 p. 155 (72)

Bertrand PICCARD, avec nous, qui est aventurier : c'est l'homme qui a été le premier à avoir fait le tour du monde en ballon et c'est lui qui aussi, a mis en place, l'avion solaire qui s'appelle Solar Impulse, qui a volé 26 heures d'affilée juste avec un moteur électrique, sans aucun gramme carburant d'essence.

- Votre tour du monde en ballon, le premier, en 1999, cet exploit sans escales, 19 jours, 21 heures, 47 minutes réussit à votre 3ème tentative. Si vous aviez échoué, en auriez-vous fait une quatrième ?
- Je pense que là, notre sponsor, n'aurait pas été d'accord. Il nous avait dit : « 3 ballons, on est d'accord, mais plus, non ! »
- Ah, c'est même pas vous ? Parce que j'avais lu ça. J'avais lu que vous ne vouliez pas en faire 4 ?
- Non, moi, j'en aurais refait une 4ème mais c'est vrai que, disons que ça aurait été de l'acharnement. Si on rate trois fois avec des technologies qui se ressemblent, ça veut dire qu'il faut complètement tout changer. Donc, il aurait fallu inventer un autre type de ballon et repartir à zéro. Donc, je suis très reconnaissant au destin de m'avoir fait réussir à la 3ème tentative.
- Avant ces exploits avec l'avion, avant ces exploits avec le ballon, vous étiez un champion de deltaplane acrobatique, vous étiez champion d'Europe, c'est bien ça ?
- Oui.
- Vous avez fait de la voltige ?
- Oui.
- Et j'ai appris que vous aviez failli mourir lors d'un vol de démonstration, racontez !
- C'est vrai que pendant une démonstration de vol acrobatique, entre une vrille et un looping, l'aile a cassé en l'air. Et le parachute est fixé sur le pilote mais il est attaché à l'aile. Donc, il faut se dégager du parachute tout en restant attaché au morceau de l'aile qui nous tape à la figure, qui tombe en tournoyant et ça a été, ça a été assez effrayant, je dois avouer.
- Vous dites parfois que le danger aide à vivre le moment présent, c'est-à-dire ?
- Je pense que le danger, c'est une manière de se réveiller de notre torpeur, de nos automatismes, de nos habitudes. Et quand tout à coup, il y a quelque chose qui rompt ces automatismes, ça donne un flash de conscience et de lucidité. Tout à coup, on se sent exister dans le moment présent. Alors, c'est pas une raison pour abuser du danger, mais je pense que c'est quelque chose qui est intéressant dans la vie quand même à utiliser parfois.
- Ce qui est intéressant quand on parle de cela avec vous, c'est que vous êtes un aventurier, vous avez fait de la voltige mais en même temps, vous êtes psychiatre. Vous avez un diplôme. Vous travaillez. Et on a peine à le croire quand on vous voit en aventurier. Pourquoi avoir choisi cette discipline pour vos études plutôt qu'une filière scientifique par exemple pour être ingénieur ou pour être pilote ?
- Moi, c'est toujours le monde intérieur qui m'a intéressé. C'est-à-dire le comportement humain en situation extrême. Et je me suis dit qu'en psychiatre, je pouvais mettre en pratique sur le plan professionnel ce qui me passionnait dans le vol acrobatique en delta, c'est-à-dire cette lucidité et cette conscience de soi

qui permet d'utiliser ses ressources intérieures.
– Votre père a été le premier homme à descendre à – 11 000 mètres dans les océans, votre grand-père a été le premier homme à monter au-delà de 17 000 mètres dans un ballon sonde et vous, vous aviez une interrogation quand vous étiez adolescent ? Vous vous disiez comment vivre dans un pays où tout le monde se contente de ce qu'il a ? Je vais vous dire ce qui m'a étonné, c'est que moi, bêtement, je croyais que le secret du bonheur, c'était de se contenter de ce que l'on a...
– Mais peut-être que c'est parce que je veux plus de bonheur que je ne me contente pas de ce que j'ai !
– Ou est-ce que vous êtes un éternel malheureux ?
– Non, mais je pense que je suis un éternel insatisfait. Je pense que c'est cette insatisfaction-là qui me pousse à chercher autre chose.
– Là-dessus, on est d'accord mais est-ce que, comme vous avez choisi le mot « bonheur », ça m'a étonné justement ?
– En fait, je suis très heureux, j'ai beaucoup de bonheur dans ma recherche parce que je pense que ce n'est pas quand on trouve qu'on a le bonheur, c'est quand on cherche.
– Je vais citer juste un exemple : par exemple, la Manche. On voit des gens qui traversent la Manche à la nage, à reculons, sans bras, avec une trottinette accrochée au dos, sérieusement, est-ce qu'on ne risque pas, selon vous, une overdose d'exploits extraordinaires qui par définition, deviennent ordinaires ?
– Alors, moi, ce qui m'intéresse, c'est pas les records justement, parce que le record, c'est simplement battre la performance ou l'action de quelqu'un d'autre qui l'a déjà faite. Moi, ce qui m'intéresse, c'est les premières, c'est-à-dire de faire quelque chose que personne ne croit possible, faire quelque chose que personne n'a déjà essayé et si possible, y arriver.
– Vous avez dit une fois, une phrase que j'aime beaucoup, mais qui m'a laissé perplexe : l'aventurier ne doit surtout pas avoir peur du ridicule. De mon point de vue, je trouvais que ce n'était jamais ridicule un aventurier.
– Alors, suivant comment on rate, ça peut être assez ridicule. Moi, je me rappelle qu'à ma première tentative de tour du monde, j'avais annoncé que je ferai six semaines dans les jet-stream et puis après 6 heures, je flottais misérablement en Méditerranée avec un ballon qui a coulé et une capsule pleine d'eau de mer. Ça a fait rire beaucoup de monde, et ça m'a libéré, ça m'a complètement libéré parce que je me suis dit, maintenant je peux faire n'importe quoi, je peux tout essayer, jamais j'aurai l'air plus ridicule que ça !
– Bertrand Piccard, avec nous, sur France Info. On se retrouve tout à l'heure.

Activité 1 p. 158 (73)

1. Les lettres que je lui ai écrites sont restées sans réponse.
2. J'ai beaucoup aimé la traduction proposée parce qu'elle respecte complètement la version originale.
3. Chaleureusement applaudie par le public, la jeune héroïne s'est vue récompensée.
4. Charlotte et Matthieu ne se sont jamais avoué les secrets de famille qu'ils ont découverts alors qu'ils n'étaient que jeunes mariés.
5. Plusieurs cohabitations se sont succédé avant que le Président ne décide de changer la durée du mandat.

Unité 9

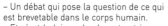

Activité 1 p. 164 (74)

– Un débat qui pose la question de ce qui est brevetable dans le corps humain.
– Et c'est la loi sur les brevets et inventions qui répond à cette question. Le corps humain est justement évoqué dans le premier article et dans la loi suisse comme en Europe en général, c'est très clair : le corps humain et l'embryon quel que soit leur stade de développement ne peuvent pas être brevetés.
[...]
Par conséquent, il est central de définir des limites et on ne peut pas tout breveter.
– Il est faux de dire que le droit des brevets ne s'occupe pas d'éthique, ne s'occupe pas de morale. Vous avez une disposition dans la loi suisse, et d'ailleurs que l'on retrouve dans la plupart des pays du monde, sauf peut-être celle des Etats-Unis, qui exclue les inventions contraires à l'ordre public et à la moralité. Parmi les inventions qui sont exclues de la brevetabilité, par ces raisons d'ordre publique et de moralité, vous avez les méthodes de traitement chirurgical ou thérapeutique et les méthodes de diagnostic appliquées au corps humain et animal. Qu'est-ce qu'on a voulu dire par là ? En fait, on a voulu exclure qu'un chirurgien, en salle d'opération, aborde votre appendice par la droite plutôt que par la gauche, parce que l'abord par la gauche est breveté.
– Voilà, concrètement les gestes du chirurgien dans le corps ne sont pas brevetables. Bon, ça peut paraître un détail par rapport au fait par exemple qu'on n'a pas le droit de breveter des procédés de clonage humain. Mais c'est une des limites imposées par la loi.
– Bon on comprend bien tout ça, Virginie Matter, mais le problème des brevets sur les gènes par exemple, c'est que ça empêche aussi les autres de travailler dessus.
– Mais non, c'est pas parce que vous brevetez un gène que d'autres chercheurs n'ont pas le droit de faire de la recherche fondamentale dessus, en tout cas selon la loi suisse.
[...]
Et si les enjeux autour du brevet sur le vivant sont si complexes, c'est parce qu'il englobe à la fois des intérêts financiers, la question de l'innovation, mais aussi l'éthique et la définition même du vivant. Mais ne nous y trompons pas la compréhension actuelle de la biologie et les technologies font qu'aujourd'hui ce n'est pas la question de savoir si on peut breveter le vivant, mais plutôt comment le breveter.

Activité 1 p. 166 (75)

– L'américain Google vient de dévoiler un méga projet de recherche qui vise à percer, grâce à l'analyse du génome, les secrets de la santé humaine.
– Oui, Google est aussi un moteur de recherche médicale. Ça peut paraître incroyable, mais en effet, la société californienne s'est fixée pour objectif de repousser les limites du vieillissement et même de la mort. Son tout nouveau projet qui vient d'être révélé est piloté par un spécialiste en biologie moléculaire au sein de Google X, le laboratoire ultra secret de l'entreprise. L'idée, c'est d'analyser l'ADN et les molécules de milliers de volontaires pour dessiner la carte complète d'un être humain en pleine santé et à partir de là, de détecter les facteurs qui déclenchent toutes les maladies afin de les prévenir.
– Mais alors la vie éternelle, Laurent, jusqu'ici c'était plutôt un domaine réservé aux religions, ou aux œuvres romanesques, ça change donc ?
– Ouais, et bien désormais, on trouve des scientifiques, même des entrepreneurs très sérieux qui sont séduits par ce qu'on appelle l'idéologie transhumaniste. Pour eux, les progrès de la génétique, les nanotechnologies, les sciences cognitives et le numérique, tout ça combiné, ben ça permet d'envisager une intelligence qui serait supérieure à celle de l'homme aujourd'hui et qui s'affranchisse en quelque sorte de son corps. Ça fait à la fois frémir et rêver. [...]
– Google contrôle déjà le web, la publicité, la vidéo, les données personnelles de milliards de citoyens. Faut-il se méfier de son incursion dans le domaine de la santé ?
– Disons que face à des projets dingues, il faut des garde-fous. Notamment, il faudra garantir l'anonymat des informations biologiques récoltées. En matière de santé, il n'est pas question de laisser une entreprise privée décider de notre destin. Cela dit, pour ma part, je vous avoue que je trouve ces recherches fascinantes et je suis convaincu qu'avec des états qui sont de moins en moins riches, seuls les investisseurs privés pourront demain financer les programmes les plus fous.

Activité 1 p. 167 (76)

– L'ADN au cœur du CQFD du jour, on l'a entendu tout à l'heure, Stéphane Délétroz, mener une enquête en travaillant avec des traces d'ADN, dans la vraie vie, ça ne se passe pas exactement comme dans les séries télé, hein.
– Ben non, c'est moins glamour et généralement c'est plus long. Je crois que vous le disiez hier, Bastien, sauf erreur, il faut au moins trois semaines pour obtenir les résultats des analyses. Et puis, dans ces mêmes séries, alors l'ADN, c'est un super héros qui permet de condamner les coupables, d'innocenter les innocents, de faire triompher le bien du mal. Dans la réalité, et bien, la méthode est pas totalement infaillible. [...]
– Il faut comparer cette empreinte génétique avec d'autres empreintes parfois enregistrées dans des bases de données.
– Oui, la législation varie d'un pays à l'autre. En Suisse, si votre ADN figure dans cette base de données, on l'a dit hein, c'est que vous avez été condamné. Dans d'autres pays européens, pas besoin de condamnation, il suffit d'avoir été mis en cause lors d'une enquête pour y figurer.
– Alors voilà, ça c'est le cas en France hein. En France, on a un fichier national automatisé des empreintes génétiques qui comprend plus de deux millions de profils aujourd'hui. Le fichier a été mis en place en 1998. Au départ, c'était uniquement pour centraliser l'ADN des personnes qui avaient commis des crimes sexuels, qui avaient été condamnées pour des crimes sexuels. Et puis, au fur et à mesure du temps, des nouvelles lois ont été votées qui ont élargi le nombre de crimes ou de délits, d'ailleurs, mineurs, passibles d'inscription dans ce fichier. Et a été ouvert aux personnes qui étaient simplement mises en cause dans des affaires sans être forcément condamnées par la suite. Et d'ailleurs, ces personnes mises en cause constituent aujourd'hui plus de la majorité des personnes fichées dans le fichier national des empreintes génétiques français. Donc, aujourd'hui, en France, on est condamné parce qu'on a fait une action antipublicitaire sur un panneau 4x4 dans les rues de Paris. Et bien, même si on est simplement mis en cause d'ailleurs, il faut donner son ADN pour rentrer au fichier national des empreintes génétiques.
– Et ça pose problème ?
– Alors, les problèmes qui se posent c'est de savoir quels sont les avantages finalement, d'avoir des bases de données génétiques aussi grosses par rapport aux risques.
– Et pourquoi pas encore plus grosses ? Pourquoi pas, je vais faire mon naïf, pourquoi si l'on n'a rien à se reprocher, pourquoi pas étendre ça à toute la population ?
– Voilà, c'est ça, c'est-à-dire le slogan « Rien à cacher, rien à craindre ». [...]
Mais, c'est pas vrai, d'avoir des grosses bases de données centralisées comme ça, ça a des conséquences sur potentiellement sur la vie des personnes qui sont fichées, c'est-à-dire qu'il peut y avoir une présomption d'innocence qui est faussée. Parce que quand on est présent dans le fichier, et bien on va être plutôt considéré coupable à priori, que si on n'est pas présent dans le fichier. Il y a des risques sur la sécurité de ces grosses bases de données. Après tout, s'il y a des trous de sécurité que va-t-on pouvoir faire de cette information ? Et puis, globalement, toutes les personnes qui sont fichées, il y a également leurs familles qui sont fichées, puisque les empreintes génétiques d'une personne sont en grande partie partagées avec ses parents, ses enfants et ses frères et sœurs. Donc, non seulement la personne est fichée, mais tous ses apparentés proches sont également concernés par cette grosse base de données. Et donc le rapport en question compare donc ces risques sur la vie privée, sur la liberté avec les avantages. Est-ce que c'est si intéressant que ça d'avoir des grosses, aussi grosses bases de données génétiques centralisées. Et ce qu'ils disent dans le rapport c'est que aujourd'hui on n'a pas d'éléments tangibles pour dire « Oui ! Ces bases sont particulièrement intéressantes ».
Ils font bien la distinction entre le fait d'utiliser l'ADN dans les affaires, comme le cas dont il a été question aujourd'hui, c'est-à-dire on a comparé l'ADN d'un suspect avec l'ADN retrouvé sur la scène du crime sans passer par un fichier, voilà. Donc, ça c'est une façon d'utiliser l'ADN. L'autre façon, c'est de passer par un fichier centralisé et les experts en question disent qu'il y a très peu de données qui permettent de savoir si il y a autant de cas que ça qui sont résolus grâce à un fichier centralisé.
– Alors, Stéphane si on revient sur le test, finalement classique d'ADN, où on va comparer une trace avec ce qu'on posséderait déjà comme information sur un suspect par exemple ou dans une base de données assez restrictive. Alors ça, c'est une première chose, mais on pourrait, on le disait tout à l'heure avec Bas-

en, aller un peu plus loin en analysant ADN.
– Absolument, on pourrait par exemple rédire la morphologie d'un suspect ou éterminer l'origine géographique des ndividus, c'est assez efficace semble-t-, mais pour l'instant ce n'est pas auto- sé en Suisse.

Grammaire a p. 168 🔊 77

u fait ! Tu as entendu parler du débat ur le transhumanisme ? En fait, il s'agit 'utiliser la science pour améliorer les apacités humaines, histoire de lut- er contre le vieillissement. Par contre, e débat pose un problème éthique. utre le fait de lutter contre les mala- ies, la science pourrait modifier notre ntelligence, et ainsi améliorer l'espèce umaine en général. Du coup, je ne sais as trop quoi en penser. Après tout, on ne ait jamais ce que l'avenir nous réserve.

Activité 1 p. 168 🔊 78

. Il a tout de suite invité un consortium se réunir.
. a proposé sur le champ de réunir un onsortium.
. Outre le fait qu'il soit fiché, il est bien onnu des services de police.
est bien connu des services de police, n outre, il a été fiché après son délit.
. En vue de prouver sa théorie, il a enouvelé son expérience.
. a renouvelé son expérience histoire de rouver sa théorie.
. Il était déjà en retard du fait qu'il avait garé ses clés.
n fait, il était déjà en retard quand il a garé ses clés.
. D'ailleurs, je l'ai prévenu du change- ment d'horaires.
ar ailleurs, je dois le prévenir du chan- ement d'horaires.

Activité 3 p. 168 🔊 79

vant, on considérait la science et les echnologies comme deux disciplines éparées. La science était chargée de omprendre le monde comme la tech- ologie qui se chargeait de concevoir des bjets. Par contre, aujourd'hui, elles sont n complète interaction. Faut dire que la echerche scientifique est dépendante e la technologie, vu qu'elle utilise des utils très sophistiqués. En plus, certains rogrès techniques éclairent les scienti- iques dans certains domaines (citons le équençage du génome humain). Et puis, a technologie est également le résul- at du progrès scientifique, comme par xemple les nanotechnologies. En gros, cience et technologie ont tendance à se confondre d'où l'apparition du terme technoscience ».

Activité 2a p. 170 🔊 80

. – Bonjour monsieur ! J'ai acheté cet ppareil chez vous et lorsque j'ai ouvert e carton, je me suis aperçue qu'il man- quait le câble d'alimentation. Serait-il ossible de m'échanger cet appareil ?
– Ah désolé madame, je ne peux rien aire pour vous. Dans notre magasin, appareil en démonstration est complet.
– Ah bon ?! C'est de ma faute alors si ous vendez des appareils incomplets ? Un peu d'honnêteté tout de même. Votre magasin est responsable de ce ésagrément.

– Excusez-moi madame, mais une fois que le client est sorti du magasin avec un produit, nous déclinons toute responsabilité !
– J'en crois pas mes oreilles, assumez vos responsabilités ! Et vous vantez les qualités de votre service après-vente !? C'est fort ça ! Je voudrais parler à votre responsable...
2. – Sophie, Fanny, venez ici tout de suite !
– Oui, maman !
– Non, mais qu'est-ce que c'est que ça ? Est-ce que vous pouvez m'expliquer pourquoi je retrouve ça dans la poubelle ?
– Heu, c'est pas moi, c'est Fanny !
– Oh c'est pas juste ! C'est pas ma faute ! C'est Sophie qui a eu l'idée.
– Oui, mais c'est toi qui a jeté le nain de jardin de la voisine à la poubelle.
– Ben oui, mais c'est toi qui l'avais cassé !
– Menteuse ! C'est toi qui l'as volé et qui me l'as lancé par-dessus la haie !
– Bon ça suffit les rapporteuses, et voleuses en plus ! J'en ai marre de vos bêtises ! Filez dans vos chambres et je ne veux plus vous entendre ! Demain, nous irons chez la voisine pour que vous racontiez ce que vous avez fait !
3. – Bonjour monsieur l'agent.
– Bonjour monsieur, que puis-je faire pour vous ?
– Je viens concernant la plainte déposée contre moi par mon voisin.
– Très bien. De quoi vous accuse-t-il ?
– D'avoir volé les pommes de son pommier.
– Patientez, s'il vous plaît ! Je vais cher- cher le dossier.
– Je vous remercie. Je suis accusé à tort et totalement innocent dans cette his- toire. C'est pour ça que je rejette cette accusation et je souhaiterais faire appel.
– Où se trouve ce pommier monsieur ?
– Dans sa propriété, mais beaucoup de branches de l'arbre débordent sur le chemin communal. Parfois, j'avoue que je ramasse quelques pommes tombées par terre, mais c'est mon droit. Et puis, il les laisse pourrir en plus. C'est à cause de son laisser-aller, il n'a qu'à tailler son arbre. Et, je voulais témoigner du fait qu'il y a une semaine, j'ai surpris le facteur en train de chaparder des pommes directe- ment sur l'arbre. C'est lui le coupable. Mais vu que mon voisin me déteste, il préfère m'accuser moi !
4. – Non, mais c'est pas possible hein ! Vous pouvez pas regarder devant vous !?
– Mais c'est vous qui avez pilé au dernier moment !
– Et les distances de sécurité, vous les avez respectées peut-être ?
– Non, mais vous vous foutez de moi là ! Je vous tiens pour responsable de cet accident !
– Ah ben ça c'est la meilleure ! C'est de votre faute si tout ça est arrivé ! Je réclame un dédommagement.
– Hors de question ! Je n'y suis pour rien ! C'est vous qui êtes en tort, point final !
– Vous préférez que j'appelle la police ?
– Hé bien, allez-y si ça vous chante ! De toute façon, il y a des témoins !
– Ah bon où ça ?
– Heu...

Activité 2c p. 170 🔊 81

– Ah bon ?! C'est de ma faute alors ...
– Heu, c'est pas moi, c'est Fanny !

– Oh c'est pas juste !
– Ben oui, mais c'est toi qui l'avais cassé !
– Bon ça suffit les rapporteuses !
– Ah ben ça c'est la meilleure !
– Hé bien, allez-y si ça vous chante !
– Ah bon où ça ?
– Heu...

Activité 2c 🔊 82
Le + expression p. 170

C'est d'ta faute si tout ça est arrivé !
Tout est d'sa faute !
C'est à cause de votre manque d'organi- sation que ça n'a pas marché.
C'est toi qu' as fait ça ! Je te tiens pour responsable de...
Tu es pour quelque chose dans cette histoire !
C'était ta responsabilité !
J'accuse X d'avoir...
C'est lui / elle le / la coupable.
Assumez vos responsabilités !
C'est vous qui êtes en tort !
Je nie toute responsabilité.
Je n'ai rien avoir avec ça !
Je suis innocent.
Ce n'est pas (de) ma faute !
Ce n'est pas à cause de moi que...
Je n'ai rien fait.
Je n'y suis pour rien.
Tu mens !
Ah ben ça c'est la meilleure !
J'en crois pas mes oreilles !
C'est vous qui m'avez dit de...
Vous vous foutez de moi !
Vous vous / moquez de moi là !

Activité 1 p. 172 🔊 83

– Imaginez la ville et l'espace de demain. Lundi, le conseil de Paris a dit « non » au projet de la tour Triangle, 180 mètres de haut. Et depuis la bataille d'Hernani a repris entre ceux qui se félicitent que la capitale reste horizontale et ceux qui s'étranglent de cette obstination culturelle bien française qui rangerait définitivement Paris dans la catégorie des « villes musée ». Mais s'agit-il vrai- ment d'une bataille entre archaïques et modernes ? Dubaï, Shanghai, mais aussi Londres ou Barcelone se sont lancées dans une course au gigantisme pour savoir qui a la plus haute. Inventent- elles un nouveau langage architectural ? Ou se perdent-elles dans l'illusion de la modernité en déshumanisant un peu plus la ville ? Et nous, Français, pour- quoi résistons-nous ? Sommes-nous condamnés à l'alternative tour ou étale- ment périurbain ? [...]
– Je trouve assez dommage qu'on ne se permette pas de construire des gratte- ciel, il faut aussi représenter l'architec- ture du XXIe siècle. Alors puisque ça vous était directement adressé, Thierry Pacquot, est-ce que vous êtes un horrible conservateur qui avez du mal à imaginer la ville du XXIe siècle ?
– Non, mais je pense que l'auditeur n'a pas dû lire le livre que j'ai écrit, où juste- ment je critique évidemment la muséo- graphie, je critique la touristication, je critique le manque d'espaces publics, etc. Donc, là, il faudrait faire une lecture précise, ça n'a aucun intérêt. La tour, que moi j'appelle le gratte-ciel, parce que la tour c'est autre chose. Il y a le beffroi, il y a le clocher, le minaret. Donc, le gratte- ciel est un objet de spéculation écono- mique. C'est un symbole du capitalisme triomphant, né à la fin du XIXe siècle, moi,

je suis pour au contraire qu'on libère l'imaginaire des architectes, des promo- teurs, des urbanistes pour inventer autre chose pour le XXIe siècle que ce truc d'une autre époque totalement désuet, hyper coûteux. [...]
– Pour répondre à l'auditeur, je pense que la question c'est pas l'objet en tant que tel de gratte-ciel qui pose problème. C'est finalement l'insertion de ce promo- ment ou de ce bâtiment dans le quartier, c'est la question du lien social et du rap- port à la rue. À partir du moment où une tour, enfin, c'est-à-dire un gratte-ciel, si l'on prend la dénomination telle qu'on doit le prendre aujourd'hui. À mon sens, la question qu'on doit se poser c'est comment elle s'insère dans l'espace, dans l'espace urbain et qu'est-ce qu'elle amène aussi aux citadins. Le problème majeur des gratte-ciel et pour lequel j'aurais tendance à rejoindre ce que dit Thierry Pacquot, c'est que ces tours, du fait comme on veut rentabiliser absolu- ment le foncier, finalement on ne peut pas se permettre de faire chose qui coûte peu cher, donc le prix du loyer, de la location de ces m² sont très élevés. Donc du coup, on se retrouve avec quoi ? Avec des hôtels grand luxe et non pas des hôtels deux ou trois étoiles. Prenons l'exemple de la tour dont on est en train de parler aujourd'hui : la Tour Triangle de Versailles. Il était prévu un hôtel, mais il aurait fallu un hôtel deux ou trois étoiles. Or, c'était pas assez rentable donc, on ne pouvait faire un hôtel de luxe, donc on a rejeté. Donc la question majeure, c'est quelle urbanité on donne avec une tour et est-ce que ça crée de l'inégalité au sein de la ville ? [...]
– Est-ce que c'est pas ça finalement la vraie question ? Ce qu'on fait de la tour et ce qu'on fait autour de la tour ? Après tout, ça libère de l'espace on utilise bien de l'espace, ça peut pas être une tour ? [...]
– Moi, mon problème fondamental, c'est anthropologique, est-ce que l'être humain qui est un être sensoriel, peut vivre dans un milieu artificiel à air condi- tionné qui est la tour ? Est-ce qu'il peut- être dans cet espèce de « gated commu- nity » provisoire, c'est-à-dire cette tour avec, moi je préfère dire gratte-ciel, avec son ascenseur qui est finalement une impasse en hauteur.
– Vous vous dites, l'homme, il n'est pas fait pour ça ?
– Ce n'est pas possible. Sinon on en aurait construit depuis très très longtemps, ça a commencé je vous le rappelle...
– Sauf qu'on savait pas, aujourd'hui on voit bien qu'on sait faire, qu'on les construit de plus en plus haut. Alors ça veut dire c'est bien, mais ça veut dire que peut-être l'homme peut s'adapter aussi.
– Non, parce que quand on regarde qui, parce que faut bien distinguer la popula- tion du gratte-ciel et une population de bureau. Ce qui est une absurdité. Tout d'un coup, il y a 250 000 personnes qui viennent de toute la région parisienne qui vont à la Défense le matin. Et 250 000, les mêmes, qui rentrent chez eux le soir. Je pense que le télétravail, je pense que 50 000 choses sont en train de changer ça. Et qu'on n'aura plus cette concentration de population. La vraie ville et la vraie vie est ailleurs que dans cette espèce d'ab- surdité de chacun chez soi.

p. 14

C'est une grenouille à grande bouche qui se balade dans la campagne.

– Une grenouille avec une énorme bouche. On ne voit que ça.

– Elle est contente, il fait beau, c'est l'été.

– Alors, elle sautille partout. Elle arrive près d'une prairie, entourée de barbelés.

– Dans la prairie, y'a une vache qui broute tranquille…

– La grenouille s'approche et lui demande :

– Hey, t'es qui toi ?

– La vache répond : « Moi, je suis une vache ».

– Et qu'est-ce que tu manges, toi ?

– « Ben, moi, je mange de l'herbe », qu'elle répond la vache.

– Ah, d'accord, moi, je suis une grenouille à grande bouche !

– Et puis, la grenouille repart dans sa balade en sautillant.

– (onomatopées), tranquille, elle arrive dans la forêt.

– Elle rencontre ensuite un loup et lui demande : « Hey, t'es qui, toi ? »

– Moi, je suis un loup, ça se voit, non ?

– Et qu'est-ce que tu manges toi ?

– Ben, je mange des lièvres et des poules.

– Ah, d'accord, et moi, je suis une grenouille à grande bouche.

– Et elle repart en sautillant.

– (onomatopées)

– Elle est super joyeuse, elle saute partout.

– Attendez, c'est quoi après déjà ?

– Ben, après, elle croise un serpent.

– Oui, c'est ça. Elle croise un serpent et lui demande :

– « Hey, t'es qui, toi ? »

– Le serpent répond : « Moi, je suis un serpent. »

– Et qu'est-ce que tu manges, toi ?

– Moi, je mange des grenouilles à grande bouche.

– Et, il y en a beaucoup par ici ?

p. 32

Je m'appelle Matthieu, j'ai 24 ans et j'ai décidé de me lancer comme entrepreneur social. Alors je lance aujourd'hui « Ticket for Change » qui est une initiative qui vise à aider les jeunes qui veulent changer la société à passer à l'action et à créer des entreprises solidaires.

En fait, l'idée, elle m'est venue en Inde quand j'ai fait un voyage, un voyage qui a changé ma vie. Quand je suis monté pendant 15 jours dans un train, un train qui s'appelle le « Jagriti Yatra », ça veut dire voyage-éveil et avec 450 jeunes, on est parti à la rencontre d'entrepreneurs qui sont en train de changer l'Inde et le concept de cet événement, c'est de donner envie aux jeunes de passer à l'action. Cet événement de 15 jours, il m'a complètement bouleversé et m'a donné envie de, ben, faire la même chose en France. Et donc en France, ça s'appelle Ticket for change.

On leur propose un programme de leadership de 1 an qui se compose de 10 jours pour créer des déclics. Donc c'est 10 jours de tour de France du 26 aout au 6 septembre, où on emmène 50 jeunes à la rencontre des pionniers les plus inspirants de notre pays. Et suite à ce déclic qu'on aura créé, on les aide pendant 9 mois grâce à des dispositifs d'accompagnement et ben à maximiser leur impact. Quand j'étais en école de commerce, le déclic je pense, ça a été quand j'étais à Londres en deuxième année d'étude et quand je voyais tous mes petits copains aller dans la finance. Et qu'en fait, on était au cœur de la crise financière. C'était 2008 – 2009 et qu'on voyait bien que ça tournait pas rond. C'est cette non-remise en question qui moi m'a fait dire : non, non, c'est pas possible, je peux pas faire toutes ces années d'études pour en fait, faire un truc qui me parle pas à la fin. C'est devenu une évidence pour moi d'aller chercher des alternatives.

Et donc avec Jonas, on est allé à la rencontre d'entrepreneurs sociaux et puis, on a décidé de lancer ce projet : « destination change makers. » Partir sur le terrain dans les pays émergeants, 3 mois aux Philippines, 3 mois en Inde, 3 mois au Sénégal pour travailler en tant que bras droit d'entrepreneurs sociaux, pour comprendre qui c'étaient ces entrepreneurs sociaux, de comprendre qu'est-ce qu'ils faisaient et puis quel était leur quotidien, avec le questionnement « est-ce que nous, en fait, on a envie de devenir entrepreneurs sociaux ». Et puis cette exploration, elle nous a donné envie de devenir entrepreneurs sociaux.

Je me suis jamais vu chef d'entreprise, c'est vraiment un truc que j'avais jamais imaginé quand j'étais ado. Parce que j'étais hyper timide. Je me voyais celui qui souffle la bonne idée à l'oreille, qui est derrière, qui se cache, qui ne prend pas les risques

On n'est pas la première génération à vouloir changer le monde. Ça c'est sûr, y'en a eu plein avant nous. Par contre, je pense qu'on a une approche différente et là où les soixante-huitards, par exemple, étaient plutôt contre le système, étaient en opposition, j'ai l'impression que notre génération est plus en collaboratif, en apportant des nouvelles idées positives pour essayer de changer les choses. Donc, on est plus sur donner envie plutôt que faire peur. On a envie, je pense, aujourd'hui de créer des nouveaux modèles qui prennent le meilleur de chaque monde, des entreprises, le meilleur de ONG, des asso et puis le meilleur de l'État.

Y'a plein de sceptiques qui pensent que ce nouveau monde n'est pas possible mais moi je fais le pari des anticipations auto-réalisatrices c'est-à-dire que je pense, je suis persuadé qu'on peut inventer un nouveau monde qui est efficace économiquement, qui crée de la valeur pour tous.

p. 50

Bienvenue à Yopougon, un quartier populaire d'Abidjan que nous avons baptisé « Yop City » pour faire comme dans les films américains. Je vous présente Ignace, mon géniteur. « Aya, tu me fatigues ! Pourquoi tu es toujours en train de me désobéir ? » Cette belle femme, c'est Fanta, ma mère. « Tu poses trop de questions ! » « Mais, je n'ai rien dit encore ! » « Tu es trop curieuse ! ». Les nouvelles vont vite dans ce quartier. « Me faire ça à moi ! ». J'ai deux meilleures amies : Adjoua « Je me vois déjà dans mon grand salon de coiffure acheté par mon mari » et Bintou la go choc, une grand gazeuse. « Bintou ? » « Tais-toi, j'adore cette chanson » « Tu es trop forte en solutionnage rapide ! ». Mais ce qui rend Yop City si intéressant, ce sont leurs histoires de cœur qui font vibrer ce quartier. « Les filles de Yop City sont belles. » « Elles vont me tuer mon gars ! » « Hey ! Ma sœur, t'es belle comme un cacao qui sèche au soleil ! ».

« Tu es enceinte. » « Hein ?! » « Tu vas me dire qui est ce voyou, ce vaut-rien qui t'a fait ça, je vais le tuer ! Mais, les pires trahisons viennent des proches, c'est connu ! ». On part au village, on trouvera bien là-bas quelqu'un qui ressemble à cet enfant. »

« Aya, il faut qu'on parle. « Va voir le père de ta grossesse. Tu sais au moins qui c'est j'espère ?! » « C'est lui, regarde. »

« Mon Grégoire-là, il ne boit que du champagne et s'habille chez le plus grand couturier de Paris : Tati. ».

p. 70

Beaucoup de personnes croient que l'égalité est atteinte et que le féminisme est un mouvement dépassé. Bien sûr, les Québécoises ont le droit de voter, de s'éduquer, de travailler, d'avoir les enfants qu'elles veulent. Femmes et hommes sont égaux. Pas tout à fait ! Voyons cela un peu plus près.

La petite enfance sera déterminante pour Léa et Léo. L'apprentissage des normes et des valeurs en société sera en grande partie influencée par leur sexe. Bienvenue dans le monde des stéréotypes ! À l'école, les comportements de Léa et de Léo seront renforcés par l'attitude des enseignants, des camarades ou par le peu de place occupé par les femmes dans la trame narrative de certains manuels d'histoire. Exposés à des milliers de publicités qui véhiculent de nombreux clichés, Léa et Léo subiront la pression de s'y conformer, notamment pour appartenir « au groupe ». Ces pressions peuvent entraîner une faible estime de soi et rendre malade. Les troubles alimentaires affectent une fille sur trois au Canada. Avant 18 ans, Léa court près de quatre fois plus le risque de subir une agression sexuelle que Léo. Bon, il n'y a pas de bonnes nouvelles. La place des filles dans les institutions d'enseignement est désormais acquise : elles forment près de 58 % des étudiants du collégial et des universités. Mais les stéréotypes sont tenaces et les métiers dits féminins regroupent 80 % de femmes alors que l'on retrouve 70 % d'hommes dans les métiers traditionnellement masculins. À la sortie du programme de maîtrise en administration des affaires, Léa et Léo décrochent un emploi : écart de salaire, 5000 dollars. La trentaine approche : Léa met au monde son premier enfant. Elle s'absente du travail durant 52 semaines. Nouveau papa aussi, Léo prend son congé parental de 5 semaines comme les ¾ des pères québécois. Grâce au réseau des services de garde, les jeunes mères participent plus que jamais au marché du travail : 84 % des mères d'enfants de 6 ans et plus occupent un emploi mais l'articulation du travail et de la famille demeure un défi pour les jeunes parents d'aujourd'hui. Pour souffler un peu, une femme sur 4 opte pour un emploi à temps partiel. Ce sera le choix de Léa, quitte à ralentir son avancement professionnel et à réduire ses revenus. Dans la cinquantaine, les femmes jouent leur rôle de proche aidant dans 75 % des cas. À la retraite, les revenus de Léa n'atteindront que les 2/3 de ceux de Léo.

Le parcours de vie des femmes entraîne des conditions de vie différentes de celles des hommes. C'est pourquoi la marche vers l'égalité n'est pas achevée. Le conseil du statut de la femme continue de défendre les intérêts des Québécoises dans une société en évolution. Pour changer les mentalités, il faut des politiques publiques comme il est nécessaire de convaincre les femmes et les hommes des effets positifs de l'égalité des sexes sur toute la société.

p. 88

– En fait, la nuit de la création, je trouve que c'est super parce que c'est comme un rendez-vous d'artistes : souvent, les artistes, c'est des gens qui travaillent seuls dans leur atelier ; c'est plutôt rare qu'ils ont un contact soit entre eux, ou avec un public, tant qu'ils n'arrivent pas à la présentation finale de leur œuvre. Donc, aujourd'hui, c'est autant un rendez-vous pour eux les spectateurs que nous, les artisans, les acteurs, de nous rencontrer, de voir ce qui se fait ailleurs aussi, d'en prendre puis de le ramener dans notre bagage, puis après, de travailler avec cette matière première-là, de s'en inspirer, de voir ce qui se fait autour.

– C'est le plus grand rêve que puisse avoir quelqu'un, un artiste qui est dans les communications, c'est de faire en sorte que chaque personne puisse trouver sa petite place, et peut-être sa petite joie face à l'immensité du mystère de vivre.

– Là, pour moi, je pense que ça doit être décloisonné, plutôt relationnel, je pense, puis ça se doit de définir un nouveau langage parce que la société est tellement compartimentée que peut-être que ça pourrait définir de nouveaux langages entre nous.

– Là, pour moi, c'est l'exploration des possibles, c'est une manière de faire dévier son regard, le regard un peu banal mais le regard quotidien, routinier que l'on a habituellement… donc, on le fait dévier et on regarde la réalité à travers un prisme différent.

– Pour moi, l'art, c'est libérateur et puis, je crois qu'on peut vraiment dégager un plaisir avec tout ça, et puis de partager ça, ça crée des liens, ça évolue tout le

temps, donc, je trouve que c'est ça qui
st très intéressant de vivre.
 L'art, pour moi, c'est avant tout un jeu.
n s'est dit qu'on faisait jamais de l'art
i on n'avait pas de plaisir. Donc, de tou-
urs continuer à essayer de se pousser
lus loin, de pousser nos limites encore
lus loin, nos idées, notre imaginaire
urtout, un peu plus loin dans la folie et
uis, dans le jeu.
 Une brume, un merveilleux brouillard
blouissant, étincelant, une lucidité euh
ombre.
 Alors, l'art, pour moi, c'est une façon
e mieux comprendre le moment qu'est
envie.
 Pour moi, l'art, aujourd'hui, c'est réus-
ir à créer un contexte qu'on peut com-
unier et où on peut réussir à se parler.

Unité 6

p. 106

on alors, on vient d'arriver en Ariège.
n va rencontrer Benjamin Lesage qui vit
ans argent. Donc, on va passer 24 h avec
ui et essayer de découvrir son quotidien.
'est à quelques kilomètres de Mirepoix,
ité médiévale, que cet aventurier a posé
a caravane. Depuis 2010, il a décidé de
ivre son utopie. Après avoir traversé la
moitié du globe, en stop et sans un sou,
 a décidé de bannir l'argent de son
uotidien.
 Quand t'as rien, tu peux t'en sortir et tu
eux même être très bien et t'es même
mieux quand t'as rien que quand t'as
que n'importe qui je te rencontrais.
ais pas, je me trouvais vraiment juste,
e crois que c'est le mot, je me sen-
ais juste dans le monde, je me sentais
quelque part à ma place sans argent. Ça
n'a vraiment plu cette idée, moi aussi je
ne fonds vraiment dans cette idée natu-
relle de : on vit au jour le jour sans penser au lendemain, avec une vision, avec
des projets, tout ça, mais sans avoir ces
préoccupations de « Qu'est-ce que je vais
aire demain ? Comment je vais m'habil-
er demain ? Où est-ce que je vais dormir
demain ? ». Et donc ça après, pour moi
c'est, la conviction, ça a fait que, cette fois,
cette confiance, elle fonctionne quand je
suis à fond là-dedans. Si d'un coup, j'ai
un compte bancaire ou une sécurité, ça
marche plus parce que avec la sécurité,
'as les préoccupations qui reviennent.

T'as un compte en banque, t'as un peu
d'argent, tu te dis « ben combien d'argent
il me reste ? ». Donc, d'un coup tu dis,
c'est difficile de pas y penser, donc c'est
beaucoup plus simple de pas l'avoir du
tout, t'as pas le choix et donc tu dis :
« ben j'ai pas le choix ! ». Et donc t'es
obligé de confiance ou alors tu paniques.
Si tu veux être serein, t'es obligé d'être
serein, ça te force à devenir serein, t'as
pas d'autre choix.

Unité 7

p. 126

Ils viennent des quatre coins du monde
dans l'espoir de changer de vie. Les candidats à la Légion étrangère arrivent,
ici, dans ce fort militaire de la banlieue
parisienne. Les tests commencent par
quelques tractions, puis, vérification des
papiers d'identité. Ces dernières années,
beaucoup viennent d'Europe de l'Est.
Ce corps spécial de l'armée française
n'accepte plus les anciens criminels.
Aujourd'hui, une enquête est menée sur
toutes les futures recrues. Des hommes
âgés de 17 à 40 ans, souvent en situation
de rupture, qui veulent donner un sens
nouveau à leur vie.
– Je viens ici parce que je veux être un
soldat et un soldat chez les meilleurs et
pas chez les deuxièmes ou troisièmes,
chez les meilleurs...
– J'ai choisi la légion étrangère parce
que c'est l'une des meilleures au monde
et aussi parce qu'elle dispose d'une technologie moderne. Ce n'est pas comme
l'armée éthiopienne.
La présélection dure une semaine avec
des tests psychologiques et des entretiens. La grande majorité ne parle pas
le français mais ils devront l'apprendre,
s'ils sont recrutés. Les présélectionnés
rejoignent ensuite Castelnaudary dans
l'Aude, pour la phase finale de sélection.
Là, les choses sérieuses commencent :
tirs, manœuvres, simulations de com-
bats et de blessures.
– Ici, la personne est appréciée pour
sa qualité, non pour sa position dans la
société : qui est mama ? Qui est papa ?
Au final, un candidat sur huit rejoindra
les rangs de la légion étrangère. Elle
compte environ 7000 hommes venus de
presque tous les pays du monde.
– La place des légionnaires est la même
que celle de tous les soldats français.
Ce sont des soldats français, étrangers
mais qui servent la France avec leurs
camarades français. Ils vont aux mêmes
endroits, dans les mêmes opérations, les
mêmes engagements.

Leur mission les conduira en plein
désert, dans la jungle ou bien au coin
de la rue, comme Vigipirate, car si l'armée embauche, la Légion aussi. Cette
année, elle pourrait enrôler jusqu'à
1700 nouvelles recrues contre un millier
normalement.

Unité 8

p. 144

– Tu diras rien, hein ? Faudra rien dire,
à personne !
– Ok ! Et tu peux le refaire ?
– Ouais !
C'est l'histoire d'un homme dont toutes
les aptitudes décuplent au contact de
l'eau. C'est pas franchement un homme-
poisson, on ne le sait pas. Est-ce qu'il
a...? Il ne peut pas respirer sous l'eau
non plus mais voilà, c'est quelqu'un qui
a ce rapport à l'eau qui lui est propre et
qui s'installe dans une région, comme ça,
voilà, où il y a beaucoup d'eau. C'est un
film sur le choix, sur voilà, ce que c'est
que de devenir homme, sur accepter ce
que l'on est, ce que l'on a, sa différence...
C'est un film super héros parce que
le personnage a ce don, ces pouvoirs
même, à la différence près que lui ne
le vit pas du tout comme tel parce que
je voulais le film très réaliste et dans cet
environnement que je connais, qui est
la France aujourd'hui, et donc, je pense
qu'en France aujourd'hui, un type qui
aurait comme ça une telle différence, je
pense pas qu'il se poserait la question de
se fabriquer son costume, d'aller sauver
la planète, donc, voilà, il ne se sent pas
de responsabilités. Ça, c'est quelque
chose de très américain, vis-à-vis de la
planète entière même de la galaxie.
Sans pour autant être égoïste, Vincent,
déjà, c'est dur de gérer son propre quotidien d'homme, donc, voilà, donc, il
s'occupe de lui, et puis, dans le temps du
film, des autres qu'il a choisis, qu'il aime
et avec qui il y a un échange possible,
donc, son amoureuse, Lucie, Driss, son
copain de chantier, pour qui il est prêt,
sans faire de jeu de mots, à se mouiller !
Même si ça peut sembler d'arrière-
garde, ce que m'ont dit beaucoup de
gens en me disant mais pourquoi tu
vas t'embêter dans la vraie eau à faire
des trucs qui vont t'épuiser, tu vas aller
dans l'eau gelée alors qu'aujourd'hui,
on peut faire tellement de choses ? Moi,
j'étais convaincue qu'en faisant comme
on a fait, on aurait une empathie, on
garderait, on serait avec le personnage
y compris dans les séquences d'action.
Euh, et c'est vrai que dans beaucoup de

films, y'a l'acteur, les personnages, ils
sont là, et d'un coup, y'a l'action, donc,
c'est des doublures, c'est du numérique,
Il est à distance, c'est souvent un autre
réalisateur qui met en scène (le réalisateur seconde équipe). Ce que je trouvais
délirant c'est comme si dans une comédie, les moments drôles, c'était un autre
mec qui faisait les ... alors que non, dans
un film d'action, le metteur en scène, au
contraire, il devrait se concentrer sur ces
moments, sur ces moments-là où les
personnage se déploient, existent.

Unité 9

p. 162

– Vous savez de quel travail il s'agit ?
– Non.
– Moi non plus. Faut que je demande
à notre sous-directeur. Arrêtez de
gesticuler !
Oui, ici maintenant tout de suite, vous
pensez à m'apporter le dossier 226 ?
Ne m'approchez pas !
– Je n'ai pas bougé !
– Oui, oui, oui, oui, on dit ça !
– 226.
– Vous avez cassé une chaise ?
– Vous savez réparer les chaises ?
– Je pense. C'est pour réparer des
chaises que vous cherchez quelqu'un ?
– Ben, vous vous asseyez par terre pour
travailler ?
– Il ne doit pas travailler souvent.
– Hein ?
– Il ne doit par travailler souvent.
– Non. Haha ! Vous êtes un gros fainéant,
voilà ce que vous êtes.
– Et on n'a pas de travail à donner à un
fainéant monsieur.
– Non. Ni à lui, ni à personne d'autre.
D'ailleurs moi quand j'y pense...
– Ben vous n'avez qu'à me donner pas de
travail puisque je suis un fainéant. Moi,
c'est ça que je ferais à votre place.
– Alors c'est ça. Vous voulez peut-être
remplacer monsieur le Directeur.
– Allez dégage !
– Ne me touchez pas !
– Dégage !
– Espèce de vieux connard !
– Clochard !
....
– Vous ralentissez la cadence là !
– J'ai pas fini, j'ai pas fini ma phrase.
– Arrêtez ! On ne peut pas laisser faire
ça ! C'est dégueulasse ! Lâchez-le !

Références des images

couverture Alija/Gettyimages **couverture** Gérard Labriet/Gettyimages **4e couverture** Gérard Labriet/Gettyimages **8 hg** La Grenouille à grande bouche - Un épisode de la série La Minute Vieille - écrite et réalisée par Fabrice MARUCA - Une coproduction Bakéa Productions, LM Productions, ARTE France **8 mg** LEGO **8 bg** Myette Fauchère **10 hg** Sturti/Gettyimages **10 mg** Artiste JR, 2014/Benoit Tesier/Reuters **10 bg** Charles Platiau/Reuters **12 hg** Mario Eder/Gettyimages **12 mg** The Quest for the Absolute #01 © Benoît Lapray **12 bg** «L'écume des jours» par Michel Gendry 2013 Brio films - STUDIOCANAL - France 2 Cinéma **14-15** La Grenouille à grande bouche - Un épisode de la série La Minute Vieille - écrite et réalisée par Fabrice MARUCA - Une coproduction Bakéa Productions, LM Productions, ARTE France **16 hg** Avec l'aimable autorisation des Éditions Robert Laffont **17** Bianchetti/Leemage **18** Michael Blann/Gettyimages **19** Luciano Lozano/Gettyimages **21** Ann Lindberg/Gettyimages **22** © Z.Zonk/Éditions Play Bac, 2014 **23 bd** Courrier International Hors-série n° 2014-4 du 05.11.2014 - Dessin de Bertrams. Pays-Bas **23 hm** Pete Saloutos/Blend Images/Corbis **24** Concept et rédaction : Judith Jacques, Graphisme : marieloic.com, Crédit : ici.exploratv.ca **25** Et vous, chat va ?, tome 12 de Philippe Geluck © Salut ! Ca va ? SA **26** «Les nouveaux diablogues» de Roland Dublillard **27 bg** «Les Diablogues» de Roland Dubillard, mis en scène Anne Bourgeois a La Coursive scene Nationale de La Rochelle du 8 au 10 novembre 2007. Avec Francois Morel et Jacques Gamblin Photo par Victor Tonelli/© ArtComArt **27 hd** Chloé Poizat **29** Frederic Souloy/Gamma **30 bg** Stephane Allaman/Gamma **30 hd** Thomas Coex/Afp **30 mg** Michael Ponomareff/Ponopresse/Gamma-Rapho/Gettyimages **30 mm** Bruneau Cyril/Abaca **31** Xavier Gorce «toute le monde a le droit au bonheur» de la série Les Indigivrables publié le 7/12/2009 **32-33** LEGO **34** CCI France **34 hd** Pierre Andrieu/AFP **35** Kenzo/Tribouillard/AFP **36** Jeff Pachaud/AFP **37** Louison **39** Keith Levit/Design Pics Inc **40** Gary Waters/Gettyimages **41** Benoit Pereira da Silva - www.marcherentravaillant.org **42** IBB Studio Ltd **43** Tesson **44** Charles Haquet, Bernard Lalanne, Procès du grille-pain et autres objets qui nous tapent sur les nerfs, © Mercure de France, 2014 / Photo : Radius Images/Gettyimages **45** Rich Legg/Gettyimages **47** Joel Saget/AFP **48 hg** Christophe Boisson-Fotolia.com **48 md** «Pasteur dans son laboratoire » par Albert Edelfelt/Akg-Images **49** Kristen Ulve/Ikon Images/Photononstop **50-51** Myette Fauchère **52** Mathieu Kieny - http ://www.smop-it.fr/pouvoir-image-infographie **52 hd** Imagno/Gettyimages **53** Catherine Meurisse **54** Télés connectées : un espion dans le salon ? - Le Monde.fr, 11.02.2015 **55** JGI/Jamie Grill/Gettyimages **57** yvdavyd/Istock **58** « Aya de Yopougon », tome 5, page 26 de Marguerite Abouet et Clément Oubrerie, Editions Gallimard, 2009 **59** Copyright © 2007. Une réalisation de Dominique Beauchamp - See more at : http ://unionsdesconsommateurs.ca/nos-actions/campagnes-et-evenements/journee-sans-achat/#sthash.5P6mAuKc.dpuf **60** JordiRamisa/Istockphoto **61** « Amkoullel, l'enfant Peul de Amadou Hampate Ba », © Poche — 12 avril 2000 **62** La vie rêvée d'Ernesto G. » de J.-M. Guenassia © Le Livre de Poche **63 bg** Directphoto/Agefotostock.com **63 hd** LAPI/Roger-Viollet **65** Dave and Les Jacobs/Gettyimages **66** Brouck - Iconovox **66 hd** niroworld-Fotolia.com **67** Zelda Zonk **68** © Denis ALLARD/REA **69** Lasserpe/Iconovox **70-71** Sturti/Gettyimages **72 hd** Les femmes-Antoinette Fouque, 2013 Avec l'aimable autorisation des éditrices **72 hg** BD Repères « Une lente marche vers l'égalité » de Johen Gerner et Manon Paulic © Le 1 hebdo n°32 du 12/11/2014 **74** amriphoto/Gettyimages **75** Cambon/Iconovox **77** cartoonresource-Fotolia.com **78** Groupe Randstad France **79** Cultura/Matelly/Gettyimages **80** Anne Blanchard, Serge Bloch et Francis Mizio, L'Encyclopédie des rebelles, insoumis et autres révolutionnaires (Collection Albums documentaires ») © Éditions Gallimard **81** Couverture de l'ouvrage Les rebelles dirigé par Jean-Noël Jeanneney et Grégoire Kauffmann chez CNRS éditions, 2014 **82** © Le Goff & Gabarra / www.lgetg. fr **83** DEA/G. Dagli Orti/Gettyimages **85** Alain Le Bot/Photononstop **85 d** A Heritage Images/Leemage **86 b** © Schweizerisches Sozialarchiv **86 c** Hannah Assouline/Opale/Leemage **86 d** David Fritz/AFP **86 e** A. Cristofari/A3/Contrasto-Réa **86 md** Prisma Press **87 bd** « Declaration of the Rights of Man and Citizen », 1789 (oil on canvas), French School, (18th century) / Musee de la Ville de Paris, Musee Carnavalet, Paris, France / Bridgeman Images **87 mg** Aurel **88-89** Artiste JR, 2014/Benoit Tesier/Reuters **90 bd** « Design graphique : www.grapheine.com **90 hg** article27.be **91** RMN **92** Librairie Guivelle **93** Main basse sur la culture, de Michaël Moreau et Raphaël Porier © Editions La Découverte **95** Bertrand Rieger/hemis.fr **96** Martin Vidberg **97** PLANTU **99** PUF **100** Pierre Mornet **101** Deligne/Iconovox **101** nPine/Gettyimages **104 1** Frank Guiziou/hemis.fr **104 2** Arnaud Chicurel/hemis.fr **104 3** René Mattes/hemis.fr **104 4** photo publiée dans Le Journal du CNRS, « Musée de la poussière » masque et main avec une boîte, photo de Patrick Imbert **104 hd** Éditions du Chêne, collection France 2 **105** Musée du Louvre-Lens **106-107** Charles Platiau/Reuters **108 hd** Le luxe alimentaire : Une singularité française de Vincent Marcilhac - Presses Universitaires de Rennes **108 hg** © Hors-série Capital — janvier-février 2015 **110** Michael Blann/Gettyimages **111** Florilegius/Leemage **112** CCM-Benchmark à partir d'une conférence Comscore sur « l'univers féminin sur Internet ». 2012 **113** Catherine Beaunez/Iconovox **114** Le Retour à la Terre — tome 1 — La Vraie vie de Ferri et Larcenet : demi-planche A « Premiers échanges » p.27 - Ferri, Larcenet © DARGAUD, 2015 **115** Peter Turnley/Corbis **116** Palmarès Unep des villes les plus vertes de France 2014. Infographie à retrouver sur www.observatoirevillesvertes.fr **117** Affiche par AAA avec un dessin et une photo de Gilles Clément **118 - 119** « Dans la forêts de Sibérie » de Sylvain Tesson © Editions Gallimard **119 bg** Pierre Jacques/hemis.fr **121** Marc Dozier/hemis.fr **122 bd** Charles Platiau/Reuters **122 hg** Marc Bertrand/Challenges-Réa **123 md - mm** Patrick Frilet/hemis.fr **124** Louise Murray / Science Photo Library / Biosphoto **125** Emmanuel Berthier/hemis.fr **126-127** Mario Eder/Gettyimages **129** Sylvain Sonnet/AFP **130** « La Cour de Babel » par Julie Bertuccelli, 2014 Collection Christophel © Les films du poisson / Sampek Productions **131** Blog de Chimulus, dessin « Un couple de Roms à Paris » 05/02/2014 **133** Gauzere/Iconovox **134** Albert/Iconovox **135** Peupreu **136 hd** Facilein **136 hg** Gouvernement Canada **137** Deligne/Iconovox **138** « Les boloss des belles lettres - la littérature pour tous les waloufs» de Quentin Leclerc et Michel Pimpant aux éditions J'ai Lu. **139** Deligne/Iconovox **141** Michel Gaillard/Réa **142 hd** Faujour/Iconovox **142 hg** Keystone France/Gamma **142 md** la couverture de votre livre « Dictionnaire du nouveau français » par Alexandre des Isnards © Allary Editions **143** SOS Racisme **144-145** The Quest for the Absolute #01 © Benoît Lapray **146** Latitude Jeunes, www.ifeelgood.be **147 hd** « Du Contract Social, ou Principes du Droit Politique » par J.J. Rousseau - BNF **147 mg** « Jean-Jacques Rousseau » par Quentin de la Tour/Akg-Images **148** La couverture de votre ouvrage « Qu'est-ce qu'une Nation ? » par E. Renan, 1991, Pierre Bordas et fils © Bordas Editions **148 hd** akg-images/Quint & Lox **148 mg** © 2015 LES EDITIONS ALBERT RENE. Asterix www.asterix.com © 2014 LES EDITIONS ALBERT RENE

149 « Notre histoire. Les 100 dates qui ont fait la nation européenne » par Philippe Juvin, Editions JC Lattès **151** Gros/Iconovox **152** Oly **153** Benoit Tessier/Reuters **154** CNES/TREDAN-TURINI Julien, 2014 **155 bg** John Lund/Gettyimages **155 hg** © Chappatte dans Le Temps, Suisse. www.globecartoon.com **156** Jean-Yves Mitton **159** Amnesty International Belgique francophone **160 hd** L'Intrépide » par Marcus, Remi Guerin, Guillaume Lapeyre, 28/8/2015 Ankama **160 bg** Direction de l'information légale et administrative **161 bd** Andrew Rich/Gettyimages **161 mm** « Le comte de Monte Cristo », 1942, Réalisateurs : Robert Vernay et Ferruccio Cerio, Avec principalement : Pierre Richard Willm, Michele Alfa, Aime Clariond, Lise Delamare, Marcel Herrand, Collection Christophel © Regina Productions / DR **162-163** mettre copyright Studio Canal VOIR VIDEO **165** «Hippocrate » par Thomas Lilti avec Vicent Lacoste, Jacques Gamblin © Le Pacte, Collection Christophel, DR **166** CONEYL JAY/SPL/COSMOS **167** Ian Cuming/Gettyimages **169** Owner/Gettyimages **171** FIX **172** Agence Française de Développement **172** fred34560 - Fotolia.com **173** Philippe Tastet **174** L'extraordinaire voyage du fakir qui était resté coincé dans une armoire Ikea de Romain Puertolas, © Le Livre de Poche **175** Joba/GettImages **177** Mutio - Iconovox **178** Raymond Queneau, Exercices de style (Collection « Folio ») © Éditions Gallimard **178** STF/AFP **178** akg-images/Pictures From History **178** akg-images/ullstein bild **178** DPA ARCHIVES/DPA **179** Adrien Fournier **181** VOISIN/PHANIE **182** BURGER/PHANIE **183** PhotoAlto/Alamy/hemis.fr **184** Deligne/Iconovox **186 bg** Boaz Rottem/Alamy/hemis.fr **186 hg** DENIS ALLARD/REA **187** HUGHES Hervé/hemis.fr

Références des textes

16 BJ6504 - MAAF - Les Français sont-ils râleurs ? - Mai 2010 © Opinionway **16** IRB FRANCE 2013 **17** « Les Français déprimés par leur littérature » © Mathieu Rollinger / lefigaro.fr / 27.12.2013 **18** Les leçons de la « science du bonheur » de Jean-François Dortier - Mis à jour le 26/06/2014 - Sciences Humaines - page 40 - Les grands dossiers - n°35 - Juin-juillet-août 2014 **23** Mathieu Bertos Petite série de « j'aime pas », 8 février 2014 **26** Roland Dubillard, Les nouveaux diablogues (Collection « Folio » © Éditions Gallimard **34** Bachelier et déjà chef d'entreprise - Le Monde.fr, 06.02.2015, Emma Paoli **35** « Les « barbares » qui veulent débloquer la France - article de Donald Hebert - Nouvel Obs n°2608 du 0/10/2014 **36** Pourquoi travaille-t-on ? de Achille Weinberg - Sciences Humaines - Les grands dossiers - n°242 – novembre 2012 **36** « Ne rien faire au travail, un passe-temps ordinaire » © Alexia Eychenne / lexpress.fr / 01.12.2014 **41** Benoit Pereira da Silva - www.marcherentravaillant.org **44-45** Charles Haquet, Bernard Lalanne, Procès du grille-pain et autres objets qui nous tapent sur les nerfs, © Mercure de France, 2014 **48** Louis Pasteur et la vaccination contre la rage « Source : Institut Pasteur **49** La fille du prisunic de Adrienne Pauly, 2006 © Nouvelles Editions Françaises **52** « Du bon usage des perruques : le cas Louis XIV », S. Perez **52** « Eloge de la retenue sur les réseaux sociaux » par Erwan Desplanques paru sur telerama.fr en janvier 2014. **54** Millward Brown **54** « Masse critique », par Adriano Brigante, 17/07/2013, **61** « Écrire en français ou en francophone, quelle différence ? » - RTS découverte avec Jean-Marc Luscher, chargé d'enseignement à l'Université de Genève **62-63** « La vie rêvée d'Ernesto G. » de J.-M. Guenassia » © Albin Michel **62-63** La Vie rêvée d'Ernesto G., par Jean-Michel Guenassia © lexpress.fr / 16.07.2012 **69** « Les objets connectés commencent à trouver leur public » © Elsa Bembaron / lefigaro.fr 31.05.2014 **69** Camille Drouet, dans « les débats du DD pour Courrier International, le 30/11/2014 **72** « Antoinette Fouque : "Les femmes sont le génie de l'espèce » © Patricia Boyer de Latour / madame.lefigaro.fr/ 20.02.2014 **73** Une révolution des rôles sociaux, Loup Wolff © Le 1 hebdo n°32 du 12/11/2014 **74** Une stéréotypes restent très présents, notamment dans l'esprit des femmes » Nathalie Wrigh © Le 1 hebdo n°32 du 12/11/2014 **74** Les quotas sont-ils la solution pour plus de femmes dans les Conseils d'administration ? - Les Echos 25/07/2013 **80** Anne Blanchard, Serge Bloch et Francis Mizio, L'Encyclopédie des rebelles, insoumis et autre révolutionnaires (Collection « album documentaire ») © Éditions Gallimard **82-83** Willem : l'œil qui mord aux commandes d'Angoulême » par Stéphane Jarno paru sur telerama.fr le 1er février 2014. **90** Museoomix a transformé le Musée d'art et d'histoire en laboratoire d'idées, Tribune de Genève - 10-11.2014 **91** RFI : « Au Grand Palais, l'art haïtien sort de son île » http ://www.rfi.fr/afrique/20141212-grand-palais-art-haitien-sort-son-ile-haiti-exposition/ **95** l'article « Comment consomme-t-on a culture à l'heure d'Internet ? », Sandrine Blanchard, lemonde.fr, 23/06/2014 **100-101** La famille, inspiration d'artistes » par Fabienne Pascaud et Nathalie Crom paru sur telerama.fr en mars 2014. **108** Le luxe alimentaire : Une singularité française de Vincent Marcilhac - Presses Universitaires de Rennes **109** « Pourquoi la France est championne du luxe et continuera de l'être » Par Claire Bouleau - Challenges 16/05/2014 **110** Titre : Real Luxury : How Luxury Brands Can Create Value for the Long Term - ISBN : 978-1137395566 - Editeur : Palgrave Macmillan - Date de sortie : August 2014 - Formats : Hardcover, E-book - Pages : 236 **110** Voici où finissent les invendus de Hermès, Vuitton, Chanel et autres grandes marques de luxe » Par Thiébault Dromard - Challenges 07/09/2013 **118-119** « Dans la forêts de Sibérie » de Sylvain Tesson © Editions Gallimard **123** the poem of Zachary Richard, "Cris sur le bayou" published in "Fiare récolte", UL Press, 2014 **124-125** Extraits de l'article « Aurore Avarguès-Weber, un regard sur les abeilles », par Charline Zeitoun, CNRS le journal n° 279, hiver 2015. **128** INSEE 2019 **129** Il serait temps que l'Etat inaugure le musée de l'Immigration » par Frédérique Chapuis paru dans Télérama Sortir du 1er octobre 2014. **130** « La cour de Babel » par Cécile Mury paru sur telerama.fr en janvier 2015. **130** Nicolas TRUONG, « L'ethnicisation de la France met en scène une guerre des identités », 09/07/2014, Le Monde **138** Entretien des 'Boloss des Belles Lettres' (Quentin Leclerc et Michel Pimpant) par Loïc di Stefano en décembre 2013, Le Salon Littéraire **138** « Les boloss des belles lettres - la littérature pour tous les waloufs» de Quentin Leclerc et Michel Pimpant © J'ai Lu, 2013 **147** Jean-Jacques Rousseau, Du contrat social, 1762 **148** « Pierre Nora : « La France n'a plus de grand projet national », par Bernard Poulet, publié le 24/11/2011 sur lexpansion.com **156** « La revanche des super-héros français » © Arnaud Bordas / lefigaro.fr / 27.06.2014 **164** « Consommation : les français veulent plus d'éthique mais pas à n'importe quel prix » AFP, 16/05/2013 **165** Winckler : "'Hippocrate' m'a ramené trente ans en arrière ! " par Aurélien Ferenczi, publié le 05/09/2014 sur telerama.fr **166** Hugo Aguilaniu, ou le rêve de Faust revisité, Par Florence Rosier - Le Monde Science et Techno - 23.02.2015 **171** Conseil national de l'Ordre des sages-femmes **173** Europa City, ou l'art de construire des pistes de ski en banlieue parisienne, par Angela Bolis - Le Monde. fr - 26.03.2013 à 10h13 **174** L'extraordinaire voyage du fakir qui était resté coincé dans une armoire Ikea de Romain Puertolas, Le Dilettante **178** Raymond Queneau, Exercices de style (Collection « Folio ») © Éditions Gallimard **183** « Grève à Radio France, ou l'importance de la radio au quotidien », modesdevivre, un blog de Anne Dujin - lemonde. fr, 14 avril 2015. **184-185** Génération cocon : comment il est devenu courant que les jeunes adultes habitent chez leurs parents » © Atlantico **186** « L'envol de la poule en

ville », Marlène Duretz, lemonde.fr, 14/04/2015 **187** Le choix du tourisme solidaire MONDE | 20.04.2007 Par François Bostnavaron

Références des sons

Unité 1 L'argent ne fait pas le bonheur © RTS Radio Télévision Suisse **1** Extrait l'émission L'importance de l'humour dans notre vie Nos invités : Philippe Geluck, sinateur, humoriste et Lionel Bellenger, maître de conférences, par Flavie Flamand, le Jeudi 03 octobre : **1** Emission « Un temps de Pauchon », « Histoire du bonheur 30/04/2014 avec Rémy Pawin, France Inter **1** Emission « La tête au carré » par Mat Vidard, « La recherche du bonheur », 17/03/2015 avec Ilios Kotsu, Université libre Bruxelles/France Inter **Unité 2** Extrait de l'émission « Retrouver le sens de l'économi Une vision de l'économie » avec Elena Lasida, RFI **2** 24 juin 2014 : Chronique - C'est r boulot - Le coworking : une nouvelle façon de travailler ensemble - Philippe Dupor la participation de Xavier de Mazenod, Zevillage **2** qui a inventé Lépine ?« extrai l'émission Service Public sur France Inter du 1/5/2014 avec Valérie Grammont **2** L'e nomie sociale et solidaire, France Inter avec Jean-Marc Borello **Unité 3** « Mali : Fem africaines et publicité » par David Baché, RFI 28/08/2014/RFI **3** « Pourquoi tant d'ac francophones? » par Caroline Lachowsky, 14/03/2015 avec le docteur en sciences Joë Rosney et le chercheur en linguistique Philippe Boula de Mareuil/RFI **3** « C'est bon p la santé. Le bon usage des « selfies » » par Marianne Paquette avec la participation Jessy Ryel, Alpabem/Vues et Voix **3** Emission « Service Public », « Invasion publicitai les nouvelles trechnivques des fils de pub » par Guillaume Erner, 20/11/2014 ave participation de Jean-Marc Lehu, animateur France Inter **Unité 4** Chronique « Pixel » d'Olivier Danrey, extraite des « Les Matins France Culture, diffusée le 26 septembre 2014 avec Fabien Taste, J.F. Vergelin et Ca rine Herlaiemme Deslandes **4** Egalité hommes-femmes en entreprise, les homme mettent aussi par Agnieszka Kumor, RFI 24/2/2014 avec Pierre-Edou Deldique, RFI le 19/10/2014 avec J.N. Jeanneney et Grégoire Kauffmann **4** Emiss « Les femmes, toute une histoire », « Le siècle des femmes! Well, Well, Well! Habite quotidien » par Stéphane Duncan, France Inter 14/09/2014, avec la partitcipation Cécile Chelalou et Sophie Dussol **Unité 5** « CONTRECHAMP - Main Basse sur la Cultu **5** Mediapart, journal numérique d'information générale « 7 milliards de voisins – séries télés entre fiction et réalité » diffusé sur RFI par Emmanuelle Bastide le 3/9/201 Amazon est en train de dézinguer la filière culturelle » sur France Inter le 12/08/2 avec Renny Aupetit **5** Burkina-Faso : l'An I de la révolution (5/5) — Le Burkina face terrorisme - Emission « Culturesmonde » de Florian Delorme, diffusée sur France Cul le 6 mars 2015 avec Michel Zongo **Unité 6** Karabatic : le parquet demande son ren en correctionnel, du 6/2/2015 sur RTL **6** « Les Nouveaux chemins de la connaissa par Adèle Van Reeth » diffusée sur France Culture le 15/10/2014 **6** « La main du Sac, Vuitton », Réalisation : Benoît Bories & Charlotte Rouault, Mise en ondes & M Arnaud Forest, Enquête à Naples : Marine Vlahovic, Production : ARTE Radio.com **6** Extraits de Emission « Dans les rêves » par Laurence Garcia, 20/12/2014, Fra Inter « Je fais des rêves de résistance • Gilles Clément » **Unité 7** Jeunes et vieux sou même toit, ou nouveau mode de vie ? par Hélène Jou 5/02/2015 avec Arnaud de Saint Simon pour Psychologies magazine France (mai 20 www.psychologies.com et Carole Gadet « Association Ensemble Demain » (http://w ensembledemain.com - www.ensembledemain.com) L'association Ensemble De propose des conférences et formations sur l'intergénérationnel pour le grand public les professionnels. Elle accompagne les réseaux dans la création et la mise en place projets intergénérationnels. contact : ensembledemain1999@gmail.com **7** Intitulé son : « VA TE FAIRE INTEGRER » - Réalisation : Jézabel Berdoulat - Mix : Samuel Hirs © ARTE France **7** « Allons-nous perdre nos nos jeunes talents ? » extrait de l'émiss « Français du monde », présentée par Emmnanuel Langlois le 31/08/2014 avec Chris Gierse, Studyrama **7** Extraits de l'émission « Expatriés français : le rêve Canadien » én sion - Interception » par Lionel Thompson, 15/02/2015, reportage d'Elodie Verge - Intervenant : Marianne Bouygues **Unité 8** illustrer l'émission « Allô Europe ? » Jose Manuel Lamargue et Emmanuel Moreau du 5/12/2014 « Les Cent dates qui construit l'Europe », Intervenant Philippe Juvin **8** Emission « Répliques : quelle hist pour la France » d'Alain Finkielkraut, diffusée sur France Culture le 28 février 2015 a la partitcipation de Jean Sevillia, Figaro Magazine **8** L'émission « Tout et son contrai présentée par Philippe Vandel et intitulé « Bertrand Piccard : le danger est une mani de se réveiller », 7/01/2013 avec la participation de Bertrand Piccard **Unité 9** Jo nal du matin (15.04.2013) A-t-on le droit de breveté des gènes humains © RTS Jo Télévision Suisse **9** CQFD (09.04.2013) ADN : risques et dérives possibles de l'usag cette « molécule enhavissante » © RTS Radio Télévision Suisse **9** Extrait de l'émiss « Google et la vie éternelle » sur Radio France - Intervenants Pierre Weill, Hélène Jouar Laurent Guez **delf 1** Emission « J'vous dis pas » consacrée aux épiceries solidaires/Ne tune FM avec l'intervention de J.F. Greaud **delf 2** l'émission « On dirait que ça boug diffusée le 20/02/2013 et consacrée au thème : « Les associations et la médiation cul relle destinée aux enfants », Radio Campus Rennes **delf blanc** Extraits de l'émiss « Débat du jour » - présentée par François Bernard et diffusée le 08/04/2015 (thèr « Les aliments sont-ils sains ? »), Intervenants : Daniel Nairaud et Laurent Cheval

DR : Malgré nos efforts, il nous a été impossible de joindre certains photographes ou le ayants droit, ainsi que les éditeurs ou leur ayants droit pour certains documents, afin sollicitier l'autorisation de reproduction, mais nous avons naturellement réservé au no comptabilité des droits usuels.